DIANA PALMER

Double trahison

BEST SELLERS

HARLEQUIN®

Cet ouvrage a été publié en langue anglaise
sous le titre :
THE TEXAS RANGER

Traduction française de
VASSOULA GALANGAU

HARLEQUIN®

est une marque déposée du Groupe Harlequin
et Les Best-Sellers® est une marque déposée d'Harlequin S.A.

Photo de couverture
© GHISLAIN & MARIE DAVID DE LOSSY / GETTY IMAGES

Toute représentation ou reproduction, par quelque procédé que ce soit, constituerait une contrefaçon sanctionnée par les articles 425 et suivants du Code pénal.
© 2001, Diana Palmer. © 2004, Traduction française : Harlequin S.A.
83-85, boulevard Vincent-Auriol, 75013 PARIS — Tél. : 01 42 16 63 63
Service Lectrices — Tél. : 01 45 82 47 47
ISBN 2-280-08612-3 — ISSN 1248-511X

A mon grand-père,
Edward Thomas Cliatt,
qui a fait de mon enfance une aventure.

1.

Dans les locaux des Texas Rangers à San Antonio, les murs étaient tapissés de photos encadrées en noir et blanc, représentant les anciens de ce corps d'élite. Fantômes bistre d'un passé révolu, ils contemplaient le monde moderne fait de téléphones, de fax et d'ordinateurs. Des sonneries retentissaient. Des employés, assis derrière leurs bureaux, interrogeaient des gens. Et, telle une berceuse électrique singulièrement réconfortante, le ronron des machines emplissait l'espace.

Le sergent Marc Brannon était calé dans son fauteuil pivotant, devant un bureau encombré de dossiers. Ses cheveux ondulés, d'un châtain tirant sur le blond, brillaient sous les néons. Les yeux plissés, il réfléchissait à un événement récent.

Quelques semaines auparavant, un ami et collègue, Judd Dunn, avait failli se faire écraser par une voiture roulant à grande vitesse alors qu'il venait d'être affecté provisoirement au bureau de San Antonio. D'après la rumeur, l'incident n'était pas sans rapport avec une enquête du FBI concernant Jake Marsh, un parrain de la mafia locale. Dunn avait participé aux investigations, avant de demander à être transféré à Victoria en invoquant des problèmes personnels. L'enquête se poursuivait sous les ordres d'un autre agent originaire de Georgie, Curtis Russell, qui travaillait d'ordinaire pour les Services Secrets. C'est pourquoi Marc avait trouvé bizarre qu'il soit de la partie. Mais, dans ce métier, on changeait souvent d'orientation. Ce devait être le cas ici.

Sauf que Russell était connu pour être un vrai casse-pieds. Deux jours plus tôt, le procureur général, Simon Hart en personne, avait téléphoné à Marc pour se plaindre de l'entêtement de son collègue. Russell, qui sévissait actuellement à Austin, donnait du fil à retordre aux fonctionnaires : après avoir épluché les archives de la police d'Etat, il avait exhumé deux meurtres, lesquels, selon lui, étaient étroitement liés à Marsh et à la mafia… Peut-être avait-il raison. Le problème, c'est qu'il était plus facile de mettre un crime sur le dos de la pègre que d'en apporter la preuve.

Jake Marsh avait trempé dans toutes sortes d'affaires crapuleuses : chantage, proxénétisme, paris illégaux… Il possédait en outre un immeuble en plein milieu de Downtown, le plus beau quartier de San Antonio. C'était son talon d'Achille. Car on pouvait l'inquiéter en invoquant la loi sur les nuisances publiques — un délit pénal qui permettait de fermer un établissement suspecté de servir de base à des opérations criminelles. Les policiers étaient capables d'utiliser tous les prétextes pour

10

aller débusquer le caïd dans son antre. Et, compte tenu de la valeur immobilière de son immeuble, Marsh serait sérieusement atteint. Mais cela ne suffirait pas à le faire tomber. Marsh possédait l'art et la manière de se dérober aux recherches de la police. Visiblement, la connaissance de la loi donnait l'avantage aux criminels.

« Dommage qu'on ne puisse plus abattre les malfrats comme au bon vieux temps », songea Marc avec cynisme, l'œil rivé sur une photo centenaire où un Ranger à cheval traînait fièrement au bout de son lasso un hors-la-loi blessé, humilié et couvert de poussière.

Du bout des doigts, il effleura la crosse de bois sombre de son Colt .45 qu'il portait toujours suspendu à sa ceinture. Les Rangers n'ayant plus d'uniforme, chacun était libre de s'habiller et de s'armer comme bon lui semblait. Mais la majorité arborait la même tenue : chemise blanche, cravate, bottes et Stetson blanc, ainsi que l'insigne — une étoile dans un cercle. Un Ranger se devait d'être poli, propre, conservateur, professionnel. Depuis le début, Marc s'efforçait de correspondre à cette image, mais aujourd'hui, il se montrait plus prudent, plus méfiant. Deux ans auparavant, il avait commis l'erreur de sa vie : il s'était trompé sur le compte d'une femme à laquelle il s'était attaché… plus que de raison. Sa sœur, qui tenait l'information de l'intéressée, lui avait assuré que cette femme ne lui en voulait pas. Réconfort inutile. Marc, lui, ne se l'était pas pardonné. Il avait démissionné, quitté les Rangers et le Texas, et rejoint le FBI avec qui il avait travaillé pendant deux ans. L'expérience lui avait appris que fuir un problème n'est pas la bonne solution ; on l'emporte avec soi, comme un cœur malade.

L'image de la jeune femme blonde, vive, effrontée, qu'il avait aimée, était toujours bien vivace dans son esprit. En dépit de ses malheurs, elle était la personne la plus intelligente, la plus attachante qu'il ait jamais connue. Elle lui manquait terriblement. Ce qui n'était sûrement pas réciproque. Pourquoi se soucierait-elle de celui qui avait ruiné sa vie ?

— Tu rêves ? lui lança une de ses collègues en passant devant lui.

Le sexe faible le trouvait plutôt attirant. On le comparait souvent à ces vedettes de westerns hollywoodiens, avec ses épaules larges, ses hanches étroites et son menton carré. Sans compter sa bouche sensuelle sous un nez cassé et son maintien arrogant qui séduisait au lieu d'intimider. Pourtant, il ne passait pas pour un tombeur ; même les pires commères de la brigade ne trouvaient rien à dire à son sujet.

— Pas du tout, répondit-il, une lueur malicieuse dans l'œil. Je m'exerce à la télépathie. Tel que tu me vois, j'envoie des ondes à tous les bandits en cavale. A l'heure qu'il est, ils doivent tous être en train de se rendre aux autorités aux quatre coins des Etats-Unis.

— A d'autres !

— Bon, d'accord, admit-il en souriant. Je rentre du tribunal où j'ai été convoqué en qualité de témoin. J'ai une douzaine de cas à étudier et je ne sais pas par lequel commencer. Peut-être que je devrais en prendre un au hasard…

— Inutile. Le capitaine a une affaire urgente pour toi.

— Sauvé par le gong !

Il se leva, faisant cogner ses bottes contre le plancher, et lissa sa chemise où flamboyait son insigne en argent.

— De quoi s'agit-il ?

Elle lui tendit une feuille d'assignation.

— D'un meurtre dans une contre-allée de Castillo Boulevard. Un homme blanc. Vingt-cinq à trente ans. Deux enquêteurs du CID et un médecin légiste sont déjà sur place, ainsi que deux infirmiers du SAMU et des inspecteurs de police. Le chef voudrait que tu t'y rendes immédiatement, avant que l'ambulance n'emporte le corps.

— Une seconde ! Le crime a eu lieu dans la juridiction de la PJ, non ?

— Je sais. Mais le cas est délicat. Ils ont trouvé un Blanc avec une balle dans la nuque. Typique d'une exécution. Tu te souviens de ce qu'il y a sur Castillo Boulevard ?

— Non.

— La boîte de nuit de Jake Marsh, lui apprit-elle avec un air légèrement supérieur. Le corps a été découvert tout près de là.

— Eh bien, en voilà une surprise ! Juste au moment où je m'apitoyais sur mon sort...

Il s'interrompit et lança un coup d'œil méfiant vers le bureau du capitaine.

— Attends un peu... Qu'est-ce qui a poussé le boss à me faire ce cadeau ? La dernière enquête qu'il m'a confiée consistait à élucider le meurtre d'une vache, victime d'étranges mutilations. Les fermiers affirmaient mordicus que les assassins étaient des extraterrestres, murmura-t-il sur un ton conspirateur.

— Ils n'avaient peut-être pas tort.

Comme il la contemplait, elle ajouta avec un sourire :

— A mon avis, le boss t'en voulait parce que tu as collaboré avec le FBI pendant deux ans et qu'ils lui ont refusé deux requêtes. En tout cas, il a dit qu'il t'offrait cette chance en guise de récompense. Il paraît que tu ne l'as pas embêté ce mois-ci. Pas encore...

— Je parie le salaire d'une semaine que les médias s'empareront de l'histoire dès ce soir.

— Je ne me risquerai pas à parier avec toi... A propos, tu devrais arrêter de faire le plein à la nouvelle station-service de Downtown — tu sais, celle qui n'emploie que des pompistes féminins. C'est un endroit mal famé.

Il haussa les sourcils.

— Vraiment ? Qu'est-ce que tu as contre elles ?

14

— Il paraît qu'elles ne pompent pas que de l'essence.

A ces mots, elle se tut brusquement et, rouge comme une pivoine, gesticula en direction de la feuille d'assignation avant de se précipiter dehors. Marc eut un sourire espiègle en la voyant fuir. Il attrapa son Stetson et quitta le bureau à son tour.

A Austin, Josette Langley consolait de son mieux l'expert en informatique du procureur. Les cheveux blonds retenus dans un chignon, elle portait des lunettes cerclées d'or qui ne parvenaient pas à cacher ses grands yeux bruns et pétillants.

— Il vous apprécie beaucoup, assura-t-elle. Vraiment.

Phil Douglas secoua la tête d'un air abattu et jeta un regard embué vers la porte de Simon Hart, procureur général du Texas. Son premier job depuis qu'il avait quitté l'université…

De rosé son visage vira au cramoisi, faisant ressortir ses yeux bleu pâle.

— Il a dit que c'était ma faute si son ordinateur s'était bloqué pendant qu'il discutait de la prochaine conférence du gouverneur avec le vice-président, gémit-il. Il a été éjecté du Net et n'a pu se reconnecter. Il m'a jeté la souris à la tête… Vous vous rendez compte ?

— Encore heureux qu'il ne vous ait lancé que la souris ! plaisanta-t-elle en souriant. Simon jette des choses uniquement quand sa femme est furieuse après lui. Ça ne dure pas longtemps. D'ailleurs, il est le cousin au troisième degré du vice-président… et le mien aussi. Ecoutez, Phil, vous avez intérêt à ne pas accorder trop d'importance à ses sautes d'humeur. Laissez-les glisser sur vous, comme l'eau sur les plumes d'un canard. Simon s'emporte facilement, mais il oublie aussi vite ses accès de colère.

— Il ne vous crie jamais dessus, fit-il remarquer, lugubre.

— Parce que je suis une femme. Il est très vieux jeu dans ce domaine. Ses frères et lui ont reçu une éducation très stricte et ils n'adhèrent pas aux idées modernes.

— Il paraît qu'ils ont tous le même caractère… Tous les cinq, vous vous rendez compte ?

— Pas vraiment, rectifia-t-elle, amusée devant l'air stupéfait de Phil, enfant unique comme elle. De toute façon, ils vivent à Jacobsville, au Texas. Et ceux qui sont mariés se sont calmés.

Elle ne s'autorisa pas à penser aux deux frères Hart encore célibataires, Leo et Rey. Leur boulimie pour les biscuits faits maison était devenue une légende.

— Mais pas les autres, insista Phil. L'autre soir, l'un d'eux a sorti une fille de cuisine hors d'un restaurant de Victoria. Il paraît qu'elle criait à tue-tête et qu'on a dû appeler les Rangers à la rescousse !

— Ils ont envoyé Judd Dunn. Encore un cousin éloigné… Mais c'était une blague. Enfin, en quelque sorte. Elle ne criait pas tant que ça… je veux dire pas exactement… Mais bon, peu importe…

Elle avait parlé trop vite, le rouge aux joues, comme chaque fois que quelqu'un mentionnait les Rangers.

Car aussitôt lui venait en mémoire le pénible souvenir d'un Ranger en particulier, qu'elle avait aimé passionnément. Marc Brannon… Sa sœur, Gretchen, lui avait raconté que, deux ans auparavant, il avait fui et son travail et tout ce qui faisait sa vie.

Juste après leur rupture, Josie et lui avaient participé à un procès pour meurtre qui avait fait beaucoup de bruit, et témoigné dans deux camps opposés. Cela avait eu définitivement raison de leur histoire d'amour. Marc avait quitté les Rangers peu après et s'était fait embaucher par le FBI. Aujourd'hui de retour à San Antonio, il avait rejoint son ancienne unité. D'après Gretchen, il se sentait coupable à cause d'un incident plus ancien, remontant à l'époque où il était policier à Jacobsville — Josie avait alors quinze ans. Bizarre, songea-t-elle en se rappelant chacune des paroles horribles qu'il lui avait jetées lors de leur rupture.

Elle ne lui en voulait pas de n'avoir pas cru à son innocence — du moins était-ce ce qu'elle avait répondu à Gretchen. Une demi-vérité… Une partie d'elle-même lui avait pardonné ; l'autre partie, plus sombre, plus vindicative, l'aurait pendu par les pieds à un chêne pour se venger de deux ans de malheur. Jamais il n'avait accordé le moindre crédit à son histoire. Puis il était reparti sans un mot, l'abandonnant comme une malpropre.

17

Elle l'avait aimé. Mais pas lui. Sinon il ne l'aurait pas quittée. Il n'aurait pas fui le Texas, malgré leur désaccord au procès.

Les images érotiques de leur dernière rencontre la submergèrent. S'éclaircissant la gorge, elle reporta son attention sur le pauvre Phil, qui la scrutait toujours de son air de chien battu.

— J'en toucherai deux mots à Simon, promit-elle.

— J'adore travailler ici. Vraiment. Dites-le-lui à l'occasion. Je vais réparer ce fichu ordinateur et je vous jure qu'il n'aura plus jamais de problèmes avec Internet. Je veux bien vous le confirmer par écrit.

— Je le lui dirai. Tout de suite, même, puisque je dois le voir au sujet d'un fax que nous a envoyé un procureur... Allez, Phil, au boulot. Et gardez la tête haute. Ce n'est pas la fin du monde. Tout finit par passer avec le temps, même ce qui aurait pu tuer votre âme.

Elle en savait quelque chose...

En pénétrant dans le bureau de son chef, elle le surprit en train de fixer le téléphone d'un œil torve, comme s'il l'avait goûté et lui avait trouvé mauvais goût.

— Qu'est-ce qui ne va pas ? s'enquit-elle.

Il changea de position. Sa main artificielle reposait sur le bureau, si vraie qu'on avait du mal à imaginer qu'il avait été amputé. De stature imposante, Simon Hart était un homme redoutable. Derrière lui, les photos encadrées de Tira, sa superbe épouse, et de ses deux fils, s'alignaient sur une table polie. Une troisième photo le montrait entouré de ses quatre frères admiratifs, après son élection au poste de procureur. Josie sourit. Amputé ou pas, Hart représentait une force de la nature, surtout lorsqu'il perdait son sang-froid.

— Je viens de recevoir un coup de fil de San Antonio. C'était l'assistante du procureur, déclarat-il en indiquant le téléphone. Il semble qu'il y ait eu un règlement de comptes dans une allée, à deux pas de la boîte de nuit de Jake Marsh. Une figure locale du milieu. Avez-vous déjà entendu parler de lui ?

— Le nom me dit quelque chose mais je n'arrive pas à mettre un visage dessus. Sommes-nous concernés par cette affaire ?

Du bout de l'index, il dessina un motif sur son plan de travail.

— Possible. Tout dépend si Jake Marsh est mêlé au meurtre. L'enquête le déterminera. Inutile de vous préciser qu'à San Antonio, le procureur a déjà tout mis en œuvre pour le confondre. A ma demande, il a envoyé un Ranger sur les lieux du crime. Si le meurtre est vraiment lié à Marsh, nombre d'enquêteurs de divers districts seront mis sur le coup et cela ne fera que compliquer les choses, expliqua-t-il avant d'enchaîner avec gravité : Dans un an, lors des élections sénatoriales, la criminalité constituera le thème principal de la campagne. Je ne veux pas que le Texas soit une fois de plus mis en vedette dans les débats. J'entends surveiller l'enquête de près.

Il lui cachait quelque chose, c'était évident. Elle le voyait dans sa façon de la regarder.

— Vous savez que vous ne pouvez rien me cacher. Alors, qu'est-ce qu'il se passe ?

— J'oubliais que vous aviez le don de deviner les sentiments des autres ! s'exclama-t-il en riant. D'accord. C'est Marc Brannon qui a été choisi pour mener l'enquête.

La voyant se figer, il leva sa main valide.

— Je sais qu'il y a de vieilles rancunes entre vous deux, mais Marsh est un gros poisson. J'ai autant envie que le procureur du district de l'envoyer en prison. Aussi vais-je vous demander de me représenter pendant les investigations. J'ai un mauvais pressentiment en ce qui concerne cette histoire.

Elle ne l'écoutait plus. Le cœur battant à tout rompre, elle aussi éprouvait une drôle de prémonition. Deux ans déjà... *Deux ans.*

— M'envoyer là-bas n'arrangera rien, objecta-t-elle. Est-ce que vous me voyez travailler main dans la main avec Brannon ? C'est impossible, à moins qu'on lui confisque son arme.

Hart s'esclaffa. En dépit d'une existence tragique, Josie se distinguait par sa force de caractère, son indépendance et son humour. Il l'avait embauchée deux ans auparavant, à un moment où personne ne voulait d'elle — en grande partie grâce à Brannon —, et il ne le regrettait pas. Grâce à son diplôme de droit pénal, elle avait pu rejoindre l'équipe du procureur général, et était autorisée à participer, au même titre que les policiers, aux enquêtes criminelles.

Le travail se révélait parfois ingrat, mais elle s'en acquittait avec courage. Son outil le plus précieux ? Le Centre des Informations criminelles. On y trouvait tout, du fichier des personnes recherchées par la police à toutes sortes de renseignements fournis par les enquêteurs.

— Il n'y a rien de définitif, précisa Hart. Ils en sont encore aux préliminaires. Si ça se trouve, le meurtre n'a rien à voir avec Marsh, bien que j'espère sincèrement le contraire. Mais j'ai pensé qu'il fallait vous prévenir, au cas où vous devriez y aller.

— D'accord. Merci.

— Et puis on est de la même famille, tous les deux… Voyons, était-ce un de vos cousins qui était apparenté à la grand-mère de ma belle-mère ?

— Pitié ! grommela-t-elle. Ne commençons pas à dessiner notre arbre généalogique. On s'y perdrait.

— Peut-être, mais ça donnerait le droit à mes adversaires de m'accuser de népotisme. Parce que nous sommes quand même cousins. Eloignés, certes, mais cousins, ponctua-t-il alors qu'un chaleureux sourire illuminait ses traits réguliers. De toute façon, tous mes employés ici forment une grande famille.

— Ravie de vous l'entendre dire. Le cousin Phil m'a chargée de vous assurer qu'il adore son job et jure de ne plus jamais brouiller votre connexion

Internet. Il ose espérer que vous ne vous séparerez pas de lui.

Les yeux bleus du procureur lancèrent des éclairs.

— Dites au cousin Phil d'aller se faire...

— Chut ! Sinon, je le répéterai à Tira.

Il referma la bouche, renfrogné.

— Très bien... Au fait, qu'est-ce que vous vouliez ?

— Une augmentation ! lança-t-elle en comptant sur ses doigts. Un nouvel ordinateur, un nouveau scanner et un local de rangement... Et aussi, pourquoi pas, un de ces adorables petits chiens robots ? Je lui apprendrais à m'apporter les documents.

— Asseyez-vous, Josie.

Elle s'exécuta avec un sourire et le mit au courant du fax qu'elle venait de recevoir de la part d'un procureur de district rural, en quête de conseils juridiques.

Par égard pour son patron, elle fit semblant de ne pas s'inquiéter que le destin la remette en présence de Marc Brannon pour la troisième fois.

Pourtant, quand elle quitta le bureau, elle tremblait presque. Allons, songea-t-elle, ce meurtre allait être résolu en un rien de temps. Et elle n'aurait pas à affronter Brannon alors qu'elle commençait tout juste à l'oublier.

Malgré tout, elle passa le reste de la journée dans une sorte de brouillard. Une sombre appréhension la tourmentait comme si elle savait que ce crime à San Antonio allait bouleverser toute son existence.

22

Et peut-être le savait-elle, en effet. N'avait-elle pas, dans sa famille, des cas avérés de voyance ?

Sa grand-mère, Erin O'Brien, lisait dans l'avenir. Elle savait ce qui allait se passer avant que cela n'arrive. De fait, chaque fois que les Langley venaient lui rendre une visite inattendue, ils trouvaient la table mise et le repas de fête préparé. Erin anticipait aussi les drames familiaux, comme la mort de son frère. Le jour où le père de Josie était allé lui annoncer la mauvaise nouvelle, elle l'avait reçu toute de noir vêtue et coiffée de son chapeau du dimanche, attendant qu'on la conduise aux pompes funèbres. De la même façon, il était inutile de regarder des films policiers avec elle car, dès la première séquence, elle devinait qui était l'assassin.

En pensant à elle, Josie sentit les larmes lui monter aux yeux. Elle l'avait toujours adorée et avait partagé un tas de secrets avec elle. N'était-ce pas Erin qui lui avait prédit que sa rencontre avec « un homme grand, portant un insigne » ferait à jamais basculer sa vie ? Et c'était vrai. Quelques années plus tard, elle avait subi l'une des pires épreuves que l'on puisse connaître. Un garçon l'avait droguée, puis avait tenté de la violer quand elle n'avait que quinze ans. Alerté par les voisins, Marc Brannon avait débarqué à la fête, renvoyé tous les jeunes chez eux et s'était occupé de Josie. Il l'avait emmenée à l'hôpital puis ramenée chez ses parents où l'attendait Erin. Cette dernière l'avait accueillie à bras ouverts.

Josie avait été bouleversée par son décès, survenu peu avant que la famille déménage à San Antonio. Depuis, sa vie n'avait été qu'une longue épreuve.

Ce soir-là, de retour dans son petit appartement, elle sortit un album photo d'un tiroir. Cela faisait deux ans qu'elle ne l'avait pas ouvert, deux années douloureuses mais, à présent, elle avait hâte de revoir le visage de cet homme grand et attirant, qui avait marqué son passé au fer rouge.

Elle l'avait aimé plus fort que sa propre vie. Ils étaient sur le point de devenir amants quand il avait découvert son secret. Choqué, il s'était arraché à ses bras en la maudissant. Et s'en était allé sans un regard en arrière. Mais le destin devait bientôt les remettre en présence, comme pour achever son œuvre de destruction.

Une semaine après leur rupture, Josie s'était rendue à une réception en compagnie d'une connaissance, un certain Dale Jennings. C'est au cours de cette soirée-là qu'un riche homme d'affaires de San Antonio avait été assassiné. Josie avait accusé Bib Webb — le meilleur ami de Brannon, mais aussi un homme politique de renom, candidat au poste de vice-gouverneur — d'être à l'origine du crime, se basant sur le fait qu'il était l'unique héritier du vieil homme. Brannon, lui, avait comparu en tant que témoin de la défense. Afin de blanchir son ami, il avait utilisé son passé contre elle. Depuis, ils ne s'étaient plus adressé la parole.

Elle ne lui en voulait pas d'avoir défendu Bib Webb. Mais s'il l'avait aimée un tant soit peu, il ne l'aurait pas abandonnée aussi facilement. Oui, s'il l'avait aimée, il ne l'aurait pas traitée comme une moins-que-rien.

Tous ceux qui connaissaient Brannon prétendaient que si l'amour le cognait dans l'œil, il ne s'en apercevrait pas. C'était probablement vrai. Il était solitaire par nature. Et l'on pouvait le comprendre, vu les circonstances. Une enfance misérable, une mère emportée par un cancer, une sœur abusée et trompée par un opportuniste, s'enlisant dans les dettes... Oui, les Brannon avaient connu la trahison. Comme elle.

Barnes, son chat, se percha sur le canapé et se mit à lui pousser le bras en ronronnant. Elle le prit contre elle et le caressa. Son ronronnement, le poids de son corps souple et solide sur son ventre la réconfortèrent aussitôt. Barnes était un gros matou de gouttière, presque toujours affamé, qui avait conservé les cicatrices de vieilles batailles. Josie l'avait recueilli un jour, émue par son air malheureux. Elle l'avait conduit chez le vétérinaire, lui avait fait faire les vaccins nécessaires, puis l'avait ramené chez elle. Impossible aujourd'hui d'envisager l'avenir sans lui. Barnes remplissait tous les coins vides de son cœur.

— Tu as faim ? fit-elle.

Le ronronnement s'intensifia.

— Okay.

Elle se leva et s'étira paresseusement. Ses cheveux défaits ruisselaient comme un torrent doré jusqu'à ses hanches. Ainsi que les aimait Brannon... Elle grimaça. Mieux valait ne pas y penser.

— Barnes, nous allons partager un hamburger, déclara-t-elle avant de pousser un profond soupir. Ensuite, il faudra que j'épluche un millier de dossiers, rédige un résumé sur chaque sujet pour Simon, puis que je faxe tout ça au procureur.

Elle considéra son chat en hochant la tête.

— C'est beau, la vie de chat...

2.

Agenouillé près du cadavre, Marc Brannon observait la scène du crime. Pour le moment, il y avait peu d'éléments déterminants et donc rien qui lui facilite la tâche. La victime était un homme jeune, tout au plus la trentaine, vêtu de vieux habits ; il avait un corbeau tatoué sur le bras et des marques rougeâtres aux poignets et aux chevilles — signes d'un séjour en prison. Autour de sa tête, telle une sombre auréole, s'étalait une mare de sang, et ses yeux clairs, grands ouverts, regardaient fixement le ciel bleu. Il paraissait vulnérable ainsi étalé par terre. Fragile, sans défense, devant les regards inquisiteurs des policiers et la curiosité des badauds. Deux techniciens de l'Identité judiciaire passaient les alentours au peigne fin en quête d'indices. L'un d'eux, muni d'un détecteur de métaux, avait découvert une balle de plomb provenant sans doute — du moins l'espérait-on — de l'arme du crime. L'autre, caméra au poing, filmait le cadavre sous tous les angles.

Lissant les plis de son pantalon de la main, Marc se releva et laissa la place à Alice Jones, l'assistante du médecin légiste. Il alla s'appuyer contre le mur, les yeux plissés de concentration. Peut-être que Marsh n'était nullement mêlé au meurtre. Mais alors comment expliquer la présence du cadavre à deux pas de sa boîte de nuit ? Drôle de coïncidence... Dire qu'ils ne parviendraient sans doute pas à le coincer, songea Marc avec rage. Ses acolytes lui fourniraient un alibi en béton sans le moindre scrupule.

Il observa Alice Jones qui, le geste sûr, lent et méthodique, gravitait autour du corps. Mieux valait ne rien oublier, étant donné que l'affaire allait probablement se révéler d'une importance capitale. Levant les yeux, il vit Bud Garcia, l'inspecteur de la brigade des homicides, le saluer d'un signe amical de la main avant de s'adresser aux policiers qui avaient trouvé le corps. Avec un soupir, il se fraya un passage en direction de l'assistante du médecin légiste. Les lueurs des flashes et des caméras continuaient à crépiter.

— On a quelque chose, Jones ?

— Bien sûr, répondit-elle en plongeant les mains du cadavre dans des poches transparentes. Deux choses, même.

— Alors ? demanda-t-il avec impatience.

— C'est un homme. Et il est mort.

Un sourire ironique sur les lèvres, elle ajusta les poches à l'aide de bandes adhésives. Ses cheveux courts étaient trempés de sueur. Normal par cette chaude journée de septembre...

Il lui lança un regard éloquent.

— Désolée, Brannon. Non, nous n'avons rien. Même pas un nom. Il n'avait aucun papier sur lui, expliqua-t-elle en se redressant. Et toi ? Quelles sont tes impressions ?

Il examina le corps affalé devant lui avant de répondre.

— Ces marques sur les poignets et les chevilles... Il pourrait être un prisonnier en cavale.

— Pas mal, Ranger ! J'y ai pensé aussi. Mais seule l'autopsie nous le dira. Il faudra attendre jusque-là.

— Tu peux situer approximativement l'heure du décès ?

— Tu veux que je lui plante un thermomètre dans le foie ? proposa-t-elle, amusée.

— Bon Dieu, Jones !

— Bon, d'accord. Compte tenu de la rigidité cadavérique, je pencherais pour vingt-quatre heures, à peu de choses près. Mais je ne suis que l'assistante. Seul mon patron aura le dernier mot, et vu le nombre de morts dans sa morgue, n'espère pas des résultats trop rapides.

Il réprima un juron. Les examens prenaient du temps, il le savait. Il fallait parfois des semaines avant de recevoir les résultats d'une autopsie, contrairement à ce que l'on montrait dans les films policiers.

Un rayon de soleil ricocha sur son insigne en argent. Ôtant son Stetson, il s'essuya le front du revers de la main, puis remit son chapeau et le tira sur ses yeux.

— Qui t'a envoyé ? s'enquit Alice tout en préparant le corps pour son ultime voyage.

— Le capitaine. Il pense que ce meurtre a un rapport avec un gars que nous nous efforçons de coincer depuis un bon moment sans succès. Naturellement, il a envoyé sur place son meilleur enquêteur, le plus intelligent et le plus expérimenté.

Elle lui rendit son regard malicieux accompagné d'un sifflement faussement admiratif.

— Là, tu m'épates, Brannon.

— Mais non. Rien ne t'épate…

L'ayant saluée, il alla rejoindre Bud Garcia qui discutait avec un policier en civil muni d'un stylo et d'un calepin.

— A mon avis, c'est le bon, disait-il avec un sourire satisfait. Les marques, le tatouage, tout concorde. Une sacrée chance ! Remerciez le directeur de la prison de ma part.

Le policier hocha la tête et s'éloigna, un téléphone portable collé à son oreille.

— On a du nouveau, Marc ! s'exclama Garcia. La prison de Floresville nous a appris que l'un de ses détenus s'était fait la malle ce matin, pendant les travaux d'intérêt général. Sa description correspond parfaitement.

— Tu as son nom ?

— Oui. Jennings. Dale Jennings.

Ce fut comme si le puzzle se remettait en place brusquement. Marc avait toutes les raisons du monde de se rappeler ce nom. Pas étonnant que le visage lui ait paru familier... Deux ans auparavant, Dale Jennings, un petit truand, avait été condamné pour le meurtre de Henry Garner, un riche homme d'affaires de San Antonio. Il semblait avoir des liens avec Jake Marsh et le milieu. Toute la presse régionale — notamment les tabloïds — avait largement diffusé son portrait, et le procès s'était déroulé dans un parfum de scandale. Surtout lorsque Josette Langley, qui accompagnait Jennings la nuit du crime, avait déclaré publiquement que celui qui avait le plus à gagner à la mort de Garner était Bib Webb, actuellement vice-gouverneur du Texas.

Il faut dire que le meurtre avait été perpétré dans sa propriété, au bord de son lac privé...

Il avait fallu batailler ferme, vu les accusations portées contre Webb. Son avocat avait su convaincre le juge de la culpabilité de Jennings. Il avait habilement déjoué le témoignage de Josie — « un tissu de mensonges », avait-il proclamé lors de sa plaidoirie —, et décrit la jeune femme comme une menteuse avérée. La preuve : cet autre procès dans lequel elle s'était portée partie civile quelques années auparavant. Le passé de Josie ainsi que le témoignage de Silvia Webb avaient achevé de laver Bib de tout soupçon. En effet, lors du procès, sa femme avait prétendu avoir aperçu Garner bien vivant près de sa voiture — elle l'avait même salué de la main — avant de raccompagner Josie chez elle. Elle avait entendu dire que le vieil homme comptait aller acheter des cigarettes. Mais lorsqu'elle était revenue, la voiture de Garner était toujours stationnée dans l'allée. Et vide. Aucun des invités n'ayant vu le vieil homme, elle avait appelé la police. « Elle avait l'air anxieux », avaient affirmé les témoins de la scène. A leur arrivée, les policiers avaient interdit aux invités de quitter les lieux pendant qu'ils ratissaient le parc. Ils avaient découvert le vieux monsieur en train de flotter dans le lac. Et cru d'abord à un accident : Garner aurait forcé sur la bouteille et glissé sur la jetée, tombant ensuite à l'eau, assommé.

Oui, cela aurait pu passer pour un accident... sans Josette Langley. Et la découverte du gourdin. Ayant appris la nouvelle à la télévision, Josie avait appelé le poste de police. Selon elle, non seulement Garner n'avait pas bu une goutte d'alcool mais il n'était pas dans le jardin quand Silvia et elle avaient quitté la réception.

Lorsque les policiers avaient trouvé un gourdin ensanglanté dans la voiture de Jennings, ils avaient aussitôt changé de thèse et conclu au meurtre. Les protestations de Jennings n'y avaient rien changé.

Malgré cette preuve accablante et celles que l'on avait trouvées par la suite contre lui, Josie n'avait pas lâché prise. Selon elle, le jeune homme était innocent et Bib Webb, impliqué dans le meurtre de Garner. Lors du procès, elle avait insisté sur le fait qu'il n'y avait pas de gourdin dans sa voiture quand il l'avait emmenée à la soirée. Ses convictions

32

n'avaient pas suffi à sauver Jennings, qui avait en plus un sérieux mobile. Employé comme chauffeur et homme à tout faire par Garner, il s'était disputé avec lui la veille du crime pour une raison indéterminée. Une enquête approfondie avait mis à jour des éléments troublants : premièrement, Jennings n'était pas insensible à la fortune de son employeur et profitait de ses largesses ; deuxièmement, son appartement recelait des cadeaux somptueux (boutons de manchettes en or, épingle à cravate en diamants, liasse de billets... autant d'indices qui avaient incité les tabloïds à s'emparer de l'affaire) ; troisièmement, il avait travaillé à plusieurs reprises avec Jake Marsh — lequel n'était pas, aux yeux des policiers, une référence en matière de moralité... Espérant ferrer un plus gros poisson, les policiers avaient interrogé le caïd de San Antonio. Marsh leur avait fourni, non sans sérénité, des explications satisfaisantes au sujet de certains « petits boulots » que Dale Jennings avait effectués pour son compte. Il avait été relâché, au grand dam du procureur de district et du procureur général...

Marc fourra les poings dans les poches de son pantalon kaki. Ses doigts se crispèrent davantage, tandis qu'il se remémorait le visage de Josie, lors d'un autre procès, dans une autre salle de tribunal, plusieurs années auparavant. Elle avait quinze ans, à l'époque. Une frêle adolescente essayant de convaincre un jury hostile qu'elle avait été violée par le fils d'une riche famille de Jacobsville... Certes, la vie n'avait pas été tendre avec elle. N'empêche qu'il lui en voulait d'avoir accusé son meilleur ami d'un crime aussi hideux que le meurtre d'un vieil homme sans défense, pour un motif aussi vil que l'argent, alors que, de toute évidence, c'était Jennings l'assassin. Jennings qui avait dissimulé dans sa voiture le gourdin recouvert du sang, des tissus et des cheveux du malheureux vieillard, formellement désigné comme l'instrument du crime.

— Tu connais Josette Langley qui travaille pour le procureur ? demanda soudain Garcia, le ramenant dans le présent.

Les deux hommes se connaissaient depuis leurs débuts, l'un chez les motards de la police routière, l'autre dans l'unité des Rangers.

— Nous sommes tous deux originaires de Jacobsville, répondit Marc. Josie s'est installée à San Antonio il y a quelques années avec ses parents. Je crois qu'ils sont morts maintenant. Je ne l'ai pas revue depuis deux ans.

C'est-à-dire depuis leur rupture, une semaine avant la mort de Garner.

— Ben oui, il n'y avait pas de raison, commenta Garcia avec insouciance.

Marc reporta son attention vers le cadavre de Jennings, les mains entravées dans des poches transparentes et le visage crayeux tranchant sur le sac en plastique anthracite dans lequel il reposait.

— Ça m'a tout l'air d'être l'œuvre d'un pro. Une seule balle dans la nuque, à bout portant, déclara-t-il en délogeant d'entre les pavés un petit pâté de terre rouge. Ses genoux étaient couverts de boue de la même couleur. Il devait être agenouillé.

— Ouais. Et c'est une drôle de coïncidence qu'il ait été abattu à un jet de pierre de la boîte de nuit de Marsh.

— Si Marsh est mêlé à cette histoire, je trouverai le moyen de le coincer. Ça fait des années qu'on le soupçonne de meurtre, de trafic de drogue, de prostitution, de paris illégaux sur des compétitions sportives, et j'en passe. Il a toujours réussi à se faufiler à travers les mailles du filet. Il est grand temps qu'il paie ses dettes.

— Ce jour-là, je sabrerai le champagne ! Le problème, c'est qu'on ne peut pas entrer chez lui et l'arrêter sans chef d'accusation. Note que ça ne me dérangerait pas, confessa Garcia, l'air réjoui.

— D'accord avec toi... Bon, si on commençait par le commencement ? Je rentre au bureau et j'envoie un rapport à Simon Hart. Il doit être excité comme une puce.

Garcia s'esclaffa, puis désigna le corps.

— Il avait de la famille ?

— Sa mère, je crois. On a trouvé la balle ?

— On en a trouvé une, oui. La balistique nous dira si c'est la bonne. Moi, je pense que le ou les assassins se sont servis d'un pistolet de neuf millimètres, mais je laisse le boulot aux experts.

— Et au laboratoire du Département de Sécurité de la police.

— Qui est un labo de pointe, renchérit Garcia en souriant. Dis donc, ce Jennings n'a pas été condamné pour meurtre, il y a un ou deux ans ?

— Si. Dans un procès d'autant plus retentissant que notre jeune et bouillant vice-gouverneur a failli s'asseoir dans le box des accusés. Ça lui a presque coûté son élection. A l'époque, les deux candidats postulaient pour la première fois. Finalement, l'autre s'est désisté, et Bib a gagné. C'est un gars honnête.

— Oui, j'en suis sûr.

Marc poussa un soupir.

— Bon, il faut que j'y aille. Dire que je m'étais prévu un planning pénard… Me voilà plongé jusqu'au cou dans un crime qui rappellera sûrement aux médias les effluves malsains du procès. Les journalistes n'hésiteront pas à exhumer cette histoire à seule fin d'embarrasser Bib. Ça ne peut pas tomber plus mal. Son parti vient de le nommer candidat pour le Sénat. Une telle publicité lui serait fatale.

— La vie, c'est ce qui t'arrive quand tu as d'autres projets, cita Garcia en grimaçant un sourire.

— Amen.

De retour dans son bureau, Marc passa un coup de fil au procureur. Une heure plus tard, il était dans un avion à destination d'Austin.

Assis dans son spacieux bureau, le procureur général Simon Hart écouta Marc sans l'interrompre. Il avait lui-même réclamé auprès du procureur du district la présence d'un Ranger lors de l'enquête dès qu'il avait eu connaissance des circonstances du meurtre. Et c'était Marc qui avait été choisi. Parce qu'il possédait un excellent palmarès dans le domaine des homicides, qu'il était basé à San Antonio et qu'il avait le droit d'enquêter dans plusieurs juridictions — détail important puisque Jennings avait été tué à Bexar County mais purgeait sa peine à Wilson County.

Hart voulait tout connaître de l'enquête, afin de pouvoir contrer, voire contrôler, les déclarations des médias. Les scandales politiques constituaient des sujets de choix aux yeux des journalistes. En manque de sujets brûlants, ils sautaient sur n'importe quel fait divers, pourvu qu'il soit assez crapuleux pour leur assurer une audience convenable. De fait, à peine avait-on acheminé le corps vers la morgue qu'ils rouvraient le dossier du fameux procès qui avait éclaboussé la réputation de Bib Webb, le vice-gouverneur du Texas. Marc savait qu'au journal de midi, toutes les chaînes régionales avaient annoncé le meurtre de Dale Jennings. Encore quelques heures et la presse nationale s'emparerait de l'affaire à son tour. Ne restait plus qu'à espérer qu'au lieu de Webb, ils épingleraient Jake Marsh…

— Bib Webb m'a téléphoné tôt ce matin, déclara Hart en sirotant une gorgée de café. Non seulement il est en pleine campagne sénatoriale, mais sa société de construction vient de dégoter un projet important aux environs de San Antonio. Un prototype de complexe rural, équipé d'un système d'irrigation autonome et d'entrepôts. Bib a investi des sommes colossales dans l'espoir d'intéresser les propriétaires de ranchs… Ce n'est donc pas le moment de lui chercher noise, conclut-il avant d'ajouter, le front plissé : Wally est inquiet. La campagne pour les élections de novembre a commencé. Et il soutient Bib.

Wally était le gouverneur, ainsi qu'un de ses amis proches.

Marc hocha la tête.

— Je suis au courant. J'ai déjeuné avec Bib la semaine dernière. Croyez-vous qu'on ait fait ressortir cette histoire de procès pour lui mettre des bâtons dans les roues ?

— Tout est possible. Vous savez combien les cercles politiques peuvent être corrompus. En revanche, j'ai du mal à croire que l'on commandite un meurtre dans le seul but de ranimer un scandale.

— N'oubliez pas que des cinglés, il y en a plein les rues.

Hart changea de position et posa la prothèse qui lui servait de main gauche sur le bureau tandis que, de la main droite, il saisissait délicatement l'anse de sa tasse. Vaguement apparentés, Marc et lui avaient aussi des liens avec Jacobsville : les quatre frères de Hart y habitaient ; quant à Marc, il y avait grandi avec sa sœur et possédait encore un ranch là-bas.

— Avez-vous eu des nouvelles de Gretchen ? s'enquit Hart.

Marc hocha la tête avec un sourire attendri. Sa sœur avait bien remonté la pente depuis quelques années, et oublié ses erreurs de jeunesse. Après son mariage avec le cheik de Qavi, un potentat du Moyen-Orient, elle avait quitté Jacobsville et les Etats-Unis. Un garçon était né de leur union, et le couple acquérait une notoriété de plus en plus grande dans les milieux internationaux, participant à tous les galas, ventes de charité et autres événements de la haute société. Ils faisaient régulièrement la Une des journaux mondains.

— Elle m'appelle tous les mois, histoire de s'assurer que je me nourris correctement. Ma petite sœur n'apprécie pas ma cuisine.

— Le Texas ne lui manque pas ?

— Pas vraiment. Elle est folle de son petit garçon et de son mari, Philippe. Il faut avouer qu'il est unique en son genre.

— Marc, pourquoi avez-vous démissionné du FBI ? demanda brusquement Hart, comme si cette question lui brûlait les lèvres.

— J'en ai eu assez de me déplacer sans arrêt. Deux ans m'ont suffi.

— A vrai dire, je n'ai jamais compris pourquoi vous aviez quitté les Rangers. Vous aviez de l'ancienneté et, si mes souvenirs sont exacts, vous étiez sur le point d'être promu. Au lieu d'en profiter, vous avez tout laissé tomber pour vous ruer à Washington. Tout ça pour changer d'avis deux ans plus tard.

Marc évita son regard.

— A l'époque, l'idée de travailler pour le FBI m'avait séduit.

— Ça n'avait donc aucun rapport avec le procès de Jennings ou Josette Langley ?

Il crispa si fort les mâchoires que ses dents lui firent mal.

— Aucun rapport, non.

— Aujourd'hui, vous travaillez à San Antonio, et elle à Austin. Rien ne vous oblige à la voir si vous n'en avez pas envie. Sauf que je l'ai chargée de me représenter dans cette affaire de meurtre.

Etrange formulation…

— Je poursuivrai mon enquête, assura-t-il en le regardant dans les yeux. Quelles que soient les personnes avec qui je dois travailler.

— Parfait. Autant que vous le sachiez, dès demain, j'envoie Josie à San Antonio.

— Quoi ? s'écria-t-il, abasourdi.

Certes, il était d'accord pour qu'elle centralise les informations pour Hart, pour qu'elle lui soumette les comptes rendus, mais pas pour qu'elle soit envoyée sur le terrain !

— Elle est ma seule enquêtrice disponible. Et elle connaît tous les faits. La prison dans laquelle Jennings était enfermé avant son évasion n'est pas loin d'ici.

Marc bondit de son siège, rouge de fureur.

— Mais elle a été mêlée à l'affaire ! Il y a deux ans à peine, elle a cherché à mettre le meurtre de Garner sur le dos de Bib !

— Asseyez-vous ! le coupa Hart froidement.

40

Marc s'exécuta de mauvaise grâce, ruminant sa colère.

— Josie n'est pas la seule à penser que Jennings n'était que le dindon de la farce, reprit le procureur, la main levée, prévenant ainsi toute velléité d'interruption de la part de son interlocuteur. Tous les deux ont été invités à la réception des Webb en même temps que Henry Garner. Jennings n'était qu'un pauvre gus, mais ses liens avec la pègre de San Antonio, soumise à l'autorité de Jake Marsh, faisaient de lui le suspect idéal. De plus, il s'était disputé avec son patron à qui il voulait vraisemblablement soutirer de l'argent. Nous savons que certaines drogues ont été consommées pendant la fête et que le punch était particulièrement corsé — une information que nous a révélée Bib lui-même. Au vu de tous ces éléments, le décès de Garner aurait effectivement pu passer pour un accident... N'eût été la déposition de Josie. Elle a été la seule à affirmer que Garner n'avait pas bu et qu'il n'était pas tombé accidentellement dans le lac.

— Elle a accusé Bib parce qu'elle ne l'aimait pas, ni lui, ni sa femme, insista Marc. Et en l'accusant, elle voulait en fait se venger de moi.

— Ecoutez, Marc, vous savez qu'elle a reçu une éducation très stricte. Un père pasteur, une mère institutrice bénévole le dimanche — des gens religieux. Une fille comme Josie ne ment pas, c'est contre ses principes.

Marc sentit le sang refluer de son visage. Et le souvenir de Josie entre ses bras, le suppliant de lui faire l'amour et le repoussant à la fois, lui revint en mémoire, telle une blessure ouverte. Comment pouvait-il l'accuser alors qu'il était à l'origine de tous ses ennuis ?

Sans paraître avoir remarqué son malaise, le procureur enchaîna :

— Nous devons résoudre cet assassinat aussi vite et aussi efficacement que possible. Et ce, dans l'intérêt de Webb.

— Bib est un garçon d'une honnêteté scrupuleuse, promis à une brillante carrière politique, affirma Marc, soulagé de changer de sujet. Il sera sénateur. Il est en tête de tous les sondages et nous ne sommes encore qu'en septembre.

— Vous voulez dire que *Silvia* a un brillant avenir devant elle, corrigea Hart un peu sèchement. Bon sang, Marc, vous savez parfaitement qui a le véritable pouvoir ! C'est elle qui conseille son mari, lui dicte tous ses faits et gestes : ce qu'il doit porter, comment s'asseoir... Bib lui doit tous ses succès. Il est étonnant qu'une femme aussi jeune, aussi peu éduquée, soit douée d'une telle intuition.

— Bib manque parfois d'assurance. Silvia est son ange gardien depuis le début.

— Je le suppose, même s'il l'a prise au berceau...

Marc haussa les épaules sans répondre.

— Bon, revenons à nos moutons. Je veux que l'affaire soit classée vite et bien. Depuis que nous avons mis un Texan à la Maison Blanche, nous sommes le point de mire de tout le pays. Il serait regrettable que les médias commencent à se mêler de notre système juridique.

— D'accord. Je verrai ce que je peux faire.

— Vous collaborerez avec Josette Langley, assena Hart. Inutile de grincer des dents, vous êtes les seuls à connaître par cœur les tenants et les aboutissants de toute l'affaire. Et donc les plus aptes à la résoudre.

S'ils ne s'entretuaient pas avant...

Marc attendait l'ascenseur. Appuyé contre le mur, il contemplait distraitement une plante artificielle couverte d'une fine couche de poussière. Il se demanda pourquoi personne n'époussetait jamais les plantes dans les bureaux. Et comment l'une des roses de soie avait pu perdre un pétale. Le ronronnement de l'ascenseur l'arracha à ses méditations. Il se redressa tandis que les portes coulissaient sur l'unique occupant de la cabine.

Josie...

Alors qu'elle levait la tête vers lui, il vit ses grands yeux marron s'obscurcir. Et une ombre de ressentiment passer sur son visage. Son cœur se serra. Elle était aussi belle que dans son souvenir. Lèvres pleines, longs cheveux blonds retenus dans un chignon sévère. Pas de maquillage ni de bijou, à part une croix de turquoises suspendue à une chaîne en argent. Chemisier rose pâle, chaussures plates assorties au tailleur gris, passé de mode. Elle avait à peine vingt-quatre ans, mais d'infimes ridules, visibles sous ses lunettes, striaient la peau fine de ses paupières.

Elle parut retenir son souffle comme si, jusqu'à maintenant, elle avait cru pouvoir éviter cette confrontation. Marc avait caressé le même espoir. Entrer et sortir de l'immeuble sans la croiser...

Il vit son regard se poser sur l'insigne qui ornait sa poitrine.

— J'ai entendu dire que tu étais revenu à San Antonio, déclara-t-elle avec effort.

Ses mains fines enserraient une pile de dossiers — des mains actives aux ongles courts, sans trace de manucure.

Il enfouit ses poings au fond de ses poches tandis qu'elle sortait de l'ascenseur. Elle lui arrivait à mi-hauteur du visage. Il se rappela ses yeux lumineux, ses lèvres souriantes, son air joyeux, quand ils avaient dansé ensemble au bal de promo de l'université, des siècles auparavant. Et la douceur, la chaleur de son corps souple et moite, l'innocence de sa bouche lorsqu'il l'avait embrassée pour la première fois, sa réponse fiévreuse à ses ardentes caresses...

— Il paraît que Simon t'a confié l'enquête sur la mort de Jennings ? lança-t-il, chassant le passé de sa mémoire.

— Exact. D'habitude, j'assure simplement la liaison entre les enquêteurs et le bureau du procureur, mais étant donné que j'en sais plus que quiconque sur Dale...

— Naturellement ! railla-t-il.

Elle poussa un soupir résigné.

— Nous y voilà… Laisse donc tomber les civilités, Brannon, et vide ton sac. Vas-y, accuse-moi de mentir effrontément, de ficher en l'air des carrières. Et d'introduire des virus dans les ordinateurs, pendant que tu y es. Sauf que, cette fois-ci, le jury n'a pas encore pris de décision.

Il la dévisagea, désarçonné par sa réaction. Lui qui s'était attendu à la voir baisser la tête en se mordant les lèvres d'un air hésitant — comme au procès qui les avait opposés deux ans plus tôt —, retrouvait une femme forte, froide, presque implacable. Qui ne reculerait devant rien.

— J'aurai besoin de toutes les informations que tu as sur Jennings.

— Aucun problème. Je t'expédierai le dossier ce soir à San Antonio.

Elle indiqua les documents qu'elle tenait à la main avec un sourire forcé.

— Je viens justement de les photocopier. Il ne me reste plus qu'à les classer… Mais peut-être préfères-tu les emporter tout de suite ?

— Ça va aller. Tu es devenue une employée très efficace.

— N'est-ce pas ? Prends garde, Brannon. Si, à force d'efficacité, je finis par obtenir un poste de procureur, ça portera un coup bas à ton ego. Maintenant, excuse-moi, j'ai à faire.

Elle lui tourna le dos et commença à s'éloigner. Voyant que l'ascenseur était reparti, Marc appuya rageusement sur le bouton d'appel.

— Est-ce que Jennings a une famille ? lança-t-il brusquement.

Elle lui fit face.

— Une mère presque invalide. Cœur faible, problèmes aux jambes. Récemment, elle a perdu sa maison pour cause de dettes. Les huissiers sont venus l'évacuer cette semaine. Son mari est mort il y a longtemps, et elle n'avait plus que Dale. Dire que son fils unique a fait deux ans de prison pour un crime qu'il n'avait pas commis, pendant que le vrai coupable héritait tranquillement de la fortune de sa victime — une vraie chance si l'on considère les sommes qu'il a actuellement à débourser pour sa campagne sénatoriale.

— Tais-toi !

Sa voix, où transparaissait un avertissement, la fit frissonner. Pourtant, elle le toisa, le menton haut.

— Sinon ? le défia-t-elle avec un sourire glacial.

Comme il ne répondait pas, elle haussa les épaules.

— J'espère que les hommes du Coroner ont eu la décence d'annoncer la mauvaise nouvelle à Mme Jennings, ne serait-ce que pour lui éviter d'apprendre la mort de son fils aux infos... et de le voir déambuler dans un sac vers la morgue.

Marc réprima un sursaut. Bon sang, pourvu qu'ils y aient songé ! Il aurait dû s'en assurer. Quels qu'aient été les délits commis par Jennings, sa mère n'en était en rien responsable et avait droit à tout le respect dû aux personnes en deuil.

— Je vais m'en occuper.

— Merci.

Elle s'adoucit une fraction de seconde. Le souvenir de la passion qu'ils avaient partagée autrefois la submergea, avant de s'éteindre aussitôt. Il ne restait plus rien entre eux. Brannon la détestait depuis le soir où ils avaient rompu. Et il l'avait haïe plus encore lorsqu'elle avait témoigné contre Bib Webb. Sans doute la haïssait-il toujours. Bah, quelle importance, après tout…

De nouveau, elle tourna les talons.

— As-tu trouvé dans ces dossiers un quelconque indice qui laisserait penser à une exécution ? s'enquit-il comme pour la retenir plus longtemps.

Une fois de plus, elle se retourna.

— Tu crois qu'il s'agissait d'un contrat ?

— Oui. C'était du boulot de professionnel. Rien à voir avec une bagarre qui dégénère ou un conflit entre bandes rivales. On a aidé Jennings à s'évader à seule fin de l'exécuter d'une balle dans la tête, dans une allée de San Antonio, à proximité de la boîte de nuit d'un mafieux notoire.

— Mais pour quelle raison ? Il était en prison, hors jeu. Pourquoi se donner la peine de le faire évader ? Pourquoi ne pas l'assassiner dans sa cellule ?

— Je n'en sais rien. C'est la raison pour laquelle j'enquête.

— Pauvre Dale, murmura-t-elle. Pauvre Mme Jennings…

— Qu'y a-t-il dans tes dossiers ? s'enquit-il en s'approchant d'un pas.

— Les noms de tous ceux qui ont écrit ou téléphoné à Dale pendant son incarcération. Ainsi que les figures du milieu avec lesquelles il semblait avoir des relations. Bien sûr, nous allons tous les interroger. La police est déjà à la recherche de témoins sur les lieux du crime.

— Il n'y aura pas de témoins s'il s'agit d'une exécution.

— Je sais.

Il marqua une pause.

— Pourquoi as-tu choisi de faire carrière dans le domaine judiciaire ?

— Parce que trop d'innocents sont condamnés. Et que trop de coupables courent les rues.

Devant ce sous-entendu à peine masqué, il fit une grimace.

— Je te rappelle que Jennings était un membre du milieu. Il avait un casier judiciaire.

— Un statut de délinquant primaire, corrigea-t-elle. Il s'était soûlé et bagarré dans un bar. Il n'avait pas dix-huit ans à l'époque et n'a même pas été envoyé en maison de correction. Après un an de probation, on l'a laissé tranquille. Mais cette erreur de jeunesse, associée à ses rapports avec Jake Marsh, a joué contre lui quand il a été accusé du meurtre de Garner.

— Jennings n'a pas bu une goutte d'alcool la nuit du meurtre. Son alcootest était absolument négatif. Il avait et l'occasion et les moyens d'éliminer

Garner, qui était beaucoup plus âgé que lui et ne savait pas nager. Un jeu d'enfant... Après l'avoir assommé, Jennings n'a eu qu'à le pousser du haut de l'embarcadère et à attendre.

— Pour quel mobile ?

Il lui adressa un sourire froid.

— L'argent. Jennings attendait peut-être de Garner une augmentation, ou quelque chose comme ça. On sait qu'ils s'étaient déjà disputés. Peut-être ont-ils recommencé sur la jetée. Mais ta mémoire doit laisser à désirer, poursuivit-il, ironique. J'ai entendu dire que tu étais ivre, ce soir-là.

Elle prit une profonde inspiration. Elle avait honte de l'avouer mais, oui, elle avait bu un verre de punch, mélange de rhum et de vodka. Peu habituée aux alcools forts, elle s'était sentie faible et désorientée. A quinze ans, elle avait avalé de la drogue sans le savoir et avait été violée. Depuis, elle n'acceptait plus de verre, à moins d'être sûre de son contenu. Sauf ce soir-là où elle avait cru le punch inoffensif. A tort.

Elle s'éclaircit la gorge avant de répondre :

— En effet, je n'étais pas complètement sobre. Comme la majorité des invités, d'ailleurs. Silvia a prétendu avoir vu M. Garner près de sa voiture avant de me raccompagner chez moi, et même lui avoir fait signe. Je n'ai rien vu de tel. Alors, elle a déclaré que j'étais ivre.

— Tu ne l'as pas dit au tribunal.

— Je n'ai pas eu le temps de dire grand-chose au tribunal, répliqua-t-elle. J'ai été citée à comparaître

49

comme témoin à charge, parce que je n'avais pas vu Dale au moment où Garner avait été tué — ce qui est arrivé avant que Silvia me ramène chez moi et pas après. J'ai essayé en vain de démontrer qu'il n'y avait pas de gourdin dans la voiture de Dale quand nous sommes arrivés à la réception. L'avocat général m'a alors prise à partie, sur tes aimables suggestions d'ailleurs, et a tout ramené au procès que j'avais intenté à mon violeur sept ans plus tôt.

Marc frémit sans pouvoir s'en empêcher. Elle enchaîna :

— Tu m'as appris à danser, Brannon. Tu étais l'ami de mon père. Et nous sommes sortis ensemble pendant des semaines avant la mort de M. Garner. Pourtant, rien de tout ça n'a compté à tes yeux. Tu as cru dur comme fer que j'avais menti dans le but de faire condamner Bib Webb. Tu n'as jamais eu le moindre doute là-dessus.

Elle se tut, épuisée par cette confession. Il lui avait causé une peine immense. Elle avait cru qu'ils étaient amoureux — elle l'avait été, en tout cas. Quel gâchis !

— Bib Webb est l'un des hommes les plus honnêtes que je connaisse, rétorqua-t-il.

— Et alors ? Même les êtres les plus honnêtes peuvent perdre la tête sous l'emprise du désespoir ou de l'alcool ! Tu devrais savoir ça, plus que n'importe qui. Sous le coup de l'ivresse, certaines personnes ne savent plus ce qu'elles font et, au petit matin, elles ont complètement oublié leurs faits et gestes. Le trou noir.

Elle plaidait sa cause avec ferveur. Sans doute parce que c'était la première fois qu'il acceptait de l'écouter depuis le procès. Et il paraissait attentif, même si elle ne se faisait guère d'illusions : il ne croyait pas un mot de ce qu'elle racontait.

— Silvia n'était pas suffisamment ivre pour oublier quoi que ce soit, objecta-t-il calmement. Elle n'avait bu qu'un verre de vin. Et d'après sa déposition, elle a bel et bien aperçu Garner dans sa voiture, lorsqu'elle a quitté la villa pour te ramener chez toi.

— C'est ce qu'elle a *dit*, en effet.

— Où est la différence ? demanda-t-il, à bout de patience. Tu n'arriveras pas à me faire changer d'avis.

— Je le sais. Et je me demande pourquoi je m'y efforce.

Elle jeta un coup d'œil à ses documents, puis le regarda dans les yeux.

— J'expédierai le dossier à ton bureau cet après-midi, conclut-elle. Si tu as d'autres questions à me poser, n'hésite pas à m'appeler. Je serai ici toute la matinée. J'arrive à San Antonio demain soir. Tu pourras me joindre au Madison Hotel.

— Si j'ai des questions, tu es la dernière personne à laquelle je m'adresserai. Sur cette affaire, je ne te fais pas plus confiance qu'aux gens de la rue.

Elle eut un petit rire.

— Ça ne changera donc jamais ? De toute façon, je me fiche de ton opinion, Brannon. Mets-toi bien ça dans le crâne, et laisse-moi tranquille !

Furieux, il la suivit du regard alors qu'elle s'éloignait dans le hall. Bon Dieu, cette satanée bonne femme n'admettrait jamais la vérité ! Il pensa à son père, déshonoré après que sa fille avait accusé de viol un fils de bonne famille, et à sa mère qui avait succombé à une attaque cérébrale consécutive au procès de Jennings. Quelle pitié... Il songea ensuite à leur dernier rendez-vous et à l'ardeur qu'elle avait manifestée entre ses bras, jusqu'à ce qu'il devienne fou de désir et découvre qu'elle était encore vierge. Au point qu'il avait dû s'arrêter. Il l'avait haïe pour cela, même s'il savait qu'elle n'avait pas cherché à le duper. Elle était aussi impliquée dans leur relation que lui. Peut-être même plus.

Seulement, voilà. Aujourd'hui, il ne parvenait pas à oublier qu'elle s'était acharnée contre son meilleur ami.

Se tournant vers l'ascenseur, il appuya sur le bouton à contrecœur. Il n'aimait pas partir en laissant des questions sans réponse. Il aurait tant voulu que...

Il soupira. Inutile de se mentir. Ce qu'il aurait voulu, c'est tout simplement rester un peu plus longtemps avec Josie.

Faisant demi-tour, il s'engouffra dans le couloir.

3.

Hart étudia avec attention le visage lisse de Josie. Après être entrée dans son bureau, elle avait traversé la pièce, posé sur le plan de travail une pile de dossiers, puis énuméré d'une voix calme, presque impassible, les résultats de ses premières recherches concernant la mort brutale de Jennings.

— Josie, je sais que ce doit être pénible pour vous. Vous sortiez avec ce garçon, je crois ?

— Dale et moi étions de simples connaissances. Je suis désolée qu'il soit mort de cette façon. Et je n'ai jamais cru qu'il avait assassiné Henry Garner.

— Vous avez payé cher votre témoignage en sa faveur…

— Oui, mais si c'était à refaire, je recommencerais. Dale était innocent. Aujourd'hui encore, je me demande pourquoi il ne s'est pas défendu avec plus de conviction. On aurait cru qu'en entrant dans la salle du tribunal, il avait renoncé à se battre.

— Avez-vous croisé Marc Brannon en venant ici ? s'enquit-il à brûle-pourpoint, selon son habitude.

Bien que son cœur bondît dans sa poitrine, elle s'obligea à sourire.

— Oui. Il n'arrive toujours pas à se faire à l'idée que Bib Webb puisse être impliqué dans un délit quelconque. C'était la raison de notre affrontement au procès. Enfin, du moins est-il loyal envers ses amis...

— Trop loyal. Il peut ne pas être objectif.

— Peu importe. De toute façon, c'est du passé. A présent, on a un autre meurtre à résoudre.

Comme Hart lui faisait signe de s'asseoir, elle prit place dans un fauteuil en face de lui.

— Je voudrais connaître votre avis sur l'affaire, Josie.

Elle croisa les jambes, le temps de rassembler ses idées. L'apparition inattendue de Marc l'avait prise au dépourvu, certes, mais pas au point de l'empêcher de faire son travail.

— D'après mes renseignements, commença-t-elle, la mère de Dale Jennings est veuve et pratiquement invalide. Récemment, elle a été victime d'une escroquerie. Elle a tout perdu, ses économies et ses biens immobiliers, et on a dû l'expulser de sa maison cette semaine. Dale le savait. Je ne peux m'empêcher de penser que sa mort a un rapport avec la mésaventure de sa mère. Peut-être cherchait-il à tout prix de l'argent pour lui venir en aide.

— Vous suggérez qu'il faisait chanter quelqu'un et que ce quelqu'un a décidé de l'éliminer ?

— Ce n'est qu'une hypothèse, bien sûr, précisa-t-elle en hochant la tête. Supposons que Dale ait

54

eu en sa possession des informations susceptibles de nuire à quelqu'un. A Bib Webb, par exemple. Supposons que Webb ait essayé de monnayer son silence. Sa carrière de vice-gouverneur ne survivrait pas à un deuxième scandale. Mettez-vous à sa place : un homme en pleine campagne électorale qui sait que ses chances seront anéanties s'il est compromis dans une affaire de meurtre.

— Bib n'est pas seulement vice-gouverneur. C'est aussi un homme d'affaires florissant.

— Il a réussi uniquement parce que son associé, Henry Garner, a passé l'arme à gauche.

— Garner était veuf et n'avait aucune descendance. C'est pour cette raison qu'il a laissé toute sa fortune à Bib.

— Qui en a bien profité, acheva-t-elle. Il a investi dans son projet rural et a utilisé le reste de l'argent pour sa campagne électorale. Quant à sa carrière politique, parlons-en : s'il a accédé au poste de vice-gouverneur, c'est uniquement parce que ses sbires ont sali le nom de son adversaire, au point de l'acculer à la démission.

— Ça n'a jamais été prouvé, objecta Hart en fronçant les sourcils.

— Je sais. Mais à l'époque, le nom de Jake Marsh avait été mentionné, et pas seulement en relation avec Dale. Maintenant, Webb brigue un siège au Sénat. Et il a toutes les chances de l'obtenir... Une étoile est née !

— Il y a une zone d'ombre dans votre théorie, Josie. Les meurtriers ne se contentent jamais d'un seul meurtre, sauf dans les crimes passionnels.

— Nous en sommes déjà au deuxième, lui rappela-t-elle. Si Dale Jennings détenait une preuve contre Webb, que ferait un homme dans sa position ?

— Il s'assurerait d'abord que la preuve en question existe.

— J'ignore comment, sans témoins oculaires, on pourrait trouver une preuve de l'assassinat de Garner. Le seul véritable indice était le gourdin, découvert dans la voiture de Dale. Personnellement, je ne l'ai jamais vu, mais Dale n'a pas nié que cet objet lui appartenait. Ni n'a montré du doigt son véritable assassin. Pourquoi l'éliminer, dans ce cas ?

Elle se tut un instant.

— Non, murmura-t-elle, réfléchissant tout haut. S'il y avait vraiment chantage, ça ne concerne pas le meurtre de Garner. Peut-être que Dale avait découvert une autre affaire dans laquelle Webb aurait trempé. A nous de découvrir laquelle. Sinon, sa mort n'aura été qu'un meurtre dépourvu de sens.

— Très bien, concéda Hart en soupirant. La balle est dans votre camp. Mais il faudra que vous collaboriez avec Brannon.

Il leva la main, coupant court à ses protestations.

— Je sais, je sais. C'est un horrible individu, mal disposé à votre égard. Néanmoins, vous êtes complémentaires. Brannon est le partenaire idéal pour contrebalancer vos préjugés à l'encontre de Webb.

De plus, c'est un de nos meilleurs enquêteurs. S'il a été choisi, c'est parce qu'il est le seul à pouvoir acculer Jake Marsh dans ses retranchements. Si ce dernier est impliqué dans l'affaire — et je suis sûr qu'il l'est —, Brannon est notre homme.

Il marqua une pause, avant de poursuivre :

— Marsh est un danger public, Josie. Brannon assurera votre protection pendant l'enquête. Il a la détente rapide. On le dit meilleur tireur que mon frère Rey.

— Rey a gagné la médaille du tir national, c'est ça ?

— Et il continue à gagner des compétitions nationales et internationales.

Se redressant, il déclara :

— Je veux que cette conversation reste entre nous. Le gouverneur et Webb sont bons amis, et Webb bénéficie de puissantes alliances. Le moindre malentendu nous retomberait dessus. Nous menons une enquête sur un meurtre qui, espérons-le, est lié à l'un des parrains les plus notoires de la mafia de San Antonio. Point final.

— Je serai discrète.

— Tant mieux. Je voue une absolue confiance aux efforts combinés de vous et Brannon. Essayez de remonter jusqu'à Marsh... Le plus vite sera le mieux, acheva-t-il en grimaçant un sourire. Parce que si Phil Douglas assure votre travail en plus du sien, je vais devenir fou !

— Phil est un garçon brillant. Un excellent informaticien doublé d'un expert hors pair en cybercrime.

— Peut-être... Sans son complexe de supériorité, il pourrait se rendre utile. Revenez vite, ma chère, si vous tenez à ma santé mentale.

— Vous êtes le procureur général, lui fit-elle remarquer. Vous n'avez qu'à l'envoyer faire un stage quelque part.

— Bonne idée. Je me suis toujours demandé comment fonctionnait le système informatique du commissariat central de Mala Suerte.

— Simon ! s'écria-t-elle, choquée. La plupart des habitants de Mala Suerte ne parlent pas l'anglais. Et Phil n'est pas bilingue.

Comme il souriait, elle hocha la tête.

— D'accord, vous m'avez eue. Bon, je vous laisse. Je vous tiendrai au courant.

— Sans faute.

Elle acquiesça et, ramassant ses dossiers, sortit.

Une fois dans le hall, son sourire s'évanouit. Elle se demanda si ses jambes auraient la force de la porter jusqu'à son bureau. Sa rencontre impromptue avec Brannon avait remué en elle tout ce que, précisément, elle voulait oublier. Cela faisait deux ans qu'elle n'avait pas posé les yeux sur celui qu'elle considérait depuis le procès comme son pire ennemi. En le voyant, toute sa tension avait resurgi, la laissant sans force. Elle n'avait qu'une hâte, rentrer chez elle, retirer ses chaussures, se pelotonner sur le canapé avec son chat et regarder un vieux film en noir et blanc. Hélas, elle allait devoir faire ses bagages et se préparer à affronter à San Antonio les fantômes du passé, dans les méandres d'une enquête qui s'annonçait rude.

Alors qu'elle allait passer le seuil de son bureau, elle se figea. Marc Brannon était là, devant elle. Son Stetson négligemment suspendu au dossier d'une chaise, il s'était installé dans son fauteuil pivotant et avait posé ses bottes sur le bureau. Comble de l'insolence… Pour la deuxième fois en moins d'une heure, Josie sentit son cœur faire un bond, comme une fan devant son idole. Elle se morigéna aussitôt. Comment pouvait-elle opposer une résistance aussi molle à cet individu qui avait détruit sa vie ? Ne l'avait-il pas abandonnée, insultée, humiliée ?

— Qu'est-ce que tu fais là ? lâcha-t-elle en claquant la porte derrière elle. Je ne t'ai pas invité dans mon bureau, que je sache.

— Je n'ai pas besoin d'invitation puisque nous sommes partenaires.

Toujours cet accent traînant. Et ces yeux d'un gris brillant, métallique, intense…

— Je ne partage pas ta vision du partenariat, répliqua-t-elle en flanquant ses dossiers près de ses bottes parfaitement cirées.

Il n'avait pas changé. Même visage, mêmes longues jambes athlétiques, même musculature impressionnante. Josie l'avait déjà vu dans son ranch à cheval ou en train de courir après ses bêtes ; chaque fois, il l'avait impressionnée. A bien l'observer, seules ses tempes grisonnantes trahissaient le passage du temps.

— Tu penses que Bib Webb a payé quelqu'un pour le débarrasser de Jennings, déclara-t-il sans préambule.

— Je pense que quelqu'un a commandité ce meurtre, oui. Mais je n'ai pas encore dit qui.

— Ah, oui ? Qu'est-ce que tu insinues ? Que c'est moi, peut-être ? rétorqua-t-il en la regardant dans les yeux.

Elle ressemblait à une vieille fille avec son chemisier col cheminée, sa veste ample qui dissimulait les courbes de ses seins, sa jupe suffisamment large pour masquer le galbe de ses hanches. Ses cheveux étaient ramassés en un chignon austère, mais quelques frisons vaporeux s'en étaient échappés. Pas l'ombre d'un maquillage — mais il est vrai que sa bouche et ses pommettes étaient naturellement roses.

— Inutile d'admirer mes avantages. Ils ne sont pas à vendre.

La phrase recelait, lui sembla-t-il, un brin d'humour, bien que Josie demeurât impassible.

— Je viens d'exposer ma théorie à Simon.

— Voudrais-tu la partager avec moi ?

— A condition que tu enlèves tes sales bottes de mon bureau et que tu te comportes avec un minimum de respect.

Sur un rire léger, il obtempéra. Il avait obtenu la réaction escomptée. Se redressant, il recula le fauteuil, esquissa une révérence, puis contourna le

60

bureau. Il se laissa tomber sur une chaise en face d'elle.

Josie s'assit avec un soupir. La journée avait été longue, épuisante, et elle n'aspirait qu'à rentrer chez elle. Un espoir qui s'amenuisait d'heure en heure.

— Quand tu veux.

Elle se renversa dans son fauteuil et commença :

— La mère de Dale Jennings a eu de graves ennuis financiers. Elle a soixante-trois ans, ce qui signifie qu'elle n'est pas assez âgée pour demander une pension à l'Etat. Il y a quelque temps, un escroc, se faisant passer pour un percepteur, lui a fait croire qu'elle devait une grosse somme d'argent à l'Etat. Résultat, elle lui a versé tout le contenu de son livret d'épargne afin de rembourser ses soi-disant dettes.

— L'enfoiré ! grommela-t-il, furieux malgré lui.

A ce commentaire, elle frissonna, émue. En dépit de son mauvais caractère, Brannon avait toujours manifesté une certaine compassion envers les plus faibles. Elle l'avait souvent vu aller à la rencontre des gosses de la rue, et même proposer son aide à de jeunes délinquants qu'il avait lui-même arrêtés... Troublée par ces souvenirs, elle se fit violence pour arracher son attention de ce corps puissant, tranquillement installé dans son bureau — un combat de tous les instants contre l'attirance irrésistible qu'il exerçait sur elle.

— Quand Mme Jennings a découvert qu'elle ne devait rien à l'Etat, il était trop tard, poursuivit-elle. Certaines personnes sont tellement crédules ! Si j'ai bien compris, elle n'a réclamé aucune pièce justificative à ce type.

Marc grimaça.

— Avait-elle encore un crédit sur sa maison ?

— Elle aurait fini de la payer dans moins d'un an. Mais comme elle n'a pas pu honorer les mensualités pendant deux mois, la banque a saisi sa propriété. Mme Jennings habite temporairement dans un foyer de sans-abri.

Elle marqua une pause et étudia son visage.

— Mets-toi à la place de Dale, reprit-elle. Comment aurais-tu réagi si tu étais en prison et que tu n'avais aucun moyen d'aider ta mère ?

Marc pinça les lèvres tandis que s'imposait dans son esprit l'image de sa mère. Petite, frêle, invalide elle aussi, aujourd'hui décédée. Josie, qui avait connu Mme Brannon des années auparavant, sut qu'il avait compris.

— Pour l'instant je ne jette la pierre à personne, poursuivit-elle sans lui donner le temps de réagir. Je dis simplement que quelqu'un — probablement l'instigateur du crime — a aidé Dale à s'évader parce qu'il avait en sa possession un indice, une preuve formelle qui l'incriminait. Dale avait dû estimer qu'un chantage auprès de cette personne avait toutes les chances d'aboutir. L'histoire ne nous dit pas comment il comptait s'y prendre, une fois dehors, puisqu'il a été assassiné.

— Dans n'importe quelle prison, on peut recruter des tueurs à gages parmi les détenus ou même les gardiens, objecta Marc. On n'a pas besoin de faire évader quelqu'un pour le supprimer.

— C'est vrai, mais il se peut que l'assassin ait tendu à Dale un piège, ne serait-ce que pour s'assurer qu'il était réellement en possession de la preuve.

Elle se pencha en avant, les mains jointes sur le bureau.

— Ou alors il était sûr qu'il l'avait sur lui et il s'est trompé.

— La police n'a rien trouvé sur le corps. Pas de pièce d'identité, pas même un canif de poche. Sans l'avis de recherche de la prison de Floresville, signalant la disparition d'un détenu et la mention de son tatouage, nous serions encore en train de chercher son nom.

— Donc, de deux choses l'une, résuma-t-elle gravement. Ou le tueur a emporté la preuve, ou Dale l'a cachée quelque part. Auquel cas la partie est loin d'être finie.

Marc fronça les sourcils.

— Bon sang, si tel est le cas, l'assassin serait encore à la recherche de la preuve !

— Ce qui signifierait qu'il fouille partout, interroge tout le monde… Et, au besoin, élimine ceux qui en savent trop.

— Tu as beaucoup appris en deux ans.

— Simon m'a enseigné pas mal de choses, répondit-elle simplement. Il a commencé à travailler comme enquêteur avant la fin de ses études de droit. Il est très bon.

— Tu n'as encore rien dit au sujet de Bib Webb.

— J'ai dit que je ne savais pas qui est le meurtrier, et c'est la vérité. Je veux rester ouverte à toutes les éventualités. Pendant l'enquête, je communiquerai mes informations au procureur de San Antonio, et j'ai également l'intention d'interroger tous les témoins que je juge importants. Avant tout, je voudrais rencontrer la mère de Dale, les techniciens de l'Identité judiciaire et le directeur de la prison de Floresville... Sans parler des détenus qui ont partagé la même cellule ou échangé une correspondance avec lui. Tout particulièrement quelqu'un qui s'y connaîtrait en informatique.

Il la considéra avec curiosité avant de demander à brûle-pourpoint :

— Tu fais exprès de t'habiller comme une vieille fille ?

— Je m'habille comme une employée du procureur général, répliqua-t-elle sèchement. Et toi, que comptes-tu faire ?

— Voir Mme Jennings, puis essayer de localiser le tueur à gages.

Elle haussa un sourcil, ironique.

— Tu n'auras qu'à t'adresser aux émissaires de Jake Marsh. Tu en connais quelques-uns, pas vrai ? fit-elle en imitant à la perfection son accent traînant.

Il se leva.

— J'ai mes indicateurs.

— A-t-on interrogé Marsh au sujet du corps découvert près de sa boîte de nuit ?

— Dès le premier jour. Lui est actuellement en voyage, mais son associé a eu l'air choqué, déclara-t-il bien que peu convaincu.

Il avait du mal à ne pas la contempler. Une soudaine impulsion l'avait poussé vers son bureau, alors qu'il se préparait à se rendre à l'aéroport. Deux ans ! Deux ans et elle le hantait toujours ! Le détestait-elle ? D'après Gretchen, non. Mais comment savoir ? A l'évidence, Josie avait appris à dissimuler ses sentiments depuis leur dernière rencontre. Il avait voulu la prendre de court, l'obliger à réagir. Sans succès. Sa réaction n'était pas celle à laquelle il s'attendait. Pas celle qu'il espérait...

Il la regarda se lever, avec cette grâce féline qui la caractérisait déjà lorsqu'elle n'était qu'une adolescente. Elle n'était pas jolie dans le sens conventionnel du terme, mais son charme ne faisait aucun doute. D'autant qu'elle était dotée d'une intelligence aiguë et d'une nature d'une grande douceur... D'une grande douceur, tu parles ! songea-t-il en se remémorant les odieuses accusations qu'elle avait portées contre Bib Webb.

Elle contourna son bureau. Le visage de Brannon s'était refermé, mais elle le fixa sans broncher.

— Ecoute, je n'ai aucun préjugé. Ce qui veut dire que toi non plus. Je sais combien *ça* compte pour toi, déclara-t-elle en pointant de l'index son insigne des Rangers. Je tire, moi aussi, une grande fierté de mon travail. Si nous devons collaborer, autant commencer tout de suite. Pas de commentaires acerbes sur le passé, si tu veux bien. Nous sommes censés résoudre un meurtre, pas ressasser de vieilles rancunes. Le passé est le passé. Terminé à jamais.

Il cligna des paupières. Son regard clair, masqué par le bord du Stetson, se noya un instant dans l'ombre. Jusqu'à ce qu'il la revoie, il ne s'était pas rendu compte de sa solitude. De l'isolement qui avait envahi sa vie depuis deux ans. C'était lui qui avait tout fichu par terre. Et il continuait.

Josie l'observait, les yeux pleins de reproches. Qui aurait pu lui en tenir rigueur ? Elle avait toutes les raisons du monde de lui en vouloir...

— D'accord, répondit-il enfin.

Elle hocha la tête.

— Parfait. Je te tiens au courant de mes trouvailles, et tu me rends la politesse.

— La politesse, murmura-t-il, tournant le mot dans sa bouche. Qu'est-ce que c'est ? Un nouveau concept ?

— Pour toi, oui, très certainement.

Il crut distinguer une lueur taquine dans ses yeux.

— J'ai appris que les Services Secrets avaient failli porter plainte après la dernière visite de ta sœur à Jacobsville, parce que tu avais agressé deux agents dans ton ranch.

66

— Simple malentendu. Il m'a suffi de mentionner mes liens de parenté avec le procureur général pour clarifier la situation.

On aurait dit qu'il avait recouvré un peu du côté pince-sans-rire qu'elle lui avait connu autrefois. Elle se retint de rire.

— Simon utilise son nouveau cousin par alliance, le cheik de Qavi, pour impressionner les gens.

— Moi aussi, avoua-t-il avec un large sourire.

Un sourire éblouissant et spontané. Le sourire de l'ancien Brannon qu'elle avait tant aimé... Troublée, elle lui sourit en retour. Et son visage se métamorphosa, devenant si radieux qu'il en eut la gorge serrée.

— Eh bien, reprit-elle enfin, si je tombe sur des gens qui refusent de coopérer, je crois que j'utiliserai le même subterfuge. Après tout, le cheik est aussi mon cousin éloigné.

La tête penchée sur le côté, il la dévisagea.

— J'avais oublié que nous étions apparentés.

— Une parenté assez lointaine, sans liens de sang.

Elle le raccompagna vers la porte du bureau et annonça, en guise de conclusion :

— J'irai voir Mme Jennings après-demain.

Il l'effleura d'un regard plus long que nécessaire. La revoyant à quinze ans, frissonnante sous une couverture, puis à vingt-deux, fiévreuse et passionnée dans ses bras. Et soudain surgit le souvenir des mots qu'il lui avait jetés à la figure, de ses insultes. Comme il avait horreur de penser à ça...

Josie ne se détourna pas, malgré l'amertume et le ressentiment qu'elle devinait chez lui.

— Moi non plus, je ne te supporte pas, au cas où tu te poserais la question.

— Ça ne me dérange pas, répliqua-t-il en haussant les épaules.

Un mensonge éhonté…

— Tant mieux.

Sur ces mots, il la salua d'un bref signe de tête, franchit le seuil du bureau et referma la porte derrière lui. Debout au milieu de la pièce, elle tendit l'oreille et écouta le bruit de ses pas décroître dans le couloir. Ce n'est que lorsque le silence retomba qu'elle s'aperçut que son cœur battait la chamade.

Revenant à son bureau, elle fixa la pile des documents à traiter sans la voir. Chaque fois que son cœur menaçait d'éclater, elle trouvait un dérivatif dans le travail. Elle avait au moins ça.

Ce soir-là, lovée sur le canapé, la main sur le dos d'un Barnes comblé et ronronnant, elle s'efforça de s'intéresser à une série policière, sans succès. Son esprit ne coopérait pas. Elle se mit à caresser paresseusement le chat, dont le ronronnement grimpa d'un ton. Pendant son absence, elle le confierait au vétérinaire. L'idée lui déplaisait mais elle n'avait pas d'autre choix.

Les yeux dans le vague, elle se remémora la soirée qui avait coûté à Dale Jennings sa liberté.

Elle l'avait rencontré dans un café, non loin de l'université de droit où elle était inscrite, quelque temps avant sa rupture avec Brannon. Dale y retrouvait parfois un type louche qu'elle ne connaissait pas mais, à part ça, c'était un garçon attachant, plein de charme et grand fan de Bib Webb. Il soutenait activement la campagne du vice-gouverneur dans le district de San Antonio.

Un grand nombre d'électeurs influents et de membres de la haute société avaient été conviés à la réception des Webb, fixée deux mois avant les élections, se rappela-t-elle. Et Dale l'avait invitée à l'y accompagner.

Au début, il ne lui était pas venu à l'esprit qu'il était étrange qu'un jeune homme comme lui, ayant du mal à joindre les deux bouts et manquant cruellement de diplômes, pût figurer sur une liste aussi prestigieuse. De fait, elle lui avait carrément demandé pourquoi il avait été invité. Dale avait éclaté de rire : il était le chauffeur et garde du corps de Henry Garner, et c'était Silvia Webb elle-même qui avait signé le carton d'invitation. Tous les deux seraient ravis qu'il amenât une amie, lui avait-il affirmé.

Silvia Webb ne lui était d'ailleurs pas inconnue. Josie avait déjà eu l'occasion de la croiser dans ce même café où elle avait rencontré Dale, et la connaissait de réputation ainsi que son mari. Elle savait que Bib Webb s'était associé avec Henry Garner, un homme d'affaires qui avait fait fortune dans la vente de matériel agricole, et que les Webb et lui partageaient un manoir sur les bords du lac San Antonio. Le vieil homme, solitaire et sans famille, semblait apprécier cet arrangement.

Si Josie avait accepté la proposition de Dale, c'était dans le seul but d'y voir Marc Brannon et de se pavaner sous son nez au bras d'un beau garçon. Après leur rupture, son ego meurtri exigeait réparation. Mais lorsqu'elle était arrivée avec Dale au manoir, Brannon brillait par son absence.

En revanche, elle avait eu droit à un accueil pour le moins étonnant de la part de la maîtresse de maison. Silvia avait paru tour à tour amusée, intéressée, polie, avant de s'empresser de la présenter à son mari. Bib l'avait accueillie avec un sourire arrogant et une question blessante : il lui avait demandé si elle était missionnaire. Josie s'était retenue de le gifler de justesse. Certes, sa robe de cocktail consistait en un modèle strict, presque conservateur, mais quand même pas à ce point ! Refroidie, elle avait suivi Silvia vers un vieux monsieur en habit de soirée. Tout en continuant d'observer Bib Webb. Le bras passé autour de la taille d'une jolie brune, il buvait beaucoup et riait trop fort.

— Henry Garner, Josette Langley, déclara Silvia avant de les abandonner là pour entraîner Dale au milieu de la foule des invités.

Garner était un vieux monsieur aux cheveux blancs et à l'esprit vif. Histoire de rompre la glace, Josie lui raconta quelques anecdotes de son enfance qui le firent sourire. Elle était contente de trouver un dérivatif à la déception qu'elle éprouvait en voyant que Marc n'était pas à la fête. Elle aurait tant voulu lui montrer qu'elle s'en était tirée indemne. Même si ce n'était pas vrai.

Garner et elle finirent par s'installer à l'écart pour discuter tranquillement, tandis qu'autour d'eux les inhibitions commençaient à disparaître. Un instant, Josie regarda Bib Webb danser avec sa brunette. Si lui avait l'air calme, sa cavalière paraissait pour sa part très agitée. Il jeta un regard circulaire, puis l'attira contre lui. Et ils continuèrent à évoluer, fortement enlacés, yeux clos, joue contre joue.

Reportant son attention sur son compagnon, Josie relança la discussion, parlant de tout et de rien. Lorsqu'elle proposa d'aller leur chercher des verres de punch, il refusa poliment. Il ne buvait jamais d'alcool, juste du ginger ale. Elle le quitta donc pour se diriger vers le bar. Alors qu'elle s'approchait du bol de punch, elle vit Garner s'avancer vers Bib et sa cavalière et leur chuchoter quelque chose. Le couple se sépara avec un sourire penaud.

Josie eut une impression bizarre, comme si un détail lui échappait. Peut-être était-ce dû au fait que Garner avait haussé le ton devant Bib ? Bah, quelle importance…

Elle aperçut au loin Dale, près d'une porte vitrée. Il était seul et avait l'air préoccupé, lui sembla-t-il. Elle n'eut pas le temps de s'interroger davantage. Un éclat de voix lui fit tourner la tête. Silvia faisait une scène à son mari, en montrant ostensiblement du doigt la jolie brune, réfugiée à l'autre bout de la salle.

Comme le barman lui tendait un verre rempli d'un liquide rouge additionné de quelques glaçons, Josie s'adossa à la table et commença à boire à petites gorgées tout en discutant avec une autre invitée. Ce n'est qu'en terminant son verre qu'elle s'aperçut que le punch contenait de la vodka.

Elle qui n'avait pas l'habitude de l'alcool sentit presque aussitôt des vapeurs lui monter à la tête. Un peu désorientée, elle chercha Dale du regard, en vain. La tête lui tournait légèrement, et elle vacilla sur ses jambes. Deux hommes âgés la suivirent d'un regard désapprobateur alors que, comme un esquif en pleine tempête, elle partait à la recherche de son cavalier. Il avait disparu. A la place se trouvait Bib Webb, avachi sur une chaise, les épaules affaissées comme sous un fardeau insoutenable. La jolie brune lui tenait la main tout en lui assenant quelques mots avec fermeté.

Josie les salua d'un signe de tête, puis se fraya un passage parmi la foule. Elle se sentait de plus en plus mal... Et Dale qui avait disparu de la circulation ! Se souvenant que Henry Garner n'avait pas bu d'alcool, elle décida de lui demander de la raccompagner. Elle n'avait plus qu'une hâte : rentrer chez elle. Laborieusement, elle traversa le salon bondé à sa recherche, en vain. A tout hasard, elle se dirigea alors vers le hall. La porte donnait sur un porche monumental flanqué d'une double volée de marches. Au bout de l'allée du jardin, on pouvait apercevoir l'embarcadère, sombre chemin sur le miroir luisant du lac. Henry Garner n'était certainement pas là-bas, se dit Josie en s'apprêtant à rebrousser chemin. Ce faisant, elle tomba nez à nez avec Silvia Webb, la jolie épouse de Bib. La jeune femme était légèrement décoiffée, comme si un coup de vent avait perturbé l'ordre savant de son brushing.

— Que faites-vous ici toute seule ? demanda cette dernière — question idiote, s'il en était.

— J'avoue que je n'ai pas bien évalué la quantité d'alcool dans le punch. Je cherchais Dale ou M. Garner pour me raccompagner, mais je n'arrive pas à les trouver…

— Ne vous inquiétez pas. Je vais vous ramener chez vous. Je n'ai bu qu'un verre de chardonnay. Je suis parfaitement en état de conduire.

La jeune femme l'entraîna vers une Mercedes couleur argent, lui montrant au passage la voiture de Garner dans l'allée. Elle déclara qu'elle l'avait entendu dire à Bib qu'il irait acheter des cigares. Puis elle agita la main en direction de quelqu'un que Josie ne vit pas.

Une fois chez elle, Josie se mit au lit sans même prendre le temps de se changer. Et se réveilla quelques heures plus tard, affligée d'une migraine atroce. Incapable de se rendormir, elle alluma la télévision. C'est à ce moment-là qu'elle apprit que l'on avait retrouvé Henry Garner, riche homme d'affaires, noyé dans le lac de la propriété qu'il partageait avec M. et Mme Webb. Un hélicoptère de la télévision survolait le domaine, filmant le lac, les ambulances, les voitures de police. Sans doute un accident, concluait la présentatrice, car le vieux monsieur avait un peu forcé sur l'alcool.

Encore vacillante, mais l'esprit suffisamment clair, Josie bondit sur le téléphone et composa le numéro du poste de police. Henry Garner n'avait pas avalé une goutte d'alcool, déclara-t-elle. Il n'avait bu que du ginger ale, ce qui signifiait qu'il n'était pas ivre. Elle raconta également que Bib et lui avaient eu une altercation, puis que Garner avait disparu de la fête. Ebranlé par son témoignage, le procureur orienta les recherches dans cette direction.

Entre-temps, sur la scène du crime où la police retenait encore les invités, les événements avaient pris une tournure dramatique. L'on avait retrouvé le fameux gourdin souillé de sang dans la voiture de Dale Jennings et, en dépit des protestations de Bib Webb, le juge d'instruction avait réclamé une autopsie — simple routine dans les cas de mort inexpliquée ou violente. Le médecin légiste ne trouva pas la moindre trace d'alcool dans le corps du défunt, mais découvrit un traumatisme crânien à l'arrière de sa tête.

En quelques heures, la théorie de l'accident était oubliée au profit d'une sensationnelle affaire de meurtre.

Bib Webb donna à la hâte une conférence de presse, escorté par le meilleur avocat de la ville, et Marc Brannon obtint la permission de voler à son secours. L'enquête fut achevée avant même de commencer. Le gourdin ayant été déclaré arme du crime, la police arrêta Dale Jennings sous l'accusa-

74

tion de meurtre au premier degré. Il faut dire que la déposition de Silvia Webb le désignait également comme le coupable. Non seulement elle l'avait vu près du lac pendant la soirée, mais elle confirma avoir aperçu le gourdin dans la voiture du suspect après avoir raccompagné Josette Langley. Jennings, quant à lui, ne souffla mot : il n'avoua pas ni ne proclama son innocence. Son défenseur, un avocat commis d'office, plaida non coupable. Ce qui ne suffit pas à convaincre le jury. Lors du procès, le ministère public produisit plusieurs éléments contre lui (dont sa dispute avec Garner) et poussa Josie à admettre qu'elle ne savait pas où il se trouvait à l'heure présumée du meurtre. Elle put quand même préciser qu'elle n'avait jamais vu le gourdin, alors qu'elle était venue en voiture avec lui, et ajouta qu'à son avis, Bib Webb avait un mobile autrement plus sérieux de souhaiter la mort du vieil homme. Et que lui aussi s'était disputé avec Garner, le soir même du meurtre.

Peine perdue. Dès le lendemain, Bib anéantit d'un mot la déposition de Josie en révélant son passé à son avocat. A quinze ans, elle avait fait le mur pour se rendre à une surprise-partie organisée par une copine de classe. La fête avait dégénéré au point que les voisins avaient appelé la police. Josie avait prétendu avoir été droguée, puis violée par un étudiant plus âgé. Malheureusement pour elle, le médecin des Urgences chez qui elle avait atterri ce fameux soir avait déclaré qu'il n'y avait pas eu viol : elle était encore vierge. De fait, quand ses parents avaient intenté un procès au garçon, l'avocat de la défense avait obtenu l'acquittement. Et ce, grâce au témoignage du médecin et à celui du policier qui avait arrêté le garçon, un certain Marc Brannon.

Une fois cette vieille histoire exhumée, la version de Josie avait paru suspecte aux yeux du juge et des jurés. Comment accorder crédit au témoignage d'une fille qui avait déjà monté de toutes pièces une histoire de viol ? Et qui, de surcroît, avait trop bu ?

L'aspect sensationnel du procès n'avait fait qu'exacerber les passions. Des journalistes s'étaient rendus à Jacobsville et, bientôt, des articles relatant les deux affaires avaient paru côte à côte. Jennings avait été condamné, et Josie avait connu pour la seconde fois la disgrâce publique grâce à Brannon. Elle avait cher payé la seule et unique erreur commise au cours de sa vie. Heureusement, l'expérience l'avait endurcie.

Quand elle pensait à Brannon, c'était toujours avec une sorte de regrets douloureux. Marc, le seul homme qu'elle ait jamais aimé... Elle poussa un soupir au souvenir de ces semaines où ils ne s'étaient pratiquement pas quittés. Visites de la ville, révisions (Marc l'aidant à préparer ses examens universitaires), balades à cheval dans son ranch, coups de téléphone interminables... Quand leur relation s'était désintégrée, Josie avait cru mourir. Mais elle avait survécu — du moins, jusqu'à maintenant.

Avec le retour de Brannon dans sa vie, elle aurait à affronter ses vieux démons chaque jour.

Qu'à cela ne tienne ! Elle voulait bien souffrir à condition qu'il souffre tout autant. Elle allait lui rendre la vie impossible. Si quelqu'un méritait cette punition, c'était bien lui. Elle s'appliquerait à prouver que Jennings n'avait pas tué Garner. Et, ce faisant, elle donnerait à Brannon une leçon dont il se souviendrait jusqu'à la fin de ses jours.

Avec un soupir satisfait, elle caressa doucement la fourrure soyeuse de Barnes.

— Tu sais, murmura-t-elle, si les hommes ressemblaient aux chats, il n'y aurait pas de guerres. Parce que vous autres ne pensez qu'à ronfler, pas vrai ? Et vous ne portez ni bottes, ni chapeaux de cow-boy.

Ouvrant un œil vert, Barnes répondit par un petit miaulement.

Elle reporta son attention sur la télévision. Comme par un fait exprès, la séquence se passait dans un tribunal. Le prévenu avait réussi à saisir l'arme de l'huissier et s'était mis à tirer sur les jurés.

Josie haussa les épaules.

— Dommage que les scénaristes n'aient jamais vu une vraie salle de tribunal. Quand un pauvre diable essaie de mettre la main sur une arme, il en perd les doigts.

4.

En allant à l'aéroport, Marc fit un crochet par la résidence des Webb. Ces derniers habitaient à Austin pendant la semaine, et se rendaient dans leur propriété de San Antonio le week-end.

Tous les deux prenaient l'apéritif avec des amis quand le majordome l'annonça. Silvia l'accueillit d'un sourire radieux. Blonde, vive, ravissante, elle incarnait le genre de beauté convoitée par la plupart des hommes. Sauf Marc. Il ne l'appréciait que moyennement, la jugeant trop agressive, trop intransigeante, mais reconnaissait qu'elle complétait parfaitement Bib, plutôt doux de nature.

— Marc ! s'exclama-t-elle, un verre de Martini à la main. J'ignorais que vous étiez en ville.

— Je mène une enquête pour le compte de Simon Hart, répondit-il en posant un baiser sur sa joue rose. Toujours aussi belle, ma chère Silvia !

— Et vous, toujours aussi séduisant.

Appuyant sa main libre sur son bras, elle lui offrit un verre qu'il refusa. Il serra la main de Bib et salua les invités — tous de riches citoyens d'Austin.

— Alors, cette enquête ? s'enquit Silvia avec coquetterie. De quoi s'agit-il ?

— D'un meurtre.

— Vraiment ? Quelqu'un qu'on connaît ? J'espère que non !

— Dale Jennings.

Il la vit frémir au point qu'elle faillit renverser son verre. Sans aucun doute, le nom de Jennings lui avait rappelé de pénibles souvenirs. Elle leva sur lui un regard effaré.

— Jennings ! Cet horrible individu… Bib ! Quelqu'un a réglé son compte à Jennings en prison !

— Non, pas en prison, rectifia Marc.

Elle haussa des sourcils parfaitement épilés.

— Pardon ?

— Il s'est évadé. Il a été abattu après.

Bouche bée, elle s'assit sur l'accoudoir du fauteuil qu'occupait son mari.

— Il a tué Henry, répliqua Bib froidement. Il n'a eu que ce qu'il méritait.

— Mais comment s'est-il évadé ?

— On n'en sait rien encore.

Le silence retomba, tandis que les Webb assimilaient toutes ces nouvelles.

— Tu restes ici ce soir ? demanda enfin Bib.

— Non. Il faut que je sois à San Antonio demain matin. Je suis censé collaborer avec la police locale. Hart enverra quelqu'un de son bureau sur place.

— Mais pourquoi ? s'enquit Silvia en battant des cils. Ce Jennings était un moins-que-rien. Pour quelle raison les Rangers et le procureur lui-même s'intéressent-ils à son cas ?

— Jennings n'était pas seulement un moins-que-rien, Sil, lui rappela son mari. Il a tué Henry Garner, un membre influent de notre société. Marc, il y a autre chose, n'est-ce pas ?

Celui-ci acquiesça de la tête.

— Il se pourrait que le crime ait été commandité par le milieu. Par Jake Marsh, plus précisément.

— Marsh, marmonna Bib, les dents serrées. Si ce bandit est vraiment l'instigateur du crime, l'affaire fera de nouveau la Une des journaux.

— C'est comme si c'était fait.

Marc lisait l'inquiétude et le dégoût sur les traits réguliers de son ami. Quant à Silvia, elle semblait pétrifiée. Elle détestait la publicité négative.

— Ne t'en fais pas, Bib, le rassura-t-il. Ce genre de scoop ne dure pas plus d'une semaine.

— Espérons-le. Seigneur, tout ça me rappelle des souvenirs tellement affreux...

— Des souvenirs qui appartiennent au passé, déclara Silvia avec un sourire de façade.

Les yeux froids, elle se redressa rapidement — presque précipitamment.

— Eh bien, Marc, bon voyage. Tenez-nous au courant de l'évolution de votre enquête.

— Oui, bien sûr, promit-il, étonné qu'elle fût si pressée de se débarrasser de lui. Bib, tu me raccompagnes ?

— Je viens aussi, annonça-t-elle.

Elle s'excusa auprès de ses invités et suivit les deux hommes dans le hall. Encore un aspect de sa personnalité que Marc n'appréciait pas. Silvia s'accrochait à son mari comme le lierre au tronc d'un chêne. Jamais elle ne le lâchait d'une semelle, et ce, depuis qu'elle l'avait séduit à seize ans, échappant ainsi à la misère. De cette époque elle ne parlait jamais. Marc savait que son père avait trouvé la mort en tombant dans un puits, peu après le décès accidentel de son fils. Et pourtant, ces deuils n'avaient pas eu l'air d'affecter la jeune femme outre mesure. En dépit de son passé tragique, elle semblait étonnamment imperméable au chagrin.

— Tu ne nous as pas tout dit, n'est-ce pas ? avança Bib, dès qu'ils furent tous trois dehors, sous le porche.

Marc fourra ses poings dans ses poches.

— L'enquêteur qui assurera la liaison avec le bureau de Simon Hart pendant l'enquête est une femme, leur apprit-il à contrecœur. Peut-être vous souvenez-vous d'elle. Josette Langley.

— Cette garce ! s'écria Silvia, les joues empourprées.

Bib se tourna vers elle.

— Ma chérie, du calme...

— Cette femme t'a accusé de meurtre ! Crois-tu que je pourrai jamais l'oublier ? Elle est capable du pire, Bib ! Elle va remuer toute cette merde ; elle n'hésitera pas à formuler de fausses accusations, à parler aux médias... à... à...

Sa voix dérapa dans les aigus.

— Chut, Sil, murmura Bib en lui passant doucement la main sur sa nuque. Calme-toi. Respire à fond. Allons, Sil, je t'en prie.

Elle obtempéra, les yeux encore vitreux, et, petit à petit, parut recouvrer ses esprits. Bib attrapa un bonbon à la menthe dans un bol de cristal qui trônait sur une table de jardin et le lui tendit. Les bonbons avaient le don de l'apaiser. Au point que l'on avait cru un moment qu'elle était diabétique. Mais les analyses de sang avaient démenti ces suppositions. Restait le déséquilibre psychologique… En dépit des conseils de son mari, Silvia refusait obstinément de consulter un psychiatre. Elle souffrait de violents accès de rage qui la rendaient parfois dangereuse. Comme, par exemple, le jour où elle avait frappé à mort son chien favori. D'une certaine façon, Bib se félicitait qu'ils ne puissent pas avoir d'enfants : Silvia était trop imprévisible.

L'ayant calmée, il se tourna vers Marc.

— Mlle Langley bavardait avec Henry juste avant qu'il soit assassiné. C'était une femme tranquille, pas du genre à s'amuser à une fête. D'ailleurs, je n'ai pas compris ce qu'elle fichait avec Dale Jennings, commenta-t-il avant d'ajouter avec amertume : quant à lui, c'était un sbire de Jake Marsh, ça ne fait aucun doute. La preuve, j'ai eu des ennuis avec l'un des militants qu'il m'avait conseillé pour ma campagne… Enfin, bref, ce que je voulais dire, c'est que je suis persuadé que Marsh a acheté Jennings dans le but d'assassiner Garner.

— Mais ça n'a jamais été prouvé, observa Silvia, suave. Moi, j'ai toujours pensé qu'il avait agi seul. A mon avis, il n'avait aucun rapport avec Marsh.

— Alors, pourquoi son corps a-t-il été découvert à deux pas de chez Marsh ? s'enquit Marc.

— Ces voyous peuvent être tués n'importe où. Je n'aurais jamais investi un sou dans une enquête comme celle-ci. Dale Jennings était une crapule.

Ignorant sa femme, Bib se tourna vers Marc.

— Le militant dont je t'ai parlé a exhumé un vieux scandale afin d'obliger mon concurrent à démissionner. Il l'a fait dans mon dos. Je suis sûr et certain que c'est à cause de ça que l'autre candidat s'est désisté mais je n'ai jamais pu trouver de preuve… Tu comprends pourquoi je n'aimais pas voir Jennings tourner autour de Henry. Je le lui ai dit, au demeurant, avant la réception. Nous nous sommes disputés.

Il fit une grimace, puis reprit :

— J'avais horreur de me disputer avec lui. Tu sais comment il était… Trop confiant.

— Et voilà comment on se fait buter dans le monde moderne ! railla Silvia avec un rire haut perché. Par excès de confiance !

L'ignorant toujours, Bib dévisagea Marc.

— Comment Jennings est-il mort ?

— Une balle dans la tête.

A ces mots, Marc le vit retenir son souffle.

— Oh, mon Dieu…

— Mais qu'est-ce que ça peut te faire, comment il est mort ? C'était un assassin ! Moi, je ne le plains

84

pas, rétorqua Silvia d'un ton à la fois satisfait et nonchalant. C'est pour ça que le procureur a décidé de fourrer son nez dans cette affaire ? Parce que le meurtre a une allure d'exécution ?

Marc ne répondit pas tout de suite.

— Pour ça et parce que Marsh a trempé dans un tas d'activités illicites. Voilà des lustres que Hart essaie de le confondre. Si l'enquête sur le décès de Jennings est menée proprement, on a une chance d'aboutir.

— A ceci près que M. Hart autorise cette garce de Josette Langley à s'en mêler une fois de plus. Quelle connerie ! jeta Silvia, méprisante.

— Elle a un diplôme de criminologie et travaille pour lui depuis deux ans, répliqua Marc, prenant malgré lui la défense de Josie.

— Peut-être mais elle a été personnellement impliquée dans le procès de Jennings, tout comme vous ! Aucun de vous deux ne devrait avoir le droit de mener cette enquête.

Elle se tourna vers Bib.

— Chéri, appelle une de tes relations et demande-lui de leur retirer l'affaire.

Marc sursauta, piqué au vif. Un éclair traversa ses prunelles gris acier.

— Faites-le, et je mets personnellement la presse au parfum. Tout le monde saura pour quelle raison j'aurai été écarté de l'enquête.

Silvia le considéra avec ahurissement.

— Ça alors ! Et moi qui vous considérais comme un ami !

85

— Je suis votre ami, assura-t-il sans la regarder, les yeux rivés sur Bib. Mais la loi est la loi. Et je ne tolérerai aucune interférence dans mes fonctions, surtout dans un cas d'une telle importance.

Elle le scruta un instant. Puis, brusquement, elle envoya son verre se fracasser par terre et se retourna vers son mari, rouge de fureur.

— Espèce de lâche ! rugit-elle. Tu n'es qu'un dégonflé, incapable de prendre la moindre initiative !

Après lui avoir lancé un chapelet d'injures, elle tourna les talons et rentra dans la maison en claquant violemment la porte. Elle n'était pas normale, songea Marc une nouvelle fois.

Bib hocha la tête.

— Sept ans de calvaire, murmura-t-il avec lassitude. Oh, elle est parfaite en tant qu'épouse de politicien, elle adore les interviews à la télé et les mondanités. Mais il m'arrive de souhaiter une femme — comment dire — moins explosive. Je crains d'avoir déçu ses espoirs. Si j'avais été moins fortuné, elle m'aurait quitté depuis longtemps.

— Elle t'aime, déclara Marc, sans grande conviction.

Bib laissa échapper un rire creux.

— Je lui appartiens, voilà tout. Bon, mieux vaut que je rejoigne mes invités. Ils m'ont promis de soutenir ma campagne. Marc, tu vas voter pour moi, j'espère ?

— Jamais de la vie ! Tu es trop corrompu.

— Nous le sommes tous… Toute cette affaire doit être pénible pour toi. Je crois me rappeler que tu as eu une liaison avec Josette Langley.

Comme Marc ne répondait pas, il haussa les épaules.

— Okay, j'arrête. Je serai à San Antonio à la fin de la semaine. Viens prendre un verre si tu as le temps… Silvia a projeté d'aller faire du shopping à Dallas, alors on sera seuls. On pourra se gaver de beignets au café du coin.

— Pourquoi ? Tu n'as pas le droit d'en manger en présence de ta femme ?

Bib tapota son ventre plat.

— Hé, non ! Il faut bien que je sois mince et beau sur les affiches électorales. Je suis interdit de pâtisseries. Bon Dieu, qu'est-ce qu'il ne faut pas faire pour soigner son image de marque !

— Tu es un excellent politicien, assura Marc. Tu as une conscience. Et du cœur.

— Simple question d'engagement, vieille branche ! Je manque d'agressivité, paraît-il. Heureusement, Silvia en a pour deux. Allez, bon retour à San Antonio !

— Prends soin de toi, Bib. On ne sait pas comment la situation va évoluer. As-tu un garde du corps ?

— Oui. T. M. Smith. Ancien membre de l'état-major de l'armée pendant la guerre du Golfe. Outre qu'il peut neutraliser à mains nues un bataillon, c'est un champion de tir.

— Garde-le près de toi. Au cas où…

Marc esquissa un sourire, afin d'adoucir ce qui aurait pu passer pour un ordre.

Bib lui serra la main.

— Tu n'as jamais la nostalgie du bon vieux temps, quand on allait draguer ensemble ?

— J'ai surtout la nostalgie d'une bonne nuit de sommeil, répondit Marc en souriant. A un de ces jours.

Il regagna sa voiture de location, mit le moteur en marche et démarra. Tandis qu'il prenait la direction de l'aéroport, son sourire s'effaça. L'attitude de Silvia l'avait choqué. Certes, elle n'était pas dépourvue de qualités et constituait certainement l'un des meilleurs atouts de Bib. Mais il ne parvenait pas à oublier sa violente réaction lorsqu'elle avait su qu'il enquêtait sur la mort de Dale Jennings, ni le fait que c'était sa déposition qui avait contribué à faire condamner le même Jennings pour le meurtre de Henry Garner. A l'époque, Marc s'était senti trop concerné par les accusations de Josie contre Bib pour être objectif. Il avait consacré toute son énergie à la contredire, à réduire à néant ses affirmations, allant jusqu'à laisser Bib ramener sur le tapis cette sordide histoire de viol. Tout en culpabilisant de l'exposer ainsi aux sarcasmes de la presse. A la fin du procès, il avait voulu lui demander pardon mais elle l'avait regardé comme si elle le détestait — ce qui était probablement le cas. Il avait alors quitté la salle des audiences sans un mot d'explication.

Il avait été très amoureux d'elle, avant le procès de Jennings. Et son animosité à son égard, à la mesure de son amour passé, avait fini par se retourner contre lui. Il l'avait mal jugée, mal comprise, au point de quitter le Texas pour passer deux ans de malheur au FBI.

Maintenant, il était de retour et le cauchemar recommençait. A l'évidence, Josie n'avait pas la moindre envie de le revoir. N'avait-il pas lu dans ses yeux de la haine et du mépris ? Oh, il ne la blâmait pas. Elle avait tous les droits de le considérer comme son pire ennemi... D'ailleurs, il l'était. Il savait qu'elle ferait tout pour remettre Bib Webb sur la sellette tandis que lui s'appliquerait à l'en empêcher. Ils se retrouvaient toujours dans deux camps opposés.

Il s'arrêta à un feu rouge, laissant une jeune fille traverser. Sa robe fleurie lui rappela son dernier rendez-vous avec Josie. Ce jour-là, il avait assisté à la cérémonie des remises de diplômes à laquelle elle participait. Et le soir, il l'avait invitée dans un restaurant à la mode. Elle portait une robe à fleurs soyeuse, et ses longs cheveux blonds formaient un chignon lourd sur sa nuque... Elle était magnifique.

Après dîner, il l'avait ramenée chez lui. Jusqu'alors, ils n'avaient échangé que de brefs baisers, de furtives caresses, feignant de ne pas songer à la conclusion inévitable. Marc ne croyait toujours pas un mot de son histoire de viol, bien qu'il eût souvent l'occasion de constater qu'elle avait le mensonge en horreur. Mais cela ne suffisait pas ; il existait beaucoup de femmes innocentes en apparence et qui, en réalité, étaient coupables comme l'enfer.

La facilité avec laquelle elle le suivit dans son appartement l'avait conforté dans son opinion. Même pas un mot de protestation, ne serait-ce que pour la forme. Après avoir mis un slow sur la platine, il l'avait invitée à danser et, serrant Josie contre lui, il avait ressenti contre sa poitrine la douce pression de ses seins. Elle ne portait pas de soutien-gorge.

L'excitation le gagnait et, au lieu de desserrer son étreinte, il le lui fit savoir. Aujourd'hui encore, il se rappelait très bien sa réaction : un frisson, une lueur d'étonnement dans ses grands yeux sombres. Elle avait voulu dire quelque chose, mais il s'était penché sur ses lèvres pour boire avidement ses paroles.

Ce fut un baiser lent, ardent, délibéré. La jeunesse de Josie constituait un mince rempart contre ses années d'expériences amoureuses. En un rien de temps, il lui défit sa robe jusqu'à la taille et la renversa sur le canapé. Tandis qu'il embrassait passionnément ses petits seins, ses mains se glissèrent sous sa robe, puis sous sa petite culotte de coton. L'espace d'un instant, cette caresse parut la subjuguer. La preuve : son regard éperdu, sa façon de s'agripper à lui... Il se déshabilla à son tour, ôtant sa veste et sa chemise, et l'enlaça.

Cela faisait des mois qu'il la désirait. A tel point qu'il n'avait pas touché d'autres femmes pendant qu'ils sortaient ensemble. A présent, les sens exacerbés par l'abstinence, il avait du mal à se contrôler.

90

Elle murmura une faible protestation au moment où il déboutonna son pantalon, mais il la fit taire en écrasant ses lèvres sur les siennes et nicha son genou entre ses cuisses fermes. Il la sentit se raidir une fraction de seconde, comme si le sentir ainsi sur son sexe l'étonnait. Pourtant, tout son corps la trahissait — sa peau brûlant de désir, ses mains qui caressaient son dos, ses gémissements, sa bouche frissonnant sous la sienne.

— Oh, je te veux, chuchota-t-il contre ses lèvres. J'ai tellement besoin de toi… Ne lutte pas, ma chérie, ne lutte pas…

Comme il avançait ses hanches étroites vers elle, Josie poussa un cri apeuré.

— Ça va trop vite ? Je vais faire attention. Il y a trop longtemps que tu n'as pas fait l'amour, hein ?

Elle eut un petit sanglot.

— Oh, Marc, je ne l'ai jamais fait…

Il rit doucement. Bien sûr qu'elle l'avait fait. Elle était pratiquement allée jusqu'au bout avec le garçon qu'elle avait ensuite accusé de viol, et depuis, avait dû sauter le pas.

Ses caresses se firent plus précises, plus attentives. Il se débarrassa de ses bottes et de son pantalon pendant que ses lèvres exploraient le ventre de Josie. Il voulait l'enflammer, attiser sa passion, mettre fin à ses faibles protestations, à ses mensonges.

Elle tremblait comme une feuille à présent, le suppliant de continuer. Enfin, il se positionna entre ses longues jambes et la regarda droit dans les yeux.

— Je vais entrer en toi, annonça-t-il simplement. Très profondément en toi, Josie. Maintenant... Oui, maintenant...

A chaque mouvement de ses hanches, une bouffée de plaisir irradiait son corps. Mais il n'arrivait pas à la pénétrer. Josie pleurait, gémissait tout en l'encourageant à poursuivre d'une voix fébrile.

— Bon sang ! grommela-t-il, étourdi par le désir.

Il poussa une fois de plus de toutes ses forces.

Elle lâcha un cri et s'assit sur le sofa en le repoussant frénétiquement, les yeux aveugles, non pas de volupté mais d'une douleur déchirante et sincère. Il lui fallut quelques secondes pour comprendre. Son esprit était consentant mais son corps lui résistait. Soudain, il comprit pourquoi.

Il la toucha intimement, trouva la barrière, un obstacle si perceptible qu'il en resta pétrifié.

— Tu es vierge, murmura-t-il, abasourdi.

Elle hocha la tête, embarrassée. Ses yeux se baissèrent sur son sexe gonflé, et elle tressaillit. Visiblement, elle n'avait jamais vu un homme dans cet état.

— Espèce de garce ! lança-t-il, furieux. Va te faire voir ailleurs !

Il s'arracha à elle, sans se soucier de sa brutalité, puis se rhabilla avec rage, vaguement conscient qu'elle pleurait, sa robe devant elle comme un bouclier.

— De tous les affronts que l'on peut infliger à un homme, celui-ci est le pire ! Tu es pire qu'une pute ! Au moins, elles n'allument pas les hommes pour les laisser ensuite en plan. Rhabille-toi ! lui ordonna-t-il sèchement en quittant la pièce.

Il attendit dans la cuisine pendant qu'elle remettait sa robe. Consumé d'un désir inassouvi. Incapable de raisonner sainement. Dans son esprit, Josie l'avait dupé. Car elle savait — elle *devait* savoir — qu'elle ne pouvait pas lui appartenir. Que seule une opération chirurgicale parviendrait à bout de l'obstacle. Oui, elle devait le savoir.

C'est alors que la réalité le frappa de plein fouet. Josie était vierge. Oui, cela ne faisait aucun doute.

Brusquement, il sut que le garçon avait menti au tribunal. Qu'il avait bel et bien tenté de la violer, mais que la barrière impénétrable l'avait arrêté. De la même manière qu'elle l'avait arrêté, lui, ce soir-là.

Un coup de Klaxon rageur le ramena au présent. Le feu était passé au vert et Marc était toujours à l'arrêt. Avec une grimace, il écrasa son pied sur l'accélérateur. La voiture bondit en avant.

Il revit de nouveau le visage désespéré de Josie. Sa tête baissée, ses yeux brillant de larmes. Aucun mot n'aurait pu effacer l'humiliation ni la honte qu'il lui avait causée. Alors, il avait gardé le silence. Il en avait déjà trop dit. Comment lui expliquer pourquoi il s'était mis en colère, pourquoi il l'avait accablée de reproches aussi horribles ? La frustration, le désir inassouvi... Sûr qu'elle ne voudrait plus jamais le regarder, ni l'écouter. Et les mots d'excuse n'avaient jamais franchi ses lèvres.

Son empressement, sa fougue, avaient-ils rappelé à Josie l'expérience la plus pénible de sa vie ? avait-il songé ensuite. Il avait perdu la tête, ce qui ne lui était encore jamais arrivé. Pourtant, elle l'avait laissé la déshabiller ; elle s'était comportée comme si elle avait hâte de se donner à lui. Parce qu'elle ne savait pas. Elle ne savait pas qu'aucun homme ne parviendrait à la prendre. Son unique et malheureuse expérience à quinze ans n'avait pas suffi à le lui faire comprendre...

C'était la honte qui l'avait incité à rester silencieux, quand elle était apparue, rhabillée, sur le seuil de la cuisine.

Il l'avait raccompagnée chez elle dans un silence pesant. Il aurait voulu lui demander pardon d'avoir aidé l'avocat du violeur à innocenter son client. De ne pas l'avoir crue.

Les insultes qu'il lui avait lancées à la figure le rendaient malade. Elle était vierge et il l'avait traitée comme une criminelle. Il aurait dû deviner qu'elle ne mentait pas ! D'autant qu'elle ne lui avait jamais menti durant toutes ces semaines d'amitié amoureuse pendant lesquelles ils s'étaient tant amusés. A présent, elle devait se sentir affreusement coupable de l'avoir laissé aller aussi loin. Son ardeur naturelle, un don du ciel, l'avait trahie. Marc aurait voulu le lui dire. Il aurait voulu lui dire qu'il ne la blâmait pas pour ce qui était arrivé. Malheureusement, les mots refusaient de sortir de sa bouche.

Arrivé devant son immeuble, il avait coupé le moteur mais, avant qu'il ait pu prononcer un seul mot, elle s'était tournée vers lui.

— Je ne veux plus te voir. Plus jamais.

Elle avait la voix fêlée, mais elle avait trouvé quand même la force de poursuivre :

— Du sexe. Voilà ce que tu voulais toutes ces semaines. Tu croyais que j'étais une fille facile, que je l'étais déjà à quinze ans.

Il l'avait alors dévisagée avec une frustration mêlée de colère.

— Tu m'as déçu, Josie. Tu m'as laissé espérer obtenir quelque chose que tu étais dans l'incapacité de me donner. Et tu t'es vengée parce que je n'ai pas cru à ton histoire de viol à Jacobsville.

— C'est toi qui as commencé ! s'était-elle écriée, le feu aux joues.

— Mais tu n'as pas beaucoup résisté, n'est-ce pas ? Oh, tu n'as pas de souci à te faire, je ne reviendrai pas. Je n'ai plus aucun désir pour toi. Tu n'es pas suffisamment femme à mon goût !

Il l'avait plantée là, sur ces mots froids, implacables, et avait démarré avant même qu'elle fût arrivée à sa porte.

Cette nuit-là, il l'avait passée à boire. Et quelques jours plus tard, il avait quitté les Rangers et le Texas.

La suite, il ne la connaissait que trop bien. Josie avait accompagné Dale Jennings à la réception des

Webb. Et peu après, il y avait eu le procès — un procès bâclé, étant donné que Bib était déjà considéré comme le futur vice-gouverneur.

Une fois de plus, Josie avait été traitée de menteuse. Par la faute de Bib et non de Marc. Mais elle le regardait avec tant de mépris qu'il n'avait pas démenti cette fausse information. Ni osé s'excuser. Une fois de plus, il avait quitté la ville. Une fuite inutile, vu que Josie était partie s'installer à Austin.

Aujourd'hui, leurs blessures à peine cicatrisées, le destin les remettait face à face.

Marc décida de dissimuler de son mieux l'attirance qu'il éprouvait toujours à son égard. Il se demanda si, depuis le procès, elle avait eu une liaison avec Jennings ou un autre homme. Elle paraissait si confiante, si professionnelle, si femme. Et pourtant... L'avait-il entendue retenir son souffle lorsqu'il s'était approché d'elle ou était-ce seulement un effet de son imagination ? Sans doute était-elle encore fragile, même si elle feignait l'indifférence.

Il se demanda si l'enquête qu'ils allaient mener ensemble parviendrait à les rapprocher. Impossible, songea-t-il aussitôt en secouant la tête. Ils appartenaient, une fois de plus, à deux camps ennemis.

Ses pensées dérivèrent vers Bib. Il avait beau savoir que son ami n'était pas du genre à se compromettre dans une affaire de meurtre ou de corruption, comment convaincre Josie ? La jeune femme n'était pas près de renoncer à ses préjugés. A juste titre, d'ailleurs. Silvia ne s'était pas gênée pour la jeter en pâture à la presse à scandales, déblatérant longuement sur « la mythomanie de Mlle Langley ». Et prétendant tenir ces informations de son mari. Belle façon de retourner Josie contre Bib... Avec le recul, Marc se demandait si elle ne l'avait pas fait exprès.

Silvia était une femme ambitieuse et intéressée. C'était elle qui avait obligé Bib à l'épouser sous prétexte qu'elle était enceinte (le bébé était mort peu après). Elle qui l'avait poussé à s'associer avec Henry Garner, veuf et sans descendants. Elle qui l'avait porté jusqu'au poste de vice-gouverneur. Elle encore qui l'avait convaincu de faire campagne pour devenir sénateur alors que, de l'aveu de Bib lui-même, il n'en avait nulle envie.

Le bonheur, pour lui, se résumait à peu de choses : vendre du matériel agricole et élever des chevaux dans son ranch. Il aimait ce ranch comme il aimait la nature et s'estimait meilleur cow-boy que politicien. Malheureusement, ce manque d'ambition ne correspondait guère à l'idée que Silvia se faisait de l'existence. Elle voulait des robes haute couture, des bijoux, du champagne d'importation, des soirées mondaines... Nul doute que la vie de Bib aurait été complètement différente s'il avait épousé une autre femme. Mais on ne remonte pas le temps, songea Marc. On ne change pas le passé.

Car si cela avait été possible, il n'aurait pas commis l'erreur d'essayer de séduire Josette Langley sur son canapé.

Il gara sa voiture de location dans le parking de l'aéroport, avant de prendre le vol à destination de San Antonio. Par chance, l'avion était à moitié vide. Il s'installa confortablement et posa son chapeau sur le siège voisin. Voilà. Il n'était pas d'humeur à bavarder avec un parfait inconnu.

L'appareil se lança sur la piste de décollage, puis s'éleva vers le ciel dégagé, d'un bleu translucide.

Marc posa la tête contre le dossier, les yeux dans le vague. Curieux comme la plupart de ses souvenirs étaient liés à Josie et à sa famille. Policier de patrouille à Jacobsville, il avait connu M. Langley alors qu'il tentait de placer d'office un chauffard récidiviste dans une clinique de désintoxication. Ce dernier appartenait à la paroisse du révérend Langley, qui était intervenu en sa faveur. A la suite de cet incident, Marc et lui s'étaient liés d'amitié. Et avaient découvert qu'ils avaient beaucoup de points communs. Langley avait commencé sa carrière dans la police, avant de se découvrir une vocation de pasteur. Il avait alors quitté son emploi pour suivre un séminaire. Marc lui rendait souvent visite, à lui et à sa famille. En ce temps-là, il considérait Josie comme une petite fille jolie et espiègle. Jusqu'à cette nuit fatidique, où il l'avait vue toute nue, en compagnie d'un garçon à moitié dévêtu.

Le jeune homme avait été plus que convaincant. Il lui avait expliqué que Josie l'avait rencontré en secret, qu'elle l'avait allumé, puis s'était débattue quand il avait tenté de conclure. Elle criait au viol alors qu'elle était consentante. A sa grande honte,

Marc l'avait cru. Il avait même eu pitié de lui. C'est ainsi que, malgré l'affection qu'il portait au père de Josie, il s'était rangé du côté du présumé violeur. A vrai dire, les circonstances ne plaidaient pas beaucoup en faveur de Josie. L'interne de l'hôpital où elle avait été emmenée avait remis aux autorités une déposition dactylographiée selon laquelle il n'y avait pas la moindre trace de viol. Sans préciser pourquoi il n'y avait pas eu pénétration. Cela avait achevé de convaincre Marc que Josie avait menti. Sans doute avait-elle eu peur de faire de la peine à ses parents en disant la vérité. C'était une réaction normale, après tout. Lui-même avait connu un cas identique : une adolescente qui, en plein tribunal, avait fondu en larmes, avoué sa faute, demandé pardon au jeune homme qu'elle avait injustement accusé. Marc, fort de cette conviction, avait témoigné en faveur du garçon. Celui-ci avait été acquitté tandis que Josie passait pour une menteuse aux yeux de la cour. Ses parents avaient essuyé une cruelle humiliation. Et quand Josie était retournée en classe, ses camarades s'étaient mis à la persécuter. Au point qu'elle avait dû changer d'école. Sa famille s'était alors installée à San Antonio, dans une paroisse moins importante. Et Marc avait cessé de les voir.

Quelque temps plus tard, il fut intégré à l'unité des Rangers de San Antonio et se vit confier un cours de justice criminelle à l'université. Le hasard voulut que Josie fasse partie des élèves de sa classe. Elle avait alors vingt-deux ans et était devenue très attirante.

Au début, elle ne lui adressa pas la parole. Elle n'avait rien oublié de sa douloureuse mésaventure. Et ne lui avait pas pardonné d'avoir témoigné contre elle. Malgré son animosité évidente, Marc se sentit troublé par son charme. Il manœuvra donc pour gagner de nouveau sa confiance. Et peu à peu, ils redevinrent amis, en dépit de la désapprobation des Langley. Bien sûr, en tant que croyants, ces derniers avaient pardonné à Marc depuis longtemps, mais ils ne lui faisaient plus confiance depuis sa trahison lors du procès. Eux n'avaient jamais douté de la bonne foi de leur fille.

Marc ne tint pas compte de leur désapprobation. Il emmenait Josie à des pique-niques, au théâtre, dans des boîtes pour danser. Il lui offrait de petits cadeaux, l'appelait tard dans la nuit. Et s'aperçut bientôt qu'elle n'était pas insensible à ses avances. Lui-même avait du mal à dénouer le fil de ses sentiments.

Après la remise des diplômes à laquelle il assista, assis loin des Langley, il accompagna Josie au bal de sa promotion. Une soirée qui fit à jamais basculer leur vie... Leur étreinte ratée, leur rupture, le plongèrent dans un abîme de souffrances. Il lui écrivit une longue lettre dans laquelle il se répandait en excuses mais ne la posta pas.

Quelques semaines plus tard, le meurtre de Henry Garner, puis le procès de Dale Jennings, ne faisaient qu'envenimer leurs rapports.

Quand les médias déterrèrent l'affaire du viol, Marc jeta sa lettre d'excuses. Il aurait été inutile de l'envoyer maintenant, Josie l'aurait déchirée sans la lire. Il savait qu'elle lui en voulait de ce nouveau scandale, supposant à tort qu'il avait vendu la mèche à la presse.

Après la condamnation de Jennings, il prit la fuite. Il se sentait coupable d'avoir par deux fois détruit la vie de Josie. Par sa faute, adolescente, elle avait été exposée aux sarcasmes de la société, alors que son violeur s'en tirait sans une accusation. Et non content d'avoir contribué à noircir son nom et sa réputation, Marc avait resurgi dans sa vie pour s'opposer à elle une deuxième fois et l'accuser indirectement de faux témoignage.

A sa décharge, il avait agi dans l'intérêt de son meilleur ami. Bib Webb n'avait pas assassiné Henry Garner, il en était convaincu. Bib aimait le vieil homme comme le père qu'il n'avait pas eu. En effet, à l'âge de dix-sept ans, il s'était retrouvé seul avec sa sœur cadette. Son père était parti, les abandonnant à leur sort. Seul homme de la famille désormais, Bib avait dû prendre soin de sa mère et de sa petite sœur. Laquelle était morte à dix-huit ans d'une overdose... L'existence de Bib n'avait été qu'une interminable suite d'épreuves, jusqu'au jour où il avait rencontré Henry Garner, qui l'avait pris sous son aile protectrice.

Non, décidément, il n'était absolument pas possible que Bib soit mêlé de près ou de loin au meurtre de son bienfaiteur. D'autant qu'il avait besoin d'une présence amie à ses côtés. Son mariage avec Silvia battait déjà de l'aile, à l'époque. Il faut dire que la jeune femme ressemblait étonnamment à la sœur de Bib — une âme égarée, une sorte de petite fille immature, désespérément accrochée à son mari. Depuis son mariage, les cheveux de Bib, de brun, étaient devenus presque entièrement gris. Aujourd'hui, il paraissait avoir dix ans de plus que Marc.

L'hôtesse poussa le chariot de boissons vers lui. Comme il refusait, le regard de la jeune femme s'attarda un instant sur son visage. Il réprima un sourire. L'insigne des Rangers avait le don de capter l'attention des femmes comme le miel attire les mouches. L'attrait de l'uniforme, songea-t-il, sans illusions. Cela faisait un moment qu'il ne regardait plus les femmes. Jusqu'à ce qu'il retrouve Josie. A sa vue, il avait éprouvé la même bouffée de désir qu'autrefois. Force lui était de convenir qu'elle exerçait toujours sur lui la même séduction.

Il laissa échapper un soupir excédé. Il fallait qu'il remette de l'ordre dans ses pensées. Après tout, il avait une enquête sur les bras. Une enquête difficile. Qui, à coup sûr, ruinerait plusieurs vies. Nul doute que les médias s'empareraient de l'affaire. Et, inévitablement, Bib Webb, Josie et la mère de Jennings auraient à subir la curiosité malsaine des journalistes autant que du public. Sa mission était donc de découvrir la vérité sans se laisser influencer par ses sentiments ou par ses vieilles faiblesses.

Il se demanda comment Josie envisageait sa collaboration avec lui — un homme qu'elle avait toutes les raisons du monde de détester. Il était désolé pour elle. Et pour lui.

Deux rangs plus loin, une jeune femme câlinait un bambin. Un petit bout de chou, qui plongeait ses doigts potelés dans les cheveux de sa maman en gazouillant. La scène lui arracha un sourire involontaire. Il pensa à son neveu qu'il ne connaissait que par les photos que Gretchen lui envoyait. Il avait hâte de le voir et de le tenir dans ses bras. Même de loin, il devinait que Gretchen et son mari passaient plus de temps à admirer leur petit chérubin qu'à regarder la télé.

Il aurait bien voulu avoir des enfants. La solitude commençait à lui peser. Une fois de plus, ses pensées se tournèrent vers Josie, et il se demanda si elle aussi pensait aux enfants. Il fit une grimace. Rien de moins sûr. Le dégoût qu'elle professait pour tout ce qui ressemblait à de l'intimité ne la prédisposait certainement pas à fonder une famille. Dommage car elle avait la fibre maternelle. Un jour, alors qu'ils se promenaient dans un parc, ils étaient tombés sur un petit garçon en pleurs à cause d'un genou éraflé. Josie s'était accroupie devant lui, avait sorti des pansements de son sac et les lui avait posés. Le temps que les parents affolés le récupèrent, le petit garçon riait en tenant Josie par la main et en léchant la boule de glace qu'elle lui avait achetée.

Marc fronça les sourcils. Il détestait le souvenir de cette scène qui avait eu lieu la veille du fameux bal. Ç'avait été leur dernière journée de bonheur. Sa dernière chance — qu'il n'avait pas su saisir.

En repensant aux années de souffrances morales qui avaient suivi, il retint un grognement. Bon sang, se laisserait-il toujours hanter par le passé ? Sans doute que oui. Surtout maintenant que le passé revenait à la charge, inextricablement lié au présent.

Josie et lui devaient trouver le meurtrier avant que celui-ci ne s'attaque à une nouvelle victime. Et ils devaient le trouver vite.

5.

Quand Josie arriva à San Antonio, elle trouva la ville plus grande que dans ses souvenirs. C'était ici qu'elle avait fait ses études. Ici, qu'elle avait aimé pour la première fois et qu'elle avait été trahie. Et elle était de retour aujourd'hui, pour mener une enquête en collaboration avec l'homme qui avait été à l'origine de son immense douleur.

Bien que sa connaissance du procès de Jennings lui conférât une longueur d'avance sur la police locale, elle n'avait pas l'intention de marcher sur ses plates-bandes. Il fallait seulement faire très attention, car ce meurtre pouvait toucher les couches les plus élevées du gouvernement. L'enquête exigeait donc une coopération et une intelligence absolues entre les divers intervenants.

L'enquête s'annonçait laborieuse, pensa-t-elle. Dale s'était évadé de la prison où il purgeait sa peine pour l'assassinat de l'associé de Bib Webb. Comment s'était-il échappé et pourquoi avait-il été victime d'un simulacre d'exécution ? Voilà ce qu'il fallait découvrir.

105

Elle jeta un coup d'œil au bureau du procureur de district avec un sourire. Le plan de travail encombré de dossiers et de diverses piles de papier lui rappelait le sien. C'était une pièce spacieuse et moderne, qui respirait le cachet de la profession. Une porte latérale s'ouvrit, livrant passage à une jeune femme élégante aux cheveux noirs. Elle fit signe à Josie d'entrer dans un bureau adjacent, tout aussi encombré de documents et flanqué de meubles de rangement.

— Je suis Linda Harvey, l'assistante du procureur, déclara-t-elle. C'est moi qui ai sollicité votre aide, mademoiselle Langley. Nous nous sommes déjà parlé au téléphone.

— Ravie de vous rencontrer, répondit Josie en lui serrant la main. J'étais en train d'admirer le désordre. Ça me rappelle mon bureau à Austin.

Linda hocha la tête avec un sourire.

— On m'enterrera sûrement avec un paquet de documents dans les bras. Si vous voulez du café, il y a un distributeur dans le couloir.

— Non, merci. J'ai déjà pris deux tasses ce matin. Une de plus et je grimperai aux rideaux.

Linda partit d'un rire franc.

— Je vois ! Je vous en prie, asseyez-vous. Simon Hart m'a dit que vous étiez personnellement impliquée dans cette affaire ?

— Plus que je ne l'aurais souhaité. Jennings m'a emmenée à la fameuse soirée où il a soi-disant tué Henry Garner. Je n'ai pas pu lui fournir d'alibi mais je n'ai jamais douté de son innocence.

— Oui, j'ai parcouru le dossier, répondit Linda tranquillement. A l'époque, vos soupçons se tournaient plutôt vers Bib Webb.

Josie fit une grimace.

— Et ça m'a coûté très cher. J'ai simplement déclaré que M. Webb était celui à qui le crime profitait le plus, ce qui est un fait. Les médias ont dénaturé mes propos et ont fait de mes soupçons, comme vous dites, des accusations ouvertes. Une vraie dynamite vu qu'à l'époque, Webb briguait le poste de vice-gouverneur.

— Oui... Son concurrent s'est désisté à la dernière minute, lui laissant le champ libre. J'ai toujours trouvé cette coïncidence intéressante, surtout que la popularité de Webb avait baissé dans les sondages.

Linda lui sourit avant d'ajouter :

— Si j'ai bonne mémoire, l'avocat général ne vous a pas ménagée, quand vous avez témoigné en faveur de Jennings.

— Il a déterré une plainte pour viol que j'avais déposée contre quelqu'un quand j'avais quinze ans. Ce doit être dans mon dossier. Cette petite ordure a vraiment essayé de me violer, insista Josie en se penchant en avant. Je n'ai compris que trop tard qu'il avait mis quelque chose dans mon verre. Le précurseur de la drogue du viol en quelque sorte.

— Je m'en doutais. Et je vous remercie d'être aussi franche avec moi. En fait, j'ai mené ma petite enquête sur le sujet. J'ai retrouvé le juge qui avait classé l'affaire. A l'époque, il était encore jeune.

La famille du garçon avait des relations. On lui a présenté le violeur comme une victime, et il l'a cru. Quand nous en avons discuté, il s'est pratiquement excusé.

— Comme c'est gentil de sa part ! railla Josie. Il n'a que neuf ans de retard.

— Les femmes n'ont pas toujours le beau rôle, c'est vrai. En tout cas, votre violeur est hors d'état de nuire maintenant. Il y a un an, il a violé et presque étranglé une femme à Victoria. Il s'est tué en voiture en tentant d'échapper à la police.

Josie ébaucha un sourire.

— Je sais. J'ai reçu plusieurs coups de fil d'habitants de Jacobsville après ça. Y compris du procureur de district qui avait traduit le violeur en justice. Il m'a avoué qu'il avait toujours cru que je disais la vérité, même après le verdict.

— Au moins, vous êtes disculpée, conclut Linda. Vous vous en êtes bien sortie, malgré tout.

Josie haussa les épaules.

— Tout est une question de motivation. Je voulais épargner ce genre d'humiliation à d'autres victimes innocentes.

— Et vous êtes devenue une enquêtrice de premier ordre. Mais pourquoi ne travaillez-vous pas pour le procureur du district ? Mieux encore, pourquoi n'êtes-vous pas procureur vous-même ? Il y a beaucoup de femmes qui s'y essaient aujourd'hui. Nous en avons une, ici.

— Je sais. J'aurais voté pour elle, si j'habitais encore à San Antonio.

— C'est une tigresse. Et moi aussi, confia Linda. Alors, qu'est-ce qui vous a poussée à offrir vos talents à l'État ?

Difficile d'éviter la question, songea Josie devant son insistance. Elle lui adressa un petit sourire.

— Le procès Jennings. J'en suis sortie discréditée, affublée de la triste notoriété de menteuse et mythomane. Personne ne voulait m'embaucher, excepté Simon Hart. Il a été le seul à me laisser ma chance.

— Oh, je suis désolée. Enfin, si jamais vous changez d'avis, nous serons heureux de vous faire une place parmi nous.

— Merci. Je m'en souviendrai.

— Je suis ravie que ce soit vous qui vous occupiez de cette enquête. Si vous avez besoin de quelque chose, n'hésitez pas à me le demander.

— Il se peut que je vous demande plus que vous ne voudrez m'accorder, l'avertit Josie d'une voix posée. Le cas est délicat. Il concerne un membre du gouvernement. Ce n'est pas par hasard si Marc Brannon est également sur le coup. Avec un peu de chance, nous mettrons le grappin sur Jake Marsh, le parrain de la mafia locale. Mais il se pourrait aussi que nous ayons à poursuivre quelqu'un de... très haut placé.

— Personne, ici, ne craint la publicité négative.

Elle poussa un soupir de soulagement.

— C'est ce que je voulais entendre. Merci.

— Vous partagerez le bureau de Cash Grier, lui apprit Linda en se levant. Vous verrez, ce n'est pas un mauvais bougre, malgré ce que vous dira Marc. Ils ont travaillé ensemble.

— Je m'en souviendrai. Merci pour votre aide.

— De rien. Je ne fais que mon boulot.

Vers la fin de la journée, Josie avait fait la connaissance de toute l'équipe et se sentait presque à l'aise dans son nouvel environnement. Elle n'avait pas encore rencontré Grier ni Brannon — un vrai soulagement ! Sans doute Marc travaillait-il à l'extérieur. Elle ignorait encore comment elle parviendrait à le côtoyer tous les jours sans piquer une crise de nerfs.

C'est en rentrant au Madison Hotel qu'elle le vit. Il l'attendait dans un pick-up noir, surmonté d'une antenne. Elle sortit de sa voiture et s'immobilisa, son sac contre elle, attendant de voir ce qu'il allait faire. Quand il claqua la portière de son pick-up et vint dans sa direction, elle s'efforça d'afficher un air détaché. Rien de plus difficile quand, intérieurement, son cœur battait la chamade.

Une fois à sa hauteur, Marc s'appuya nonchalamment contre sa voiture et la toisa avec son arrogance habituelle. Il était l'homme le plus séduisant qu'elle eût jamais connu. D'une sensualité intimidante qu'il lui réservait délibérément, pensa-t-elle. Il savait quels sentiments elle éprouvait à son égard avant leur rupture. Et il en jouait.

— Je croyais que les Rangers avaient des voitures de fonction.

— Je préfère conduire la mienne. Comment s'est passée ta première journée ?

— J'ai vu l'assistante du procureur. Tu travaillais à l'extérieur ?

Il acquiesça sans un mot.

— As-tu reçu les dossiers que je t'ai envoyés ?

De nouveau, il acquiesça.

Elle pencha la tête de côté, une lueur taquine dans ses prunelles.

— Je connais le langage des sourds-muets, si tu préfères.

— Tu n'as pas changé, remarqua-t-il en riant.

Elle repoussa ses lunettes cerclées d'or sur l'arête fine de son nez.

— Oh, si, j'ai changé, Brannon. Sauf que j'essaie de ne pas trop le montrer. Maintenant, si tu veux discuter de l'enquête...

— Je veux bien. Mais pas dans une chambre d'hôtel, déclara-t-il, décontenancé par sa froideur.

L'attitude flegmatique de Josie le mettait mal à l'aise. Elle semblait si incroyablement sûre d'elle-même...

— Très bien. Je vais juste voir si j'ai eu des messages et je reviens tout de suite.

Il la dévisagea avec irritation. Impossible de la mettre en colère. D'ailleurs, pourquoi essayait-il ? Pourquoi éprouvait-il un tel besoin de la faire sortir de ses gonds ?

L'ignorant, elle pivota sur ses talons et monta dans sa chambre d'où elle appela la réception. Pas de messages, lui apprit-on. Elle se repoudra rapidement le nez, puis redescendit.

Adossé à son pick-up, Marc la regarda s'approcher avec surprise.

— Cinq minutes. Un record pour une femme.

— Un miracle pour un homme, lança-t-elle sèchement. On peut se retrouver quelque part. Où veux-tu aller ?

— Ne sois pas stupide !

Comme il ouvrait la portière de son pick-up, côté passager, elle y jeta un coup d'œil circonspect.

— Comment grimpe-t-on là-dedans ? Avec une échelle ?

— Allons ! Ce n'est pas si haut.

Elle se hissa dans le véhicule aussi gracieusement que possible. Marc referma la portière avec une patience exagérée. Puis il se glissa derrière le volant, boucla sa ceinture de sécurité et vérifia que celle de Josie était bien en place avant de démarrer. Peu après, ils se mêlaient à la circulation. Marc conduisait comme il faisait tout le reste : confortablement et avec maîtrise. Elle coula un regard vers les mains hâlées qui maniaient le volant et ne put s'empêcher de les imaginer sur sa peau.

Mal à l'aise, elle s'absorba dans la contemplation du paysage. Ils étaient sortis de la ville et traversaient maintenant de verts pâturages agrémentés de puits et de petites pompes à pétrole semblables à des tondeuses. Le bétail broutait alentour avec une superbe indifférence.

— Ces tanks ne sont même pas à moitié pleins, déclara-t-elle en pointant les citernes en béton qui recueillent l'eau de pluie.

— La sécheresse a durement éprouvé la région. Il pleut toujours quand on n'en a pas besoin.

Il lui jeta un coup d'œil oblique, les yeux ombragés par le large bord de son Stetson.

— J'ai parlé avec le procureur aujourd'hui. Il paraît que tout le monde t'apprécie au bureau.

— Etonnant, non ?

— Ce n'est pas ce que j'ai voulu dire.

Elle se tourna vers lui, impassible.

— De quoi voulais-tu me parler ? s'enquit-elle.

— Comment un meurtrier a-t-il été autorisé à participer aux travaux d'intérêt général ?

Elle fronça les sourcils. Elle aussi s'était déjà posé cette question. D'habitude, l'on ne permettait pas aux condamnés pour meurtre de ramasser les ordures sur le bord des chemins.

— Autre chose, poursuivit-il. Le Wayne Correctional Institute n'est pas une prison fédérale mais une prison d'Etat. Or le juge avait envoyé Jennings dans une prison fédérale.

— Alors, que diable faisait-il à Wayne ?

Marc quitta l'autoroute, mettant le cap sur un restaurant routier.

— Café et hamburger, ça te va ? Je ne peux pas t'offrir mieux jusqu'à ce que tombe ma paie.

— Je paierai ma part, ne t'inquiète pas. As-tu parlé au directeur de la prison ?

— Pas encore. Mais à coup sûr, quelqu'un a tiré les ficelles afin que Jennings soit transféré là-bas.

— Eh bien…

Elle siffla doucement.

— J'attends, insista-t-il.

— Quoi ?

— La conclusion qui tombe sous le sens : à savoir que le vice-gouverneur du Texas possède les contacts nécessaires pour effectuer ce transfert.

— Pourquoi énoncer l'évidence ?

— Bib n'a tué ni Henry Garner ni Dale Jennings ! décréta-t-il avec véhémence.

— Au moins, on ne peut pas te reprocher de trahir tes amis. Mais j'essaie de garder l'esprit ouvert et il faudra bien que tu fasses de même. Nous avons tous les deux des préjugés en faveur de personnes qui sont, ou que nous croyons, innocentes. Nous devons redoubler de vigilance avant de formuler de nouvelles accusations.

— En effet, pour quelqu'un qui a vécu ce que tu as vécu, tu as l'esprit très ouvert. Et c'est un compliment, précisa-t-il. Simplement, je n'arrive pas à te comprendre.

— Pas besoin d'essayer. Nous devons travailler ensemble, point final. Quand nous aurons arrêté le coupable, je retournerai à Austin où je recommencerai à faire ce que je fais le mieux.

— A savoir ?

— Assurer la liaison entre le bureau du procureur général et les différents procureurs de l'Etat. Je suis très à mon aise, le nez dans mes dossiers et l'oreille collée au téléphone.

— Ce n'est pas ce qu'on t'a appris à la fac.

Elle haussa les épaules.

— Je ne suis pas une femme de terrain, c'est tout. Maintenant, si ça ne t'ennuie pas, allons manger et discutons boulot. Je suis fatiguée et je voudrais rentrer tôt. La journée a été longue.

Il se gara devant le restaurant sans répondre et, après avoir coupé le moteur, descendit du pick-up. Il ne lui ouvrit pas la portière, nota-t-elle. Etonnant quand on savait qu'il avait reçu une parfaite éducation… Elle savait pertinemment qu'il se comportait toujours galamment, surtout avec les femmes. Donc il faisait exprès de la laisser se débrouiller avec la lourde portière du pick-up. Ignorant l'affront, elle la poussa.

Il la précéda dans le restaurant et la conduisit vers un box libre, au fond de la salle. Une serveuse se présenta presque aussitôt. Jeune, jolie, visiblement enchantée d'avoir Marc comme client.

— Que puis-je pour vous ? s'enquit-elle avec entrain.

Marc lui sourit. Ce qui transforma son visage de façon extraordinaire, remarqua Josie. D'un seul coup, il redevint l'homme qu'elle avait aimé, malicieux et séducteur à la fois.

— Café crème, steak haché saignant avec un œuf à cheval, salade maison, sauce Thousand Island.

— Pas de problème. Et pour vous ?

La serveuse adressa à Josie un sourire nettement moins éclatant.

— Café noir, salade maison, sauce ranch.

— Merci. Je vous apporte les cafés tout de suite.

Visiblement subjuguée, la jeune serveuse décocha à Marc un sourire timide avant de s'éclipser.

— L'étoile d'argent les fascine, commenta Josie en balançant le menton vers son insigne.

Il se renversa sur la banquette, le bras sur l'accoudoir en vinyle, et lissa sa chemise sur ses pectoraux dont elle se rappelait la dureté avec une pénible acuité.

— S'il n'y avait plus de femmes aimant les hommes, la prochaine génération serait en péril, déclara-t-il. Encore heureux qu'elles ne suivent pas toutes aveuglément les têtes de file féministes. Des souris sans maquillage, aux préceptes anti-mâles complètement débiles, ajouta-t-il, dans l'espoir de la faire sortir de ses gonds.

— Ce sont certains hommes qui inspirent aux femmes les révolutions, Brannon.

— Je ne sais pas. Pas plus tard qu'hier, j'ai fermé la porte au nez d'une femme.

Il sourit, attendant visiblement une réaction.

Elle se retint de hausser les épaules. Il n'avait pas l'air d'aimer le jeu, et pourtant il y excellait. Elle le revit, entouré d'adolescents, lors d'un match de base-ball improvisé sur le campus. Ou jetant des bouts de bois à son chien dans son ranch. Aussi rusé, aussi espiègle que ses jeunes cow-boys. Hélas, il ne restait que peu de traces de l'homme qu'il avait été. A présent, il cherchait simplement à la titiller. Eh bien, il pouvait attendre ! S'il comptait sur elle pour le suivre dans des joutes oratoires à la noix, il se fourrait le doigt dans l'œil ! Qu'il garde ses préjugés de vieux garçon jusqu'à ce que des poils lui poussent dans les oreilles.

— J'aimerais bien savoir comment Jennings a pu sortir du quartier de haute sécurité d'une prison fédérale, commença-t-elle. Et comment, après avoir été transféré dans une prison d'Etat, il a pu s'inscrire dans un groupe de travaux d'utilité publique. Celui qui se cache derrière tout ça doit bénéficier de plus qu'une simple influence. De l'argent, sans doute. De beaucoup d'argent.

— Moi, je cherche toujours qui aurait eu intérêt à le supprimer.

Bon sang, pourquoi ne s'énervait-elle pas ? Il détestait sa voix calme, posée, détachée. La femme qu'il avait connue deux ans plus tôt, la jeune fille au passé tragique mais qui incarnait la joie de vivre, le bonheur et l'insouciance, avait changé. Avant, ses yeux débordaient d'amour. Maintenant, ils étaient vides. Comme des fenêtres obstruées par des rideaux.

— En trouvant des preuves, on trouvera l'assassin, rétorqua-t-elle.

La serveuse posa sur la table deux tasses de café fumant tout en souriant béatement à Marc. Il lui retourna son sourire avec un clin d'œil.

Rougissante, elle laissa échapper un petit glousse-
ment, puis s'éloigna en direction de la table voisine
où un autre couple s'était installé. Josie prit une
profonde inspiration. Qu'il flirte avec la serveuse.
Elle s'en fichait. Complètement.

Amusé, Marc versa la crème dans son café,
ajouta un sucre puis le remua jusqu'à ce qu'il se
soit dissous. Prenant son temps, il goûta son café
avec sa petite cuillère qu'il reposa négligemment
sur sa serviette en papier.

— Le mobile est évident, reprit-il en portant la
tasse à ses lèvres. Jennings détenait quelque chose
d'incriminant.

— Je suis d'accord.

A son tour, elle dégusta son café dont elle apprécia
le goût corsé et le riche arôme. Dans la plupart des
restaurants, on vous servait du jus de chaussette.
Elle sourit en imaginant le cuisinier en train de
presser une chaussette...

— Qu'y a-t-il de drôle ? demanda Brannon.

Elle avait oublié combien il était observateur.
Aucun détail n'échappait à ses yeux gris. Après
tout, il avait passé plus d'une dizaine d'années à
observer les gens, coupables ou innocents.

— Non, rien, c'est le café.

Elle lui expliqua pourquoi.

— C'est la raison pour laquelle j'aime bien manger
ici, dit-il. La nourriture n'est peut-être pas extraordinaire mais le café est toujours excellent.

Il avala une gorgée et reposa sa tasse.

— J'ai vu Mme Jennings aujourd'hui, poursuivit-il. Elle est dans un foyer d'accueil dans le quartier de Downtown. Elle n'a même pas de quoi passer un coup de fil.

Il avait adopté une expression grave, triste même. Malgré ses défauts, il avait un cœur sensible.

— Est-ce que Dale lui avait confié quelque chose à garder ?

— Voilà une question intéressante. Parce que sa maison a brûlé juste avant d'être mise en vente. L'assistante sociale qui l'a placée dans ce foyer l'a accompagnée chez elle afin de prendre ses affaires. Mais lorsqu'elles sont arrivées sur place, il ne restait plus rien de la maison.

Josie fronça les sourcils.

— Le meurtrier a couvert ses arrières pour le cas où il aurait oublié quelque chose. Résultat, s'il y avait eu une preuve compromettante là-bas, elle est partie en fumée.

— Je ne crois pas qu'il sache où se trouve la preuve. En revanche, même si Mme Jennings ne l'a pas, il se peut qu'elle sache où elle est. Je lui ai posé la question mais elle n'a rien voulu me dire. Le feu n'est pas le meilleur moyen de convaincre quelqu'un de coopérer. J'ai parlé au chef de la police et lui ai demandé de garder un œil sur le foyer d'accueil. Malheureusement, son budget est trop serré. Il ne pourra pas la surveiller à plein temps. Il n'a même pas assez d'argent pour les nécessités de base.

— C'est partout pareil. Si nous consacrions 2 % de l'aide financière que nous accordons aux pays étrangers aux applications de peines et à la lutte contre la pauvreté chez nous, il n'y aurait plus de crimes.

— Et plus aucun enfant n'aurait faim.

Leurs regards se croisèrent, mais il ne sourit pas.

— La pauvreté, on connaît, tous les deux.

Elle opina.

— Oui. Dire que maintenant, Gretchen est quasiment reine…

— Elle ne s'en porte pas plus mal, commenta-t-il avec un soupir. L'argent et le pouvoir ne l'ont pas changée. Elle aide énormément les défavorisés à Qavi. Récemment, l'ONU lui a demandé de réunir des fonds en faveur d'œuvres caritatives.

— Oh, elle est la personne idéale pour ce genre de mission.

Marc se tut un instant. Le fait que Josie en sache autant sur sa famille l'agaçait. Elle devait savoir aussi que son père buvait comme un trou et qu'il n'avait pas plus le sens des affaires qu'un crapaud. Seule sa mort prématurée dans un corral avait évité à sa famille une faillite certaine. Impossible de garder un quelconque secret à Jacobsville, Texas.

— Qu'allons-nous faire avec Mme Jennings ? s'enquit-elle. Elle reste une cible si le ou les meurtriers n'ont pas trouvé ce qu'ils cherchaient.

Il hocha la tête.

— A la place du meurtrier, j'aurais trouvé le moyen de la faire parler.

— Tu n'es pas très rassurant. As-tu une autre idée, en dehors de la simple surveillance de son domicile actuel ?

— Content que tu m'aies posé la question. Nous pourrions la placer dans ton hôtel pendant les quinze prochains jours. Comme ça, tu l'aurais à l'œil.

— Bonne idée. Mais qui va payer pour ça ? Notre budget est aussi limité que celui de la police.

— Tu n'as qu'à convaincre Grier de plaider ta cause auprès du procureur. Il obtient toujours ce qu'il demande, quand il s'en donne la peine.

— Grier ? fit-elle en s'efforçant de se rappeler de qui il s'agissait.

— Cash Grier. L'expert en cybercrime au bureau du procureur. Tu ne l'as pas encore rencontré ?

— Non. Je suis censée partager son bureau, c'est tout ce que je sais. Ah, oui, se rappela-t-elle. Il paraît qu'il ne faut pas croire tout ce qu'on raconte sur lui… Il n'était pas là de la journée, en tout cas.

— Oh, tu en entendras des ragots ! Il a travaillé pour nous un certain temps. Mais il ne s'entendait pas avec le commandant en chef. Alors, il a démissionné.

— Comme toi, lâcha-t-elle sans pouvoir s'en empêcher.

Il ne lui avait pas révélé les raisons de sa démission. Buller en était une. Alors commandant des Rangers, ce dernier était l'homme le plus détesté de l'unité.

— Buller s'est fait beaucoup d'ennemis. Quand il nous a perdus, Grier et moi, coup sur coup, ses supérieurs ont voulu savoir pourquoi il y avait eu deux défections dans son service. Le personnel a parlé. Buller n'a pas été renvoyé, mais on lui a fait comprendre que, s'il ne démissionnait pas, il allait le regretter.

— Oh, la, la ! Il devait avoir des cadavres dans son placard !

— Buller est le seul mauvais élément qu'on ait jamais eu chez nous, déclara-t-il avec fierté. En deux mois, il a tout fichu par terre. Mais nous avons tous nos cadavres, acheva-t-il en évitant son regard.

Il termina son café. La dernière gorgée lui laissa sur la langue un goût plaisant d'amertume.

— N'empêche que quelqu'un en a un énorme, en ce moment, remarqua Josie. Et si nous ne l'arrêtons pas, Jennings va bientôt avoir de la compagnie, là où il est.

— J'ai téléphoné à Jones, au labo. Elle a une tripotée de macchabées dans ses tiroirs. L'équipe fait des heures sup' mais, d'après elle, il faudra attendre encore vingt-quatre heures, avant que le médecin légiste puisse procéder à l'autopsie de notre client... Ce qui veut dire qu'on n'aura pas les résultats avant demain matin.

— Jones, murmura Josie. Alice Jones, de Floresville ?

— Tu la connais ?

Son visage s'éclaira.

— Elle était à la fac avec moi. Une sacrée fêtarde.

— Elle n'a pas beaucoup changé.

Les salades et le steak arrivèrent. Ils refusèrent le dessert, mais commandèrent d'autres cafés. Pendant un moment, ils mangèrent en silence.

— Je crois que le meurtre de Jennings a un rapport avec celui de Garner, déclara Josie.

— Pourquoi ?

— A cause des sommes d'argent impliquées.

— Pas un mot sur Bib, s'il te plaît !

— Arrête avec ça ! s'écria-t-elle, énervée par sa remarque. Tout le monde est suspect. Alors, essaie de te comporter comme un vrai enquêteur. Tu n'as pas le droit d'avoir des a priori. Pas dans ta position.

Il faillit grincer des dents, mais force lui fut d'admettre qu'elle avait raison.

— Bon, d'accord, concéda-t-il.

Elle le regarda, les yeux quelque peu radoucis.

— Je sais que Bib est ton ami. Et que tu ne feras jamais rien susceptible de lui porter préjudice.

— Tu ne le connais pas comme moi. Bib aimait beaucoup Henry Garner. Celui-ci incarnait à ses yeux une figure paternelle. Je t'ai déjà raconté que son vrai père l'avait abandonné quand il avait dix-sept ans ? Bib a dû subvenir aux besoins de sa mère et de sa sœur, alors qu'il n'avait pas encore terminé le lycée. Après le décès de sa mère, il s'est occupé de sa sœur jusqu'à ce qu'elle meure à son tour d'une overdose. Personne ne l'a jamais aidé en dehors de Henry Garner. Il n'a même pas eu la force d'assister à ses obsèques.

Elle hocha la tête. Elle était au courant pour ce dernier point, mais elle avait mis cette attitude sur le compte de la culpabilité.

— Les journalistes ne l'ont pas su, poursuivit-il, mais à la suite de ce drame, Bib a été mis sous sédatifs.

— A cause de son chagrin ?

— Diable, non ! Parce qu'il enrageait. Parce qu'il ne pensait qu'à se venger. Il a toujours cru dur comme fer que Jennings était le meurtrier. Il savait que ce dernier entretenait des contacts avec le milieu. Et qu'il s'était disputé avec Garner à plusieurs reprises. S'il l'avait pu, Bib l'aurait étranglé de ses propres mains. Il a fallu deux piqûres de valium pour le calmer. Et lorsqu'il s'est réveillé, il a pleuré pendant deux jours. Il détestait Jennings.

Elle se garda bien de mentionner que cette haine offrait à Webb un excellent motif de souhaiter la mort de son ennemi. Brusquement, une image émergea dans sa mémoire. Silvia Webb à l'enterrement, superbe dans un ensemble noir Versace, souriant à son entourage.

— Mme Webb a des goûts de luxe, lança-t-elle sans réfléchir.

— Elle a perdu son père et son frère avant de commencer à fréquenter Bib. Elle était à la rue, dans la misère la plus noire. Elle avait seize ans quand Bib l'a épousée.

— Elle était trop jeune pour se marier, non ?

— Bib croyait qu'elle en avait vingt. De toute façon, elle était suffisamment âgée pour tomber enceinte.

Visiblement, il ne portait pas Mme Webb dans son cœur.

— J'ignorais qu'ils avaient un enfant.

— Ils n'en ont pas. Silvia était enceinte de deux mois quand elle est tombée dans les escaliers. Elle a fait une fausse couche. D'après le médecin, elle ne peut plus avoir d'enfants.

« Comme c'est pratique », songea Josie qui se retint de formuler sa réflexion à haute voix. Elle avait suffisamment d'ennuis avec Marc sans chercher à en rajouter. En vérité, elle avait peine à imaginer Silvia dans un rôle de mère ; elle était trop égoïste.

— Elle est très possessive, n'est-ce pas ? fit-elle, le regard absent. Le soir de la fête, elle n'a pas quitté son mari des yeux une seconde.

— Elle est comme ça. Elle était à ses côtés toute la soirée, je suppose ?

— En fait, non. Elle est sortie avec Dale, et je ne les ai pas revus pendant un moment. Ils sont revenus séparément. Dale avait l'air préoccupé et Silvia, eh bien, elle était un peu décoiffée. Je me rappelle que ton ami Bib dansait avec une jolie brunette. Silvia leur a fait une scène.

— Becky Wilson, murmura-t-il.

Il se souvenait bien de Becky, l'assistante de Bib. Ce dernier l'invitait à toutes les réceptions malgré les objections de sa femme.

— Et ça s'est passé avant ou après ta conversation avec Garner ?

— Après. Je suis allée me chercher un verre de punch et j'ai échangé quelques mots avec une autre invitée. C'est quand j'ai fini mon verre que je me suis aperçue que le punch contenait de la vodka. Je me suis sentie très mal. Alors, je suis partie à la recherche de Dale, puis de Garner, dans l'espoir que l'un des deux pourrait me raccompagner, mais je ne les ai pas trouvés. C'est à ce moment-là que Silvia a offert de me raccompagner... J'ai beaucoup aimé M. Garner, poursuivit-elle tristement. C'était un homme honnête et doux. Nous avons parlé de Bib et de la vie dure qu'il avait eue. Il lui portait une profonde affection.

— C'était réciproque. Mais pourquoi as-tu parlé aussi longtemps avec Garner ? N'était-ce pas Jennings, ton chevalier servant ?

Depuis le début, la question lui brûlait les lèvres. Lorsqu'il avait appris qu'elle était sortie avec Dale Jennings, seulement quelques jours après leur rupture, il en avait été mortifié.

— Dale n'était qu'une connaissance. Il avait besoin d'une cavalière pour la soirée. J'y suis allée, histoire de combler le vide. C'était un garçon plutôt sympa. J'ignorais ses relations avec le milieu. C'est Garner qui m'a ouvert les yeux.

Il leva vivement la tête.

— Qu'est-ce qu'il t'a dit exactement ?

126

— Qu'il avait l'intention de renvoyer Dale à cause d'un vol commis chez lui, dans son coffre-fort.

Marc ne put s'empêcher de retenir son souffle.

— Bingo ! s'exclama-t-il.

6.

— Je ne comprends pas, fit Josie, les sourcils froncés.

Marc se pencha en avant, sa tasse de café vide dans les mains.

— Tu viens de dire que Garner allait mettre Jennings à la porte parce qu'il le soupçonnait de vol. Et si Garner n'avait pas été assassiné pour sa fortune mais parce qu'il détenait la preuve d'activités criminelles ? Si son meurtrier l'avait éliminé parce qu'il n'avait pas pu trouver cette preuve, justement ?

— J'en ai la chair de poule.

— Voilà qui donne un tout autre éclairage à l'affaire. Peut-être avons-nous tous les deux regardé dans la mauvaise direction, pendant le procès de Jennings.

— Je ne crois pas que c'était lui l'assassin, martela-t-elle.

— Et moi, je ne crois pas que c'était Bib.

Il haussa un sourcil. La dureté qui transparaissait dans ses yeux s'effaça.

— Peut-être avons-nous raison tous les deux, conclut-il.

Elle hocha la tête, lentement d'abord, puis avec entrain.

— Oui, peut-être.

— Bon. Supposons que Henry Garner ait eu en sa possession cette fameuse preuve. Et qu'il ait menacé de la remettre à la police. Il a été assassiné, mais le meurtrier n'a pas pu mettre la main dessus parce que Jennings l'avait déjà volée, dans le but de faire chanter le ou les coupables au lieu de les amener devant la justice.

— Trop de suppositions, murmura-t-elle. Je te rappelle que Dale a nié avoir commis le meurtre…

— Seulement au début, lui fit-il remarquer. Puis, tout d'un coup, il a changé d'avis. Pourquoi ?

— Quelqu'un lui a offert quelque chose, répondit-elle, les yeux brillant d'excitation. De l'argent.

— Toujours l'argent : c'est sans doute par là qu'il faut commencer.

Il fit tournoyer sa tasse vide entre ses doigts, songeur.

— Mais s'il y a eu pot-de-vin, pourquoi attendre encore deux ans pour supprimer Jennings ?

— Sa mère ! s'exclama Josie. Elle a été dépossédée de ses économies et de ses biens. Peut-être que Jennings a joint l'auteur du crime, exigeant plus d'argent. Et peut-être qu'il lui a promis de lui rendre la preuve, cette fois. Au début, il a dû se contenter d'une somme modeste avant de commencer à réclamer plus. Pour sa mère.

— Pas mal, approuva Marc.

Il la scruta avec, dans l'œil, la lueur de tendre complicité qu'ils avaient eue avant de devenir ennemis.

— Tu n'as jamais songé à ouvrir un bureau de détective privé ?

Elle haussa les épaules et avala une dernière gorgée de café.

— Je crois qu'on est sur une bonne piste. Par où doit-on commencer ?

— Par le début. Voyons par exemple qui était en contact avec Jennings pendant qu'il purgeait sa peine, à part son avocat.

Josie tira un carnet de son sac et se mit à le feuilleter.

— J'ai là une liste de personnes auxquelles Jennings a téléphoné de la prison. Noms, adresses, numéros de téléphone.

Elle lui remit ses notes. Il y jeta un regard amusé.

— Ce n'est pas détective que tu aurais dû être, mais médecin. Ton écriture est illisible.

— Facile de critiquer, répliqua-t-elle en reprenant son carnet. Premier nom sur la liste : Jack Holliman. Il vit à Floresville, près de Wilson County. C'est l'oncle de Dale.

— Pratique d'habiter si près de la prison…

— Probablement trop pratique, même. Mais il faut bien commencer par quelqu'un, non ?

Elle prit son ticket et se dirigea vers la caisse. Marc l'imita. Ils réglèrent séparément leurs repas, puis quittèrent le restaurant en silence.

Peu après, ils remontaient l'allée sinueuse d'un petit ranch. Clôtures en ruine, nids-de-poule, chemin poussiéreux... Marc se gara devant la ferme, une sordide petite bâtisse à la peinture écaillée. Le porche semblait prêt à s'écrouler.

Ils descendirent de voiture. Alors qu'ils commençaient à gravir la volée des marches, le canon d'un fusil jaillit d'un trou pratiqué sur la porte, aussitôt suivi du bruit sec du chien que l'on arme. Josie ralentit le pas, mais pas Marc.

— Texas Rangers ! annonça-t-il en continuant d'avancer. Si vous nous tirez dessus, vous ne vivrez pas assez longtemps pour regretter cette bêtise.

Le fusil disparut. Ils entendirent le cliquetis des verrous, puis le battant s'entrouvrit. Un vieil homme, au dos courbé par les ans, examina la chemise de Marc de ses yeux délavés.

— Okay, c'est le bon insigne. Vous n'essayez pas de m'entuber.

Il s'effaça pour les laisser entrer. L'intérieur de la maison était aussi lugubre que l'extérieur. Un remugle de tabac froid, de sueur et de bois brûlé saturait l'air. Bien qu'il fît une chaleur étouffante, le vieil homme ne semblait pas en souffrir. Il s'assit sur un rocking-chair agrémenté d'un coussin brodé et d'un afghan élimé aux couleurs passées, et fit signe à ses visiteurs de prendre place sur deux fauteuils en rotin garnis de coussins crasseux.

— Nous cherchons Jack Holliman, déclara Marc en se penchant en avant, les coudes sur les genoux.

— C'est moi. Je suppose que c'est au sujet de Dale, répondit le vieillard en faisant une grimace. Si c'est pas malheureux de mourir comme ça ! Abattu comme un chien dans la rue. J'ai plus personne, en dehors de ma sœur.

— Dale était votre seul neveu ? s'enquit Josie.

— Le seul, oui. Et le seul môme de ma sœur cadette. Son père est mort quand il avait dix ans. Et sa pauvre mère n'a jamais su exactement ce que le père avait fait au gosse.

Ses yeux se baissèrent sur le tapis usé.

— Jennings a eu des ennuis jusqu'à sa mort. C'est lui qui a appris au gosse à transgresser la loi.

— Connaissez-vous quelqu'un qui aurait voulu tuer votre neveu ?

La réponse fusa.

— Non. La police a dit qu'il avait assassiné ce Garner, mais j'y ai jamais cru. Dale a fait des chèques en bois et volé des cartes de crédit pour venir en aide à sa mère. Mais, il était incapable de faire du mal à une mouche. C'était un gentil gosse : il ramassait les animaux malades, les emmenait chez le véto et payait de sa poche.

— Je sais, commenta Josie sans regarder Marc. Je connaissais Dale. Moi non plus, je n'ai jamais cru à sa culpabilité. J'aimerais bien trouver son assassin. Si jamais vous vous rappelez quelque chose, n'hésitez pas à nous appeler.

Le vieillard pinça les lèvres en hochant la tête.

— Je lui ai écrit en prison. Il n'aimait pas écrire mais il m'a quand même envoyé un mot le mois dernier. Attendez, je vais vous le chercher.

Il se redressa péniblement, boitilla jusqu'à une petite table bancale dont il ouvrit le tiroir. Il en sortit une enveloppe avec son nom dessus et la tendit à Josie.

Elle contenait une carte postale. Un paysage. Au recto, quelques lignes. Des lettres mal formées. Dale demandait des nouvelles de son vieil oncle. Il lui rappelait une promenade à cheval qu'ils avaient faite tous les deux au printemps.

— Il parlait toujours de cette balade, se souvint tristement le vieil homme. Il avait apporté sa selle... Vous comprenez, depuis que j'ai la hanche tordue, l'argent se fait rare. J'ai deux chevaux mais une seule selle. Alors, Dale avait apporté la sienne. Une selle magnifique, cloutée à la main, avec deux sacoches de cuir attachées à l'arçon. Il aimait la campagne, mais il restait en ville pour s'occuper de sa mère. Il s'est toujours occupé d'elle, vous savez. Je lui aurais laissé le ranch s'il avait vécu. La semaine dernière, j'ai vendu les chevaux. Je crois bien que je vais aussi vendre la selle ; plus personne n'en a besoin ici.

Marc tourna la carte postale entre ses doigts, puis la rendit à Josie.

— Je n'ai pas eu de nouvelles de ma sœur, enchaîna Holliman. Pas depuis qu'elle m'a appris la mort de Dale. J'irais bien à l'enterrement mais je n'ai trouvé personne pour m'y conduire. Elle m'avait promis de me rappeler mais elle ne l'a pas fait. Et moi, je n'ai pas réussi à la joindre. Son téléphone est coupé. Est-ce qu'elle va bien ?

Marc et Josie échangèrent un regard.

— Oui, déclara-t-elle. Un incendie a détruit sa maison mais elle va bien. Elle s'est retirée dans... un joli village de repos. Je demanderai son numéro de téléphone ou celui de ses voisins, et je vous le communiquerai.

— Merci, ma petite, lâcha-t-il avec lassitude. Tout fout le camp ! La vieillesse est une malédiction. On souffre de partout, on ne peut plus rien faire tout seul...

Ses prunelles bleu fané croisèrent les yeux de Josie.

— La vie passe comme un éclair. Profitez de l'instant présent, pendant que vous avez la santé.

— J'essaie.

Marc reprit la carte postale.

— Est-ce que vous connaissez des amis de Dale ? Ou des collègues ?

— Des collègues, sûrement pas ! Le gosse n'a jamais bossé de sa vie, excepté pour le vieux type qui a été assassiné. Ah, il en était fier, de ce job. Encore que la dernière fois qu'il est venu ici, il m'a dit quelque chose de bizarre...

Il fronça les sourcils en s'efforçant de se souvenir.

— Il a dit : « Tonton, j'ai fait une connerie. » Et il a ajouté qu'il avait voulu protéger le vieux d'une sorte de menace. Et qu'il espérait avoir bien agi, murmura-t-il avant de les fixer. Vous avez une idée, vous, de ce que ça peut être ?

— Pas encore, répondit Marc en se levant. Nous le saurons bientôt, je vous le promets. Et ne vous inquiétez pas pour votre sœur. Elle va bien.

Holliman se redressa lentement sur ses vieilles jambes.

— Merci d'être venus… Et pardon pour le fusil, hein ? Dale m'a mis en garde : « Ferme bien ta porte et méfie-toi des étrangers. » J'sais pas pourquoi, mais j'ai suivi son conseil.

— Vous avez bien fait. Ne nous reconduisez pas, je refermerai la porte en sortant. Avez-vous le téléphone ?

Holliman montra du doigt un appareil.

— Bah, j'aurais pas le temps de m'en servir si on m'attaquait, pas vrai ? Heureusement, j'ai mon fusil.

Marc lui lança un regard neutre.

— Avez-vous un chien ?

— Non. Je pourrais pas m'en occuper.

— Alors, gardez le fusil près de vous et verrouillez votre porte. Je demanderai au shérif d'envoyer de temps à autre une voiture de patrouille dans le coin.

Holliman lui sourit.

— Merci, fiston.

La main sur la poignée de la porte, Marc se retourna.

— Dale sera enterré demain à 14 heures. Je peux vous y emmener, si vous voulez.

Le vieil homme avala péniblement sa salive.

— Vous rendriez ce service à un étranger ?

Marc montra de la main le vieux Colt et l'étui de cuir usé, suspendus au mur, ainsi que l'étoile noircie des Rangers fixée au-dessus.

— Nous ne sommes pas des étrangers.

Holliman acquiesça.

— Dans ce cas, j'accepte. Merci.

— De rien. Je passerai vous chercher à 13 h 30.

— Merci de nous avoir reçus, monsieur Holliman, dit Josie.

— C'est moi. J'ai personne à qui parler, alors...

Elle sortit, puis attendit sous le porche délabré que Marc referme la porte derrière lui.

— Je n'avais pas remarqué l'arme, confessa-t-elle. Tu es observateur.

— Pour ce que ça m'a servi ! répliqua-t-il d'une voix tendue.

Elle fit comme si elle n'avait pas compris.

— Tu crois vraiment que quelqu'un voudrait nuire à ce vieil homme ? demanda-t-elle lorsqu'ils se retrouvèrent dans le pick-up.

— Un assassin qui a déjà tué deux fois ne se laisse pas étouffer par les scrupules. Après tout,

137

même s'il est pris, il ne sera exécuté qu'une seule fois. A présent, je suis sûr que le meurtrier est à la recherche de la fameuse preuve. Quiconque a été en relation avec Jennings est en danger. Et je continue à penser que Jake Marsh est mêlé à l'affaire.

Josie croisa les bras sur sa poitrine pendant qu'il faisait tourner le moteur.

— J'espère que la pauvre Mme Jennings ne court plus aucun risque. Sa maison a déjà brûlé, et si la preuve s'y trouvait, elle a brûlé aussi. L'assassin n'a plus de raison de l'importuner.

— Il ne se gênera pas s'il pense qu'elle sait quelque chose. Et ce serait bien dans le style de Marsh, à supposer que c'est lui.

— Seigneur, murmura-t-elle d'une voix enrouée en regardant par la fenêtre. Quelle horreur, d'être vieux et sans défense !

— Nous vivons dans une société qui punit la vieillesse.

— Oui, fit-elle avec un petit sourire triste.

— C'est une honte qu'un homme comme Holliman, qui a passé sa vie à rendre service aux autres, vive dans des conditions aussi lamentables. Ils sont des centaines comme lui, et pas seulement au Texas. Des gens qui ont sacrifié tout leur temps au bien collectif, et voilà comment ils sont payés en retour. Une pension qui ne suffit pas à acheter une bouchée de pain, et une sécurité sociale qui ne leur permet pas de payer leurs médicaments.

138

— Je t'en supplie, ne me pousse pas à fustiger les injustices sociales, sinon on n'est pas sortis de l'auberge.

Quittant l'allée sinueuse du ranch, Marc gagna la route de San Antonio.

Un silence pesant s'installa entre eux. Engourdie par la fatigue, Josie avait du mal à garder les yeux ouverts. Cela faisait deux jours qu'elle n'avait pas dormi.

— Nous rendrons visite à Mme Jennings demain, après les obsèques de son fils, proposa Marc. Entre-temps, j'irai voir le directeur de la prison d'Etat.

— Est-ce que tu crois qu'il saura qui a manœuvré pour que Jennings soit transféré là-bas ?

— Non. Mais il a peut-être des relations qui m'aideront à trouver. Cette histoire est louche. Je ne comprends pas comment on a réussi à pénétrer un système aussi solide. C'est quand même incroyable qu'un détenu condamné pour meurtre ait réussi à bénéficier d'une telle complaisance !

— L'argent, murmura-t-elle en fermant les yeux.

Il lui lança un coup d'œil, décelant au passage de nouvelles ridules sur son visage. Tous les chagrins de sa vie y étaient inscrits. Apparemment, sa seule et unique erreur —faire le mur de chez elle à quinze ans pour aller à une fête —la tourmentait toujours. Et lui ne l'avait pas aidée. Comment avait-il pu lui faire tant de mal? Bon sang, il l'avait vue, à la fête, nue sous la couverture, sanglotant et claquant des dents ! Que lui fallait-il de plus ? Elle paraissait si effrayée qu'elle était à peine cohérente. Il se détesta plus encore pour la façon dont il l'avait traitée par la suite.

— As-tu jamais su quelle substance cette crapule avait mise dans ton verre, quand tu avais quinze ans ? demanda-t-il brusquement.

— Une sorte de poudre incolore et sans saveur qu'on appelle aujourd'hui la drogue du viol.

Elle avait parlé d'un ton neutre, sans ouvrir les yeux. Il se raidit.

— De toutes les fautes que j'ai commises, c'est celle-là que je regrette le plus. J'aurais dû m'en rendre compte...

— C'est de l'histoire ancienne, Brannon, le coupa-t-elle, impassible. On ne peut rien changer.

— Non. Je t'ai jugée mal et trop vite. J'ai détruit ta vie.

— J'y étais pour quelque chose. Je te rappelle que c'est moi qui ai fait le mur, ce soir-là, pour aller à une fête où je savais pertinemment qu'il y aurait un tas d'allumés... Mais j'étais trop jeune et trop naïve pour me protéger des garçons, de la drogue et de l'alcool. Moi aussi, j'ai détruit la vie de mes parents. Papa a dû quitter son ministère pour un autre, moins prestigieux. Je suis sûre que le scandale a hâté leur mort. Tout ça, parce que je n'étais pas assez disciplinée...

Il serra les dents. Il se sentait aussi coupable qu'elle. Peut-être était-elle trop jeune en effet. Mais lui aussi. Nouveau venu dans la police, il n'avait pas assez d'expérience ni un flair assez aiguisé

140

pour déceler les vrais menteurs — en l'occurrence, l'agresseur de Josie.

— Je m'en veux énormément, répéta-t-il, les mains crispées sur le volant. Si ç'avait été Gretchen, je n'aurais accordé aucun crédit aux allégations du violeur.

— Ta sœur ne serait pas tombée dans le piège. Au même âge, Gretchen était pleine de bon sens. Peut-être a-elle mûri plus vite parce que votre mère était malade...

— Quand son cancer s'est aggravé, Gretchen est revenue de Qavi. Elle l'a soignée jusqu'au bout. Encore un beau sujet de culpabilité... J'étais au FBI à ce moment-là ; je rentrais à peine à la maison.

— Je n'ai jamais compris pourquoi tu avais quitté les Rangers. Tu semblais y tenir comme à la prunelle de tes yeux. Et puis, à la veille d'une promotion, tu as flanqué ta démission à tes supérieurs. Ne me dis pas que c'est uniquement à cause de ton commandant... Buller ?

— J'ai démissionné à cause de toi.

Croyant avoir mal entendu, elle rouvrit les yeux.

— Pardon ?

— Jusqu'à notre rupture, j'ai eu des doutes à ton sujet... Je te considérais comme quelqu'un d'honnête, mais je ne pouvais pas m'empêcher de penser que tu avais accusé ce garçon injustement, parce que tu avais peur de tes parents.

Il s'arrêta à un feu rouge et se tourna vers elle. Ses yeux luisaient dans l'ombre de son chapeau.

— Et puis j'ai fait l'amour avec toi.

Elle sentit une bouffée de chaleur lui monter au visage. Sans s'en apercevoir, elle se tordit les mains.

— C'est alors que j'ai compris, continua-t-il. Il n'a pas pu te violer, même s'il a essayé.

Elle se détourna.

— On ne peut pas parler d'autre chose, s'il te plaît ?

— J'ai compris que mon jugement sur toi était faux, poursuivit-il, imperturbable. J'ai compris aussi que j'avais aidé l'avocat de la défense à enfoncer le dernier clou dans ton cercueil, alors que tu étais la véritable victime. Je me suis senti responsable de l'humiliation que vous aviez subie, toi et tes parents. A partir de là, il fallait que je m'en aille.

— Et tu m'as humiliée une fois de plus en me traitant de tous les noms et en partant sans un mot. Ta conscience ne t'a pas empêché de recommencer une troisième fois, ajouta-t-elle froidement. C'est à cause de toi qu'au procès de Jennings, l'avocat général m'a traitée de menteuse.

— Il a eu ce renseignement par Bib à qui je m'étais confié longtemps auparavant. Jamais je n'aurais utilisé une telle arme contre toi. D'autant que je connaissais la vérité. J'ignorais que Bib avait craché le morceau à son avocat. Je l'ai su, comme toi, au tribunal. Mais il était trop tard pour intervenir.

142

Le feu passa au vert. Il redémarra doucement, frissonnant au souvenir de la peine qu'il avait éprouvée, alors.

— Après ça, tu as évité mon regard. Je ne t'en blâme pas. Je t'avais déjà suffisamment blessée. Raison de plus pour quitter San Antonio.

— Tu aurais pu rester. Mes parents et moi avons déménagé à Austin.

— Oui. Un nouveau départ, un nouvel emploi... Ta mère n'a pas résisté.

— C'est la vie, Brannon, lâcha-t-elle avec un soupir. Si elle n'était pas morte à cause de ça, elle serait morte d'autre chose. Papa disait toujours que les voies du Seigneur sont impénétrables, qu'Il nous met à l'épreuve, que parfois même, les autres sont Ses instruments. Je ne t'en veux pas. Plus maintenant.

Il resta silencieux. Il ne méritait pas tant d'indulgence, il le savait. Comment pouvait-elle encore s'intéresser à lui, après ce qu'il lui avait fait ?

Ils finirent le trajet en silence. Une fois devant l'hôtel de Josie, Marc éteignit le moteur.

— Tu veux aller aux funérailles de Jennings, demain ?

— Oui, répondit-elle sans une hésitation. Peut-être que je reconnaîtrai quelqu'un dans la foule.

Il eut un petit sourire.

— C'est la raison pour laquelle j'y vais aussi.

— Je m'en doute. A demain, donc.

— Je passerai te prendre avant d'aller chez Holliman.

143

Elle parut hésiter. Du bout du doigt, elle dessina un motif abstrait sur le cuir de son attaché-case.

— Soyons logiques, Josie, insista-t-il. Nous devons collaborer.

— Je sais. Je t'attendrai dans le salon à 13 heures.

— Entendu. Espérons que d'ici là, j'aurai une nouvelle piste.

Elle ouvrit la portière et descendit.

— N'oublie pas qu'il faut quelqu'un d'extrêmement puissant pour commanditer un meurtre comme celui de Dale.

— Je ne suis pas idiot. Est-ce que tu as une arme ?

— Non, et je n'en veux pas. J'ai dans mon sac une petite merveille électronique capable de décocher une bonne secousse à un éventuel agresseur. Ça me suffit amplement.

— Un revolver est plus efficace.

— A condition d'aimer les armes à feu. Et moi, je les déteste. N'aie pas peur, Brannon, je sais me défendre.

— Compris.

Il la suivit du regard, tandis qu'elle se dirigeait vers l'hôtel. Il la vit adresser un gentil sourire au portier avant d'entrer. Josie était comme ça. Douce, attentionnée, pleine de compassion.

Il remit le moteur en marche et fit marche arrière. Il songea un moment à passer au bureau, puis se ravisa. Autant aller rendre visite au directeur de la prison, décida-t-il. Sortant son portable de sa

144

poche, il composa le numéro du Wayne Correctional Institute. Le directeur lui apprit qu'il était libre tout l'après-midi. Marc lui fixa rendez-vous et prit le chemin de Floresville.

Une fois dans sa chambre d'hôtel, Josie se laissa tomber sur l'un des lits jumeaux. Un bain chaud détendrait ses muscles endoloris, songea-t-elle, épuisée. Se relevant, elle ôta les épingles de son chignon et sa chevelure se déroula dans son dos jusqu'à sa taille. Si seulement elle avait été jolie, ses cheveux lui auraient donné une allure de sirène... Ces réflexions lui arrachèrent un sourire désabusé. Mieux valait ne pas s'aventurer sur ce terrain glissant. D'autant que le seul homme qu'elle eût jamais eu envie de séduire était Marc Brannon.

Debout devant le miroir, elle porta la main à sa gorge et ferma les yeux. Deux ans plus tard, elle ressentait encore les lèvres de Marc, douces et chaudes, sur son cou. Les battements de son cœur s'accélérèrent. Elle avait fourni des efforts surhumains pour oublier, mais les souvenirs rejaillissaient, tenaces. Rouvrant les yeux, elle étudia son reflet dans le miroir. Elle avait des yeux immenses et doux. Une bouche pulpeuse. Un air sensuel...

Elle se détourna du miroir. A quoi bon ? Brannon ne voulait pas d'elle. Sur ce point, il avait été très clair : « Tu n'es pas suffisamment femme à mon goût. » Elle savait que jamais elle n'oublierait ce rejet. Alors, pourquoi n'arrivait-elle pas à se détacher de lui ? En deux ans, elle avait rencontré d'autres hommes mais aucun qui l'attirât. Ce n'était pourtant pas faute d'avoir essayé. A chaque tentative, elle s'était aperçue que ses efforts étaient vains : son cœur était pris. Et il n'y avait de place pour personne d'autre que celui qui l'avait rendue si malheureuse.

Elle se déshabilla et passa dans la salle de bains. Lorsqu'elle revint dans la chambre, en peignoir, une serviette sur la tête, le petit voyant rouge du téléphone clignotait. Elle s'assit sur le lit et appela la réception. L'employé lui apprit qu'elle avait reçu un coup de fil d'une secrétaire du bureau du procureur.

Elle rappela.

— Mademoiselle Langley ? fit une voix plaisante à l'autre bout du fil. Linda m'a chargée de vous donner la nouvelle adresse de Mme Jennings. L'assistante sociale l'a installée dans un joli petit appartement à Pioneer Village, près d'Elmendorf, dans un lotissement pour retraités.

— Ah, tant mieux ! approuva chaleureusement Josie. Je m'inquiétais à son sujet. Elle n'est pas tout à fait capable de s'occuper d'elle-même, n'est-ce pas ?

— C'est exact. En tout cas, elle est ravie de son nouveau domicile. Avez-vous de quoi écrire ?

— Oui, une minute, dit-elle en fouillant dans son sac d'où elle sortit un agenda et un stylo. Voilà.

Elle nota l'adresse.

— A-t-elle le téléphone ?

— Pas encore. Mais sa voisine, Mme Danton, s'est proposée pour prendre ses messages. Je vais vous donner son numéro.

Elle nota le numéro.

— Merci. Brannon et moi irons à l'enterrement de Dale demain, avec le frère de Mme Jennings. Je vais appeler Mme Danton ce soir pour lui demander si Mme Jennings veut que nous passions la chercher. Son frère était inquiet. Il n'arrivait pas à la joindre.

— M. Holliman ? Grier a conservé un énorme dossier sur lui. Il paraît qu'il était le meilleur Ranger de la région dans les années cinquante et soixante.

— Je serais ravie de le parcourir, déclara Josie en souriant. Merci pour les renseignements.

— Pas de quoi. A bientôt.

Après avoir raccroché, elle remit l'agenda dans son sac. Ses pensées se tournaient vers le lendemain. Elle n'avait pas vraiment envie d'assister à l'enterrement de Dale. Ayant perdu ses parents à deux ans d'intervalle, elle en avait par-dessus la tête des cérémonies funèbres. Malheureusement, il était de son devoir d'y aller. Cela faisait partie de son travail.

7

Au Wayne Correctional Institute, Marc fut introduit dans le bureau du directeur. Ce dernier était un homme taciturne et imposant, du nom de Don Harris. Après l'avoir invité à s'asseoir, le directeur s'installa lui-même dans son fauteuil et l'écouta parler sans l'interrompre. Une fois que Marc eut terminé, il appuya sur le bouton de l'Interphone.

— Jessie, apportez-moi le dossier de Dale Jennings, voulez-vous ?

— Vous y avez directement accès dans vos fichiers informatiques, monsieur, grésilla une voix féminine dans l'appareil.

— Ah, oui... En effet... Bon, je vais me débrouiller.

Il raccrocha, pianota un code sur son clavier avec un doigt.

— Je déteste ces fichues machines, grommelat-il. Un jour, un cinglé va appuyer sur un bouton, et adieu la civilisation.

— A qui le dites-vous ! acquiesça Marc en riant. Ce n'est pas pour rien que j'ai une version imprimée de chaque cas, que je conserve précieusement malgré les railleries de nos informaticiens.

Un sourire éclaira les traits du directeur — le premier depuis le début de l'entretien.

— Vous avez raison, approuva-t-il, les yeux fixés sur l'écran. Ah, voilà. Jennings a été transféré chez nous il y a deux semaines. Il venait de la prison d'Etat d'Austin.

— De la prison d'Etat ? Non, c'est une erreur !

Marc bondit sur ses pieds et, contournant le bureau, se pencha par-dessus l'épaule de Harris.

Le dossier de Jennings s'affichait sur l'écran. Corrigé, car sa condamnation pour meurtre ne figurait nulle part. D'après les présentes données, Jennings avait été condamné à un an de prison pour coups et blessures.

— Ce dossier est un faux, annonça Marc tout à trac. Jennings avait été envoyé dans une prison fédérale.

Le visage du directeur vira au gris.

— Vous voulez dire que j'ai autorisé un détenu convaincu de meurtre à participer à des travaux d'intérêt général ?

Marc lui tapota l'épaule.

— Ce n'est pas votre faute. Visiblement, ce dossier a été falsifié. Et, donc, l'évasion de Jennings soigneusement organisée. Nous avons affaire à un assassin patenté, doublé d'un pirate informatique — ou au moins bien secondé.

150

— Ma crédibilité est en jeu, peut-être même ma place…

— Je vous garantis que non. Je travaille pour le compte de Simon Hart, le procureur général. Je lui expliquerai ce qui s'est passé. Vous ne pouvez pas éplucher le dossier de chaque détenu.

— C'est ma prison, objecta Harris, blanc comme un linge. J'aurais dû vérifier.

— Aucun de nous n'est infaillible. J'aimerais avoir une copie de ce document, si vous n'y voyez pas d'inconvénient.

— Oui, bien sûr.

Il écrasa le bouton « imprimer », et l'imprimante se mit à cracher des pages. Harris les recueillit et les lui tendit.

— Trouvez le rigolo qui a fait ça, déclara-t-il.

Marc indiqua son insigne.

— Vous voyez ça ? Les Rangers ne baissent jamais les bras.

Harris eut un sourire forcé.

— Merci.

— On s'en occupe. Merci à vous.

Marc s'en fut, le dossier sous le bras.

Le soleil vint au rendez-vous pour l'enterrement de Jennings. Une belle journée tiède déployait ses charmes, alors que Josie et Marc roulaient en direction du cimetière dans une circulation plutôt fluide. Ils transportaient, à l'arrière, un Holliman endimanché et parfumé à la naphtaline.

Quand ils furent arrivés à destination, Marc aida le vieillard à descendre du véhicule, puis il l'escorta vers la tombe, suivi par Josie.

Il y avait peu de monde : le shérif, le chef de la police locale, deux policiers en civil. Mme Jennings attendait. Petite et menue, vieillie prématurément, elle s'appuyait lourdement sur une canne ; elle portait une robe de deuil trop large, manifestement empruntée. Lorsque Josie l'avait appelée pour lui proposer de l'accompagner, la vieille dame lui avait appris que le shérif lui-même viendrait la chercher.

On devinait que l'enterrement avait été payé par les contribuables. Pas la moindre couronne, aucune décoration florale, seulement un trou béant et un cercueil bon marché.

En contemplant les planches de pin, Josie se remémora les obsèques de ses parents. A l'époque, leur assurance avait pris en charge la cérémonie religieuse, le transport et la pierre tombale. Alors que le pauvre Dale n'avait droit qu'à un trou en guise de dernière demeure. Elle l'imagina soudain, tel qu'elle l'avait vu vivant pour la dernière fois : grand, blond, un peu m'as-tu-vu, de quatre ans son aîné. Son côté suffisant, son caractère abrupt ne le prédisposaient pas à s'attirer des amitiés. Pourtant, Josie avait décelé une certaine gentillesse sous cette carapace. Bien sûr, elle n'était pas naïve au point de le considérer comme une blanche colombe. Son manque d'honnêteté, sa roublardise sautaient aux yeux. Lorsqu'il l'avait invitée chez les Webb, elle avait hésité. Et n'avait accepté qu'en se disant que peut-être Marc Brannon figurerait parmi les invités. Nul doute que la soirée se serait terminée autrement si Marc avait été présent.

Les yeux tristes, elle regarda le cercueil. Quel gâchis ! Si seulement Dale était sagement resté en prison… Sa cupidité, même si elle partait d'un bon sentiment, lui avait coûté la vie. Le chantage est répugnant, quelles qu'en soient les motivations, songea-t-elle. Dale s'était montré trop imprudent et il en avait payé le prix.

Ses pensées s'envolèrent vers son père, le bon pasteur Langley, l'honnêteté personnifiée, qui n'avait jamais causé le moindre tort à personne… Puis elle repensa à Dale qui resterait bientôt seul dans ce trou. Les fossoyeurs le recouvriraient de terre fraîche et fixeraient sur la motte une simple carte blanche dans un cadre métallique recouvert de plastique. Au fil des ans, la carte jaunirait ; le nom inscrit dessus s'estomperait jusqu'à disparaître. Et ce serait comme si Dale Jennings de San Antonio, Texas, n'avait jamais existé.

Un mouvement près d'elle capta son attention. M. Holliman s'avança vers sa sœur et la serra dans ses bras.

— Oh, Jack, ils ont tué mon bébé ! gémit Mme Jennings, tandis que les larmes mouillaient ses joues pâles.

— Je sais, je sais, murmura-t-il en lui tapotant maladroitement le dos. Je suis désolé…

Deux hommes se tenaient de part et d'autre du cercueil. Le premier, rasé de près, costume sombre, était sans doute l'employé des pompes funèbres. Le deuxième, un jeune maigrichon, le cheveu fin et rare, tenait une Bible entre les mains — sans doute le pasteur. Comme l'employé des pompes funèbres commençait à manifester des signes d'impatience, Josie se tourna vers le vieux couple, le frère et la sœur, qui s'était enlacé. Personne n'avait songé à monter une tente afin de les protéger du soleil brûlant, et il n'y avait pas de chaise pour soulager leurs jambes arthritiques.

Le service fut bref. Doux mais nerveux, le pasteur, qui n'avait jamais rencontré Dale, prononça quelques mots en son honneur, puis lut un passage des Ecritures. Enfin, il referma sa Bible reliée de cuir noir et présenta ses condoléances à Mme Jennings et à M. Holliman. Un rayon de soleil ricocha sur son anneau en or.

Le brave garçon avait dû se proposer pour réciter ces prières, pensa Josie. Baissant la tête, de manière à dissimuler ses larmes, elle se mit à fouiller dans son sac à la recherche d'une offrande. Trop tard. Le ministre du culte s'éloignait à grandes enjambées. Elle vit Marc lui donner au passage un billet, et détourna la tête. Sa générosité faisait partie de ses qualités les plus touchantes.

Elle respira profondément afin de se calmer, puis se mit à observer la petite foule rassemblée autour de la tombe de fortune. Personne ne lui parut suspect. L'assassin ne se trouvait pas parmi eux ; il n'avait pas commis cette imprudence.

— A moins que tu penses que c'est le shérif le coupable, on a perdu notre temps, lui murmura Marc à l'oreille.

— Je ne veux pas vieillir et je refuse de mourir pauvre, répondit-elle d'une voix tendue.

— Moi, je suis sûr que je finirai comme Holliman. Les poches bourrées de naphtaline, accueillant mes visiteurs avec un fusil et oubliant où j'ai mis mon dentier.

— Ne sois pas méchant, chuchota-t-elle en réprimant un sourire.

Ce n'était pas le moment de faire de l'humour.

— D'ailleurs, le pasteur ne s'est pas trop approché de lui. L'odeur de la naphtaline est trop forte, commenta-t-il avant de s'enquérir gravement : ce n'était pas trop dur pour toi ?

Elle haussa les épaules.

— Toi aussi tu as perdu tes parents, remarqua-t-elle.

Il contempla la tombe, une expression dure sur le visage.

— Oui, mais leurs décès n'étaient pas aussi rapprochés. Et la mort de mon père ne m'a causé aucun chagrin.

C'était la première fois qu'il mentionnait son père depuis qu'elle le connaissait. A Jacobsville, tout le monde savait que les enfants Brannon avaient eu une vie difficile entre leur mère malade et leur père alcoolique.

— Tu ne l'aimais pas ? demanda-t-elle spontanément.

— Non.

Un seul mot, amer, empreint de dérision. Elle attendit mais il n'ajouta rien de plus.

Se tournant vers la mère de Dale, il proposa :

— Je vous ramène chez vous, madame Jennings. Ça évitera au shérif de faire un crochet.

Il ne restait plus qu'à repartir. Le shérif et les policiers firent leurs adieux à la vieille dame, puis Marc aida ses vieux passagers à se hisser dans le pick-up. Josie prit place sur le siège avant. Peu après, ils s'arrêtaient devant l'immeuble où Mme Jennings avait été relogée. L'endroit était plutôt coquet, et l'appartement au rez-de-chaussée. L'assistante sociale avait bien fait son travail, songea Josie.

— Ce n'est pas un palace, déclara Mme Jennings en sortant sa clé de son sac. Mais au moins, j'ai un toit au-dessus de la tête.

Elle ouvrit la porte et les invita à entrer.

— Je peux vous offrir une tasse de café ?

— Oh, ne vous dérangez pas, répondit Josie. Nous allons nous charger du service.

Attirant Marc à l'écart, elle lui glissa un billet de dix dollars dans la main.

— Va chez le traiteur et rapporte du poulet garni et du café, s'il te plaît.

Il lui remit le billet dans la main et lui referma les doigts dessus.

— Garde ton argent, mademoiselle l'ange gardien. J'y vais. En attendant, essaie de tirer les vers du nez à Mme Jennings. A tout de suite.

156

Josie le suivit du regard, tandis qu'il s'éloignait. Elle avait le souffle court, signe que la proximité de Marc la troublait toujours. C'était gênant.

Quelques minutes plus tard, Mme Jennings, qui avait paru très calme à l'enterrement, laissait libre cours à son désespoir. Josie lui tendit un mouchoir en papier.

— C'était un gentil garçon, sanglota la vieille dame, la voix tremblante. Peu importe ce qu'il a fait, c'était un bon fils.

— Il n'a tué personne, madame Jennings. Et surtout pas Henry Garner, déclara Josie fermement. Je n'en ai jamais eu le moindre doute. Malheureusement, je n'ai pu convaincre personne. Il y avait trop de preuves contre lui.

— Il n'a jamais eu de gourdin. Jamais ! Il détestait la violence.

— Absolument, confirma Holliman. Quand il était plus jeune, j'ai essayé de lui apprendre à tirer. Il détestait les armes à feu.

— Je sais qu'il a fait des bêtises, continua sa sœur en se mouchant. Mais il n'aurait pas tué un vieux monsieur.

— J'en suis persuadée, répondit Josie. Madame Jennings, est-ce que Dale vous a jamais donné quelque chose à garder ?

Holliman remua dans son fauteuil. Mme Jennings fronça les sourcils, évitant son regard.

— Il a dit une fois qu'il devait mettre quelque chose en lieu sûr, oui, mais il ne m'a jamais rien donné.

— A-t-il mentionné de quoi il s'agissait ?

— Non. Il a seulement dit que cette femme le voulait.

— Quelle femme ? demanda Josie calmement.

— Je n'en sais pas plus. Il m'a parlé d'elle une ou deux fois, disant qu'elle l'aidait dans son nouvel emploi, mais il ne me l'a jamais présentée. Elle était trop timide, paraît-il. D'après lui, elle voulait qu'il lui donne le paquet, mais il a refusé. Je lui ai demandé ce que c'était, conclut-elle en regardant Josie. Il ne m'a pas répondu.

C'était nouveau, songea Josie, gagnée par l'excitation. Et si l'impasse se révélait être une vraie piste ?

— A-t-il dit où vivait cette femme ? Ou quel était son métier ?

— Non. Mais il la voyait avant qu'il obtienne ce job à San Antonio. A mon sens, c'est une fille d'ici... Ah, oui ! Elle aimait les bonbons à la menthe importés d'Europe, je crois. Dale lui en achetait chaque fois qu'il allait chercher mes médicaments à la pharmacie.

Des bonbons d'importation. La mystérieuse amie de Dale n'avait pas des goûts communs... Josie sortit de son sac son calepin et un stylo, et nota cette information.

— A-t-il jamais mentionné un certain Jake Marsh ? insista-t-elle.

Mme Jennings échangea un regard avec son frère, avant de secouer la tête.

— Non. Il ne m'a parlé que de cette femme.

— Une mauvaise femme peut ruiner un homme honnête, conclut tristement Holliman.

— Oui, sans aucun doute, approuva Mme Jennings.

— Vous ne vous souvenez de rien d'autre ?

— Je vous l'ai dit, il ne m'a pas beaucoup parlé d'elle. Même pas de quoi elle avait l'air. Mais elle devait être belle. Mon Dale ne se serait pas intéressé à une fille vilaine.

— Je ne le crois pas non plus.

Pourquoi l'avait-il invitée à la soirée des Webb ? se demanda Josie. Elle avait un visage ordinaire et, par-dessus le marché, portait des lunettes. Bizarre qu'elle ne se soit pas posé la question plus tôt.

— Qui était le pasteur ? s'enquit Holliman. Tu le connais, toi ?

Sa sœur fit non de la tête.

— J'ai demandé aux pompes funèbres de trouver un prêtre, répondit-elle. Ils n'ont pas eu à chercher longtemps car ce jeune homme s'est porté volontaire. Il avait l'air si gentil...

Holliman allait dire quelque chose quand la porte s'ouvrit. Marc entra, les bras chargés d'un sac de provisions et d'une boîte pleine de gobelets à café. Le temps qu'ils finissent leur goûter, le fil de la conversation était rompu.

Marc raccompagna Holliman, avant de reconduire Josie à son hôtel. En route, il lui raconta son entretien avec le directeur de la prison.

159

— Nous avons quelqu'un au bureau qui pourrait t'aider, proposa-t-elle. Phil Douglas. Il donne des boutons à Simon parce qu'il en fait trop, mais en matière de cybercrime, il est imbattable.

— Il y a déjà une équipe sur le coup, mais pourquoi pas ? J'ai besoin d'un spécialiste, en effet. Mes connaissances en informatique ne me permettent pas d'entrer dans des dossiers protégés.

— Moi non plus, admit-elle avant de se tourner vers lui. Autre chose : d'après Mme Jennings, Dale était en contact avec une femme quand Garner est mort. Je ne sais pas s'ils avaient une aventure, mais apparemment, ils se voyaient assez souvent. Dale possédait un paquet qui semblait beaucoup l'intéresser. Voilà pour les informations. Malheureusement pour nous, Mme Jennings n'a jamais vu ni le paquet ni la femme.

Marc se gara devant l'hôtel. Il coupa le moteur et s'adossa à son siège, les bras croisés.

— Une femme. Est-ce qu'elle a pu te la décrire ?

— Non. Dale est resté plutôt discret sur le sujet… Sauf qu'elle aime les bonbons d'importation.

— Je vois. Encore un cul-de-sac.

— C'est ce que j'ai pensé.

Elle enroula la bandoulière de son sac autour de ses doigts.

— C'est gentil d'avoir donné un billet au pasteur. Je l'aurais fait volontiers mais il était déjà loin. Un homme sympa…

160

— Pas très ardu au travail ou nouveau dans sa profession. Sa Bible était flambant neuve.

— Il s'est bien débrouillé dans son homélie, pour quelqu'un qui ne connaissait pas Dale.

Marc lui jeta un regard scrutateur.

— Je déteste les enterrements.

— Moi aussi. Mais nous avons bien fait d'y aller. La mère et l'oncle de Dale me font vraiment pitié.

— Des braves gens. Parfois, les pires criminels sont issus des meilleures familles.

— Oui, je l'ai appris à mes dépens.

Il l'étudia ouvertement.

— Demain, j'irai rendre visite au banquier de Jennings, histoire de vérifier s'il n'a pas déposé sur son compte de grosses sommes d'argent. Tu pourrais téléphoner à ton bureau et mettre au parfum ton expert en informatique.

— Entendu. Merci de m'avoir raccompagnée.

Il haussa les épaules.

— Merci à toi. Je ne me sens pas à l'aise avec les autres.

— J'ai remarqué. Tu as toujours été comme ça. Heureusement, tu sais te maîtriser.

Elle vit son visage se fermer.

— Je ne maîtrisais pas grand-chose quand j'étais gosse. Mon père me disait quoi faire, où aller, comment respirer. Gretchen était trop jeune pour comprendre la situation. Pas moi. Ma mère n'avait même pas le droit de bouger. Il s'en prenait constamment à elle. J'ai tenu Gretchen à l'écart. Elle n'a jamais su combien il était dangereux.

— Au moins n'a-t-il jamais eu l'occasion de la battre, murmura Josie en se rappelant que ce n'avait pas été le cas de son amie Cristabel.

Marc opina de la tête.

— Tu penses à Cristabel ? Son père a failli la tuer à force de la frapper. Le jour où on l'a amenée à l'hôpital, elle avait la peau du dos en lambeaux. Et tout ça, parce qu'elle avait voulu l'empêcher de cravacher un cheval. Judd Dunn a envoyé son père en prison après ça.

— Sont-ils toujours mariés ? s'enquit-elle.

Elle savait que Judd était un grand ami de Marc et un Ranger, lui aussi.

— Oui, répondit-il en souriant. Mais ils ne vivent pas ensemble. Elle a, voyons, presque vingt et un ans maintenant.

— Elle en avait seize quand il l'a épousée, afin de prendre soin d'elle et de sa mère, se rappela Josie. A peine sorti de prison, son père s'est remis à boire. Il a eu un accident de voiture et a succombé à ses blessures. Judd s'est retrouvé seul, avec la famille et le ranch sous sa responsabilité. A présent, il peut enfin confier le ranch à Cristabel et demander l'annulation de leur mariage. J'ai appris qu'un autre homme voulait l'épouser.

— Ouais. Judd n'approuve pas son choix. A mon avis, elle n'a pas l'ombre d'une chance d'obtenir l'annulation.

Josie s'était déjà posé cette question. Elle se retint d'ajouter que, dans sa lettre, Cristabel lui disait qu'elle aimait vraiment Judd et allait faire en sorte que ce soit réciproque. Si elle échouait, elle comptait le convaincre de lui rendre sa liberté. Il serait intéressant de connaître le fin mot de l'histoire.

Reportant son attention sur Brannon, elle s'aperçut qu'il l'étudiait toujours. Son regard pâle courait sur son corps, glissant le long de la jupe, qui lui tombait jusqu'à mi-mollets, puis remontant vers le chemisier blanc qu'elle portait sous sa veste.

— Tu as toujours la manie de boutonner le col de tes chemisiers, commenta-t-il. Et de porter des jupes trop longues. Tu aurais dû continuer ta thérapie, Josie. Décidément, tu ne changes pas.

— Ma vie a été détruite parce que j'ai essayé de changer, justement.

C'était une déclaration pleine d'amertume et de rancœur. Les yeux plissés, il passa le bras sur le dossier de son siège.

— Tu n'as pas besoin de sacrifier tes principes. Beaucoup de femmes préfèrent rester seules et elles n'ont pas peur de le dire. Le sexe est dangereux. Même les hommes réfléchissent à deux fois avant de s'engager dans une aventure sans lendemain.

— Toi aussi, je présume ? répliqua-t-elle en fixant le pare-brise.

Elle regretta aussitôt cette question.

— Moi aussi, rétorqua-t-il sans hésiter. Je n'ai nulle envie d'attraper une maladie sexuellement

163

transmissible, fatale ou chronique, que les médecins ne peuvent pas guérir.

— Tous les hommes ne pensent pas comme toi.

Comme il la scrutait toujours, elle se troubla et se mit à rougir.

— Tu ne sors pas souvent avec des hommes, n'est-ce pas ?

Elle faillit nier, puis se ravisa. Ses yeux rencontrèrent résolument ceux de Marc.

— Non, pas souvent. L'esprit masculin est une énigme pour moi. La façon de penser des hommes m'échappe. Et dans le doute, je m'abstiens. Je ne voudrais pas passer pour une... garce.

Elle avait craché le dernier mot, comme s'il avait mauvais goût.

Ce fut au tour de Marc de détourner la tête. Ses propres insultes lui revinrent à la mémoire, et il serra les mâchoires.

— Tu t'en souviens ? enchaîna-t-elle, les doigts crispés sur la lanière de son sac. Tu as été très éloquent dans ton laïus contre ces femmes qui... comment as-tu dit ?... qui allument les hommes, puis les laissent en plan.

Il fit une grimace, une main sur le volant, les yeux fixés droit devant lui.

— Oui, je sais. J'étais choqué. Et furieux. Pendant des années, j'ai cru que j'avais eu raison de laisser ce sale petit fumier s'en tirer. Et d'un seul coup, je me suis trouvé confronté à la preuve flagrante que

164

c'était toi la véritable victime. Alors, mon univers a basculé... mais...

Il s'interrompit et tira le bord de son chapeau sur ses yeux.

— Mais j'ai eu tort de t'insulter, tort de te quitter sans un mot alors que nous sortions ensemble depuis des semaines.

— Nous ne sortions pas ensemble, rectifia-t-elle d'une voix monocorde. Tu m'emmenais à différents endroits. Sans plus.

— Jusqu'à notre dernier rendez-vous, peut-être, murmura-t-il, submergé par une étrange émotion. Je n'aime pas avoir tort.

— Tout le monde fait des erreurs. Sauf toi, bien sûr, ajouta-t-elle avec un sarcasme à peine voilé. Toi, tu n'en as jamais fait, hein ? Pour toi, il y a les bons et les méchants. C'est noir ou c'est blanc. Pas de gris, pas de nuances.

— Je suis dans la police depuis l'âge de dix-huit ans. La loi, c'est la loi. On la respecte ou on la transgresse.

Elle poussa un soupir.

— Oui. Tu as raison. Bon, je vais y aller. Je t'appellerai demain après-midi.

— Je serai absent presque toute la journée.

— Dans ce cas, je te laisserai un message, répliqua-t-elle en ouvrant la portière.

Il lui jeta un dernier regard et remarqua les cernes sous ses yeux.

— Tâche de te reposer.

— Je vais bien, Brannon. Ne t'inquiète pas pour moi.

Elle claqua la portière et, tournant les talons, se dirigea vers l'hôtel. Le portier se précipita pour lui ouvrir la porte. Josie entra dans l'établissement sans un regard en arrière.

Reprenant le volant, Marc déboucha dans la rue, assailli par un flot de souvenirs. Josie. Le goût de ses lèvres. Sa peau douce. La souplesse de son corps dans ses bras. La magie de cette dernière soirée, avant que leurs chemins se séparent… Il n'arrivait pas à oublier. D'autres femmes l'avaient troublé, mais Josie, il l'avait dans la peau.

Il repensa à son père. A ses exigences incessantes qui l'avaient rendu si malheureux. A ses critiques acerbes, à son ironie mordante. A sa demande constante de perfection même quand il était sobre. Marc l'avait détesté, ainsi que ses accès de violence et son intransigeance. Les abus peuvent revêtir des formes différentes. Y compris la forme verbale. Josie lui avait reproché de ne voir les choses qu'en noir et blanc. De ne pas laisser de place au gris. Et c'était vrai. La loi, c'était la loi.

En se dirigeant vers son appartement, il reconsidéra la question sous un autre angle. Josie exceptée, il n'avait jamais parlé de son enfance douloureuse à personne, pas même à sa sœur. Gretchen avait grandi à l'abri, protégée par l'affection et la tendresse de son frère et de leur mère. Elle ne conservait qu'un très vague souvenir de ce père brutal et alcoolique. A l'époque où Gretchen avait atteint l'âge de raison,

166

il s'était un peu calmé. Et puis il était mort. Marc, quant à lui, avait de leur père des souvenirs bien plus pénibles. Et d'une certaine façon, c'étaient ceux-ci qui avaient façonné l'homme qu'il était devenu par la suite.

Josie pouvait comprendre cette sorte de souffrance. Parce qu'elle l'avait connue. Leurs vies s'entremêlaient, faites de troubles et d'épreuves incessantes. Nombre des problèmes qu'elle avait croisés étaient sans doute sa faute à lui. Mais tous les deux avaient subi de malheureux concours de circonstances.

Seule dans sa chambre d'hôtel, Josie ressassait les mêmes réflexions. Le trop-plein d'émotion de cette longue journée et sa conversation avec Brannon l'avaient vidée de toute énergie. Saisissant le téléphone, elle appela le service d'étage et commanda une légère collation.

Après une bonne douche, elle se drapa dans son peignoir de bain, enveloppa ses cheveux dans une serviette et s'installa confortablement sur son lit afin de parcourir ses dossiers.

Il lui avait fallu un temps fou pour rassembler toutes les données et les imprimer. Il lui fallait les étudier de nouveau, point par point, avant de les remettre à la police.

Le dossier de Dale Jennings, le plus épais, comportait plusieurs références à Jake Marsh. C'était Dale qui avait persuadé Bib Webb d'embaucher un ami de Marsh pour sa campagne. Lequel ami avait été renvoyé par Bib peu avant la fameuse soirée. Ce dernier avait-il décidé de mettre hors circuit tous ceux qui avaient eu vent de la fraude montée par l'ami de Marsh ?

Elle se remémora le compte rendu de Brannon sur sa visite à la prison et plissa les yeux. Si Phil Douglas parvenait à dénouer les fils de la magouille informatique, peut-être parviendraient-ils à découvrir le nom de la personne qui avait sorti Dale Jennings de la prison fédérale. Elle griffonna quelques notes sur son calepin à cet effet.

Une heure plus tard, elle rangea le dossier et s'appuya contre ses oreillers. Une multitude de pensées se bousculaient dans sa tête ; elle n'avait plus sommeil. Elle alluma la télévision. Rien de passionnant à part une bavure politique, chose courante en cette période d'élections.

Ecœurée, elle éteignit le poste. Bon Dieu, que faisait-elle dans un hôtel, loin de chez elle ? Son chat lui manquait. Il dormait toujours avec elle, roulé en boule sur la couverture. Elle eut un sourire ému pour le pauvre Barnes, assis sur l'appui de la fenêtre, seul dans l'appartement, et se demanda si Brannon avait encore le vieux chat de Gretchen, qui somnolait dans sa cuisine la nuit. Il l'avait baptisé John comme le héros de la série télévisée *Lone Ranger*. Josie savait par Gretchen que Marc avait toujours rêvé de devenir Ranger. Il avait potassé le Code pénal et travaillé d'arrache-pied avant d'obtenir le poste qu'il convoitait dans la compagnie D de San Antonio — laquelle ne comptait que quinze sergents pour quarante et un comtés. Bien sûr, ils collaboraient avec d'autres unités, mais leur autorité n'avait pas de limites. Un Ranger pouvait être appelé n'importe où au Texas, et même parfois à l'étranger, pour combattre le Crime Organisé.

Elle s'était demandé si cette passion ne résultait pas de son enfance. Petit garçon, il avait dû subir l'autorité paternelle sans broncher, sans pouvoir se défendre. Le vieux Brannon ne maltraitait peut-être pas son fils, mais il faisait preuve à son encontre d'une cruauté mentale telle qu'il avait dû le traumatiser.

Les Brannon élevaient des chevaux et du bétail dans un ranch à Jacobsville. De fait, Marc était devenu expert en chevaux bien avant que l'étoile des Rangers ne brille sur sa poitrine. Cavalier hors pair, il excellait dans l'art du dressage ou montait à cru en faisant tournoyer son lasso. Josie se rappelait leurs promenades équestres, durant les jours idylliques qui avaient précédé la mort de Henry Garner.

Un cavalier émérite, un homme juste et serviable. Et un ami des chats… A cette pensée, elle sourit. Décidément, Brannon avait tout pour lui plaire. Sans compter son charme naturel et ses atouts physiques indéniables…

Soudain plus détendue, elle se rallongea en oubliant ses cheveux mouillés sous la serviette. Elle allait éteindre sa lampe de chevet quand on frappa à la porte de sa chambre.

8.

Josie bondit hors du lit, à peine consciente qu'elle ne portait qu'un peignoir. Une fois devant la porte, pourtant, elle hésita. Elle avait toutes les bonnes raisons de ne pas ouvrir — sa bombe anti-agression se trouvait à l'autre bout de la pièce sur une chaise ; elle n'avait pas de revolver ; et il y avait de fortes chances que le meurtrier se tienne de l'autre côté du battant. La bouche sèche, elle s'arrêta et se tint parfaitement immobile de peur de révéler sa présence.

On frappa de nouveau, de façon plus insistante. Le cœur battant la chamade, elle s'approcha de la porte sur la pointe des pieds et regarda par l'œilleton. Brannon...

Avec un soupir de soulagement, elle ouvrit la porte et s'effaça pour le laisser passer. Elle retint un sursaut en découvrant son œil au beurre noir et sa lèvre ensanglantée.

— Mon Dieu, que t'est-il arrivé ? s'exclama-t-elle.

Il essuya le filet de sang qui lui coulait sur le menton.

— On m'a attaqué en bas de mon immeuble, grommela-t-il, furieux. Ne sachant pas s'ils comptaient aussi s'en prendre à toi, je suis venu voir.

— Tu aurais pu téléphoner.

— Ça n'aurait pas servi à grand-chose s'ils s'étaient déjà introduits dans ta chambre.

Il avait l'air sincèrement inquiet, pensa-t-elle, émue. Elle le fit asseoir et examina la coupure sur sa lèvre inférieure. Il tressaillit lorsqu'elle l'effleura du bout des doigts.

— Ce n'est pas grave. Combien étaient-ils ?

— Deux.

— Tu les as reconnus ?

Il secoua la tête.

— Non. Il faisait trop sombre. Et ils portaient des cagoules.

— Pourquoi t'ont-ils attaqué, à ton avis ?

— Sans doute parce que nous approchons de quelque chose qu'ils préfèrent garder secret...

Il leva les yeux vers elle et haussa les sourcils, étonné.

— Tu dormais avec les cheveux mouillés ?

— Oh, je me suis mise au lit pour relire mes notes, et j'ai oublié de les sécher.

S'il avait su que c'était lui qui occupait ses pensées...

Expédiant son Stetson sur une chaise, il alla remettre la chaîne de sécurité à la porte. Puis il prit Josie par la main et l'entraîna vers la salle de bains.

Elle ne lui demanda pas pourquoi. Attrapant un gant de toilette, elle le passa sous l'eau chaude et y mit du savon. Il attendait en silence, installé sur le bord de la baignoire. Josie eut un vague sourire. Cette scène lui rappelait étrangement le temps où il venait se réfugier chez elle après une bagarre, pour qu'elle lui panse ses blessures. A l'époque, elle se sentait à la fois flattée et amusée.

— Je n'ai pas d'antiseptique, murmura-t-elle en nettoyant sa coupure à la lèvre.

— J'en ai à la maison. Merci.

Il se lava les mains, se rinça la figure, puis, se tournant vers elle, saisit un bout de la serviette qui lui enserrait la tête.

— Mais qu'est-ce que tu fais ? protesta-t-elle.

Il lui retira la serviette et brancha le sèche-cheveux.

— Aujourd'hui, les hôtels sont équipés de tous les gadgets nécessaires aux voyageurs. C'est formidable. Allez, laisse-moi faire.

Ce qu'elle fit. Après tout, il l'avait laissée soigner sa blessure. A son tour de se faire dorloter — et tant pis si c'était bizarre ! Marc avait toujours été quelqu'un de spécial pour elle. Et cela n'avait pas changé.

Bien que la sensation de ses longs doigts dans sa chevelure eût quelque chose d'apaisant et d'hypnotique, elle ne pouvait s'empêcher de ressentir une certaine gêne. Sans doute à cause de la proximité de leurs corps... Il y avait une éternité qu'ils n'avaient pas été aussi près l'un de l'autre. Les souvenirs affluèrent : les mains de Marc sur sa peau, son odeur épicée, son torse nu... Autant de détails familiers et dérangeants. Bercée par ces images, elle ferma les yeux et, une fois de plus, revécut leur dernière soirée, avant qu'il ne sorte définitivement de sa vie.

A cette époque, elle était persuadée que les sentiments de Marc à son égard étaient sincères. Il n'avait jamais été un Casanova. Au contraire, il adoptait souvent une attitude franchement réservée vis-à-vis des femmes. Son côté tendre, affectueux, il ne le montrait qu'aux gens de confiance — lesquels se comptaient sur les doigts d'une main. Et cela, elle ne l'avait pas compris. La loyauté de Marc à l'égard de son vieil ami l'avait emporté sur sa confiance en elle.

Surtout ne pas oublier ça, songea-t-elle. S'en tenir à sa fierté. Même s'il l'attirait comme un aimant.

Il se tenait si près d'elle qu'elle pouvait sentir sa chaleur. Elle aurait tant voulu se laisser aller contre lui, oublier le passé...

— Tu as l'air plus petite que ce matin, fit-il remarquer en comparant leurs tailles.

— Ce matin, je portais des talons de quatre centimètres.

— Moi aussi.

Elle baissa les yeux sur ses bottes de cow-boy en riant.

174

— Oui, mais tu les portes toujours, alors que je suis pieds nus.

Il lui ébouriffa les cheveux sous l'air chaud.

— J'aime les cheveux longs.

— Laisse-les-toi pousser, répliqua-t-elle.

— Ce n'est pas la même chose.

Il la fit pivoter afin de lui sécher la nuque. Au-dessus de sa tête, ses yeux accrochèrent les siens dans le miroir.

— Je te revois à quinze ans, déclara-t-il tranquillement. Tu n'as pas beaucoup vieilli.

Rougissante, elle détourna la tête.

— Je n'aime pas cette période de ma vie.

— T'ai-je déjà raconté qu'avant le procès, j'avais vu un homme aller en prison pour un viol qu'il n'avait pas commis ?

— Quoi ?

— Un brave type. Le gars honnête, sans histoires. Sa nouvelle assistante semblait irréprochable, mais un beau jour, en rentrant chez elle, elle a appelé la police en disant que son patron l'avait violée.

— Et c'était vrai ?

— Non. Elle voulait sa place. Et elle l'a eue, puisqu'il a été condamné.

— Mais c'est injuste ! s'exclama Josie.

— Oui. Heureusement, elle a commis une faute. Elle s'est vantée de sa fraude auprès d'un de ses amis, qui est aussitôt allé voir les flics. Il y a eu un nouveau procès, et le présumé violeur a été blanchi. Quant à la femme, elle a été licenciée, bien sûr.

Mais l'homme n'était plus le même... Il disait qu'il ne ferait plus jamais confiance aux femmes.

— Je vois... Pas étonnant que tu ne m'aies pas crue cette nuit-là. Certaines personnes sont pires que des serpents, n'est-ce pas, Brannon ?

Il tiqua en l'entendant encore l'appeler par son nom de famille.

— Tu ne m'appelles plus Marc comme avant.

— Nous sommes collègues, argumenta-t-elle en évitant son regard perçant. Je veux que nos rapports restent professionnels.

— Je connais un tas de collègues qui s'appellent par leur prénom.

Elle ne répondit pas. Pendant quelques minutes, ils n'entendirent plus que le ronronnement du sèche-cheveux. Enfin, Marc l'éteignit et le reposa sur l'étagère.

— Merci, dit-elle.

Avant qu'elle ait pu s'écarter, il tendit les doigts vers sa chevelure luxuriante, saisit doucement une mèche et la porta à ses lèvres. Il avait fermé les paupières et froncé les sourcils, comme sous l'effet d'une douleur lancinante.

Mal à l'aise, elle lui attrapa les poignets, mais il lui emprisonna les mains pour les attirer vers son torse. Elle sentit sous sa paume le contact glacial de l'étoile accrochée sur la poche gauche de sa chemise. Les effluves de son propre shampooing lui parvenaient, auxquels se mêlait l'eau de Cologne de Marc.

176

— Je me suis trompé à ton sujet, Josie, murmura Marc à son oreille. J'ai eu tort. Je n'ai même pas pu m'excuser. Peut-être que je tiens plus de mon père que je ne veux l'admettre...

Les mots résonnèrent contre ses lèvres lorsqu'il l'embrassa doucement. Il l'attira contre lui et la tint enlacée dans ses bras puissants. En silence, elle se cambra sous la brûlure de son étreinte.

Allons, il fallait lutter, se dit-elle brusquement. Rester digne ! Pourtant, au lieu de le repousser, elle agrippa sa chemise des deux mains. Une image incongrue lui traversa l'esprit : Marc, étendu dans l'allée à la place de Dale, une balle dans la tête... Effrayée, elle se serra davantage contre lui.

Se baissant, il la souleva de terre et la porta jusqu'au premier lit jumeau où il la renversa, l'écrasant de tout son poids.

— Non, chuchota-t-elle, hors d'haleine.

— Si !

Il la fit taire d'un baiser.

— Je te connais, chuchota-t-il contre ses lèvres. Nous savons tous les deux que je ne pourrais pas te prendre même si je le voulais. Alors, détends-toi.

Seigneur, comme il était gênant qu'il sache tout d'elle — ou croie tout savoir...

Apparemment, il avait lu dans ses pensées, car il sourit.

— Je sais tout de toi, depuis toujours.

Il lui écarta les cheveux de ses yeux et se hissa sur un coude pour mieux la voir.

— J'ai détesté mon séjour au FBI, avoua-t-il à mi-voix.

— Alors, pourquoi y es-tu resté deux ans ?

Il redessina du bout des doigts les contours de sa bouche.

— J'ai cru qu'en quittant le Texas, je trouverais l'oubli. Erreur...

— Oui, je sais. On emporte partout ses souvenirs.

Il poussa un profond soupir.

— Tu as l'air fatigué, observa-t-il en lui caressant les cheveux.

— Je le suis. Pendant douze jours, j'ai travaillé nuit et jour sur un nouveau projet de Simon : une base de données répertoriant tous les délits possibles.

— Je croyais que tu n'étais pas douée en informatique.

Elle lui rendit son sourire.

— Exact. C'est Phil Douglas — un vrai génie, celui-là — qui a effectué toutes les recherches et les a introduites dans le fichier. De mon côté, je me suis occupée de l'aspect juridique.

— Est-ce que tu aimes ton travail ?

— Oui. Je suis plutôt bien payée.

— Moi aussi, mais je ne serai jamais millionnaire. A moins que le prix des vaches grimpe pendant que le prix du fourrage plonge.

— La sécheresse a ruiné beaucoup de fermiers.

Il acquiesça d'un mouvement de tête.

— Oui, malheureusement. Mais je tiens le coup. Je voudrais que le ranch reste dans la famille.

— Pourquoi ? Tu n'as pas de descendants...

— Gretchen, si. Son fils a presque deux ans maintenant.

— Peut-être, mais il va hériter du trône de Qavi. Franchement, ça m'étonnerait que les enfants de Gretchen veuillent un jour vivre au fin fond du Texas.

Sa remarque parut lui déplaire. Il se renversa à côté d'elle sur le lit.

— Peut-être qu'un jour, j'aurai des gosses à moi.

— Ouais... si la cigogne te les livre à domicile, marmonna-t-elle.

Il haussa les sourcils.

— Ça, c'est vraiment un coup bas.

— Pas du tout. Je répète ce que tu m'as toujours dit. Que tu ne voulais pas te marier.

— J'ai trente-trois ans, bientôt trente-quatre. Deux revenus valent mieux qu'un. Je pourrais me payer un bon taureau pour assurer la reproduction de mon propre bétail.

— Et laisser tomber les Rangers ?

— Il y a une division à Victoria, expliqua-t-il. Judd Dunn en fait partie. Nous étions coéquipiers, avant. Nous pourrions le redevenir.

— Victoria. Près de Jacobsville ?

— Exactement. Et toi ? Tu veux des enfants ?

— Je ne crois pas, murmura-t-elle en se retournant. Pourquoi cette question ?

— Il faudrait d'abord que tu surmontes tes mauvais souvenirs. Que tu trouves un homme en qui tu aurais une confiance absolue. Je suppose que tu ne l'as pas rencontré. Surtout si tu ne t'es pas encore fait opérer.

Elle ressentit une brusque bouffée de chaleur. Il n'y avait qu'un seul homme au monde qu'elle voulait pour mari. Et de toute façon, elle se refusait à avouer ce qu'elle avait fait après leur rendez-vous catastrophique...

— Selon ma psy, je n'ai pas encore réglé mes comptes avec le passé.

— Elle a raison, commenta-t-il en hochant la tête. Tu aurais dû continuer ta thérapie.

— Je ne voulais pas me rappeler certains événements.

— Moi non plus. Mais on ne peut pas effacer le passé. Parfois, revivre ses souvenirs aide à les oublier.

— Les miens sont particulièrement affreux.

— Je sais... Est-ce que tu as été tentée de coucher avec Jennings ?

— Non, répondit-elle avec franchise. Je l'ai connu dans un café près du campus. On se connaissait un peu. Sans plus. J'ignore pourquoi il m'a invitée à cette soirée.

— En tout cas, moi, je sais pourquoi tu as accepté d'y aller. Je venais de te larguer comme un mufle. J'imagine que tu espérais me rencontrer à la réception, pour que je te voie avec Jennings.

Elle esquissa une grimace, puis éclata de rire.

— En effet, j'espérais te revoir. Décidément, je suis transparente !

— L'expérience de la déduction, commenta-t-il en tapotant son insigne.

Elle le regarda intensément.

— Arrête de lire dans mes pensées.

— Au début, j'ai pensé que Jennings était coupable à cause de ses relations avec le milieu. Maintenant je commence à en douter.

— Moi, j'étais convaincue de l'innocence de Dale et de la culpabilité de ton ami Bib. Mais plus nous avançons dans notre enquête, plus je pense que Bib n'était pas coupable non plus.

— J'en suis au même point en ce qui concerne Jennings. Les conclusions hâtives sont souvent trompeuses.

Elle tendit la main vers son front blessé.

— Heureusement que tu as la tête dure !

— J'ai ôté pour longtemps l'envie de rire à l'un de mes agresseurs, déclara-t-il en se rembrunissant. Ecoute, Josie, quand je partirai, ferme ta porte à double tour. Et n'ouvre à personne, sous aucun prétexte. Compris ?

— Hmm, le mâle protecteur...

Il lui ébouriffa les cheveux.

— Plutôt le chef d'équipe en manque de personnel. Je ne peux pas résoudre l'affaire tout seul. Et comme il y a peu de chances que l'on m'envoie d'autres collaborateurs...

— Te voilà enchaîné à moi.

Elle lui passa les bras autour du cou. Incroyable qu'elle puisse se sentir aussi bien, allongée ainsi contre lui, alors qu'elle n'avait jamais été à l'aise avec les hommes.

— Ça marche dans les deux sens, la taquina-t-il.

— Alors, sois prudent. Garde l'œil ouvert, lui conseilla-t-elle à son tour. Ça, c'est l'instinct maternel.

Il attira une mèche de cheveux vers sa bouche et y posa un baiser.

— Même si tu as toutes les raisons du monde de me haïr, je suis content que tu m'aies pardonné, Josie.

— Je ne t'ai jamais haï.

Lentement, il écarta la mèche de cheveux et l'embrassa. Comme il dessinait le contour de ses lèvres du bout de sa langue, Josie se demanda s'il était en train de « l'allumer ». Elle aurait souhaité en savoir plus sur la psychologie masculine.

Ses lèvres s'entrouvrirent sous ses baisers. Des baisers enflammés mais tendres. Sa grande main brune, brûlante comme une poignée de sable, lui chauffait la joue. Sa bouche glissa lentement vers son cou, jusqu'à sa gorge. Elle renversa la tête, avec un soupir étouffé.

Marc s'immobilisa. Elle n'avait pas peur de lui, il le savait. Il entendait son souffle précipité, percevait contre sa poitrine les battements emballés de son cœur, sentait la tension à travers le corps souple qui se tordait entre ses bras. Elle était prête.

182

Lui aussi. Pourtant, c'était trop tôt. Il avait tiré les leçons de leur dernière tentative, lorsqu'il n'avait pas voulu entendre ses protestations. Cette fois, il irait lentement ; il la traiterait comme un précieux trésor, avec douceur. Oui, cette fois, il ne lui ferait pas honte parce qu'elle aussi le désirait. Sa passion le flattait. Il trouvait étonnant qu'elle veuille encore de lui après ce qui s'était passé. Oui, il se montrerait tendre… et patient. Très patient, malgré le brasier qui le dévorait.

Tout doucement, il se détacha d'elle et se redressa, tel un grand fauve. Elle avait l'air frustré. Parfait, pensa-t-il avec satisfaction.

— Tu t'en vas ? demanda-t-elle en se hissant sur ses coudes. Tu t'en vas *maintenant* ?

Il lissa sa chemise froissée, rajusta sa cravate et ramassa son chapeau.

— Je ne vois pas l'intérêt de rester, répondit-il, amusé. Je n'ai aucune protection dans mes poches. Et même si j'en avais, si nous faisions ce à quoi tu penses en ce moment, nous finirions aux Urgences.

Elle émit un grognement qui lui arracha un sourire. Il lui adressa un clin d'œil espiègle.

— A moins de nous rendre aux Urgences tout de suite, à la recherche d'un gynécologue ?

Comprenant son sous-entendu, elle se leva, les poings dans les poches de son peignoir.

— Tu n'es qu'un obsédé, lâcha-t-elle avec hauteur. Je ne couche pas avec le premier venu, intervention

183

ou pas. Et je me fiche pas mal de passer pour une vieille fille !

— C'est ce que j'ai toujours le plus admiré chez toi. Tu n'as jamais suivi la mode.

— Mon père, qui n'avait pas la langue dans sa poche, m'a appris à être politiquement incorrecte.

Marc rit. Il était vrai que le révérend Langley se distinguait par l'originalité de ses opinions.

Le silence retomba.

— Merci d'être venu, dit Josie.

S'approchant, il lui prit le menton. Elle releva la tête vers lui, le regard un peu perdu sans ses lunettes.

— Tu me vois ? demanda-t-il.

— Oui, dans un léger brouillard.

— Tu sembles si fragile comme ça... Quand je t'ai trouvée dans la chambre avec cette petite ordure, la première chose que tu m'as dite, c'est : « J'ai très peur parce que je ne vois pas clair sans mes lunettes. » Quand on a commencé à sortir ensemble, tu ne les portais pas.

Elle sourit.

— Je me trouve mieux sans. Dommage que je sois réfractaire aux lentilles. J'attrape plein d'infections. Je ne suis pas assez méticuleuse.

— Mauvaise excuse...

— Ta vue est parfaite, non ?

— Jusqu'à présent, ça va. Quand je serai plus vieux, j'aurai sans doute des lunettes pour lire...

— Au fait, l'interrompit-elle, changeant brusquement de sujet. As-tu demandé à la police de surveiller le domicile de Holliman ?

Il fit la grimace.

— J'allais le faire mais j'ai été débordé.

Il se précipita vers le téléphone, composa un numéro et donna des instructions. Puis, après avoir remercié son interlocuteur, il raccrocha et se tourna vers Josie pour préciser :

— Le shérif s'en occupe. Quand je lui ai demandé de garder un œil sur Mme Jennings, j'ai oublié de lui parler de Holliman.

— Tu étais sans doute absorbé par d'autres problèmes.

— Ça n'excuse rien. Bon, je passerai te chercher demain matin. Nous prendrons le petit déjeuner ensemble. Ensuite, nous irons interroger un ou deux correspondants qu'avait Jennings quand il était incarcéré.

— Entendu... Fais attention en rentrant chez toi.

Il lui appliqua une pichenette sur le nez.

— Et toi, sois prudente. N'oublie pas mes recommandations.

— Ne t'en fais pas.

Il ouvrit la porte et attendit dans le couloir qu'elle ferme le verrou. Alors seulement, il s'éloigna.

Quand ses pas se furent évanouis dans le couloir, Josie se précipita à la fenêtre. Elle aperçut bientôt la grande silhouette de Brannon se diriger vers le pick-up. Ce n'est que lorsque le véhicule se fut éloigné qu'elle lâcha les stores. Elle s'inquiétait pour lui. Certes, ses deux agresseurs avaient échoué, mais rien n'empêchait le meurtrier d'envoyer une meute contre lui.

Elle se rallongea sur le lit, au milieu des documents que Marc avait éparpillés d'un geste impatient. Les battements de son cœur s'accélérèrent. De nouveau, la flamme du désir la traversa, impatiente, exigeante. Elle l'aimait toujours — ce qui signifiait qu'elle ne vivrait plus que pour le voir, entendre sa voix au téléphone, quémander une caresse...

Elle ferma les yeux. Ce chemin de croix, elle n'oserait pas le parcourir une deuxième fois. Il l'avait déjà quittée, sans un regard en arrière. Il pouvait recommencer. Nul doute qu'elle ne survivrait pas à un deuxième abandon ! songea-t-elle en secouant la tête.

Pleine de détermination, elle se promit de se souvenir aussi bien de la peine que du plaisir que cet homme lui avait procurés.

Le lendemain matin, elle téléphona à Simon Hart et lui résuma les progrès de l'enquête. Lorsqu'elle lui apprit que l'ordinateur de la prison avait été piraté, le procureur général s'exclama :

— Je n'aime pas ça ! Je n'aime pas ça du tout !

— Nous avons notre pirate maison, Simon, lui dit-elle. Phil Douglas résoudra le problème avant midi. Il est notre meilleur expert en cybercrime.

— Je l'ai expédié à Mala Suerte, vous ne vous en souvenez pas ?

— Faites-le revenir ! Il ne mettra pas plus d'une heure pour découvrir qui a falsifié les dossiers dans le but de transférer Dale à Floresville.

Hart laissa passer un moment de silence, avant de lancer :

— Nous avons d'autres experts en informatique.

— Simon, vous êtes de mauvaise foi !

Il se racla la gorge.

— Eh bien, en réalité, le FBI a embauché Phil temporairement pour une autre affaire.

— Je travaille chez vous depuis deux ans, et vous ne m'avez jamais envoyée au FBI. Phil, lui, n'est là que depuis huit mois.

— C'est vrai, mais je ne voulais pas me débarrasser de *vous*, appuya-t-il avant de capituler : Okay, je vais leur demander de me le renvoyer.

— Vous verrez, il vous donnera satisfaction.

— En fait, je me suis vengé de Russell.

Elle crut avoir mal compris.

— Pardon ?

— Russell, cet agent qui nous a tellement cassé les pieds au sujet de Jake Marsh.

— Le Russell que Marc Brannon a failli tabasser dans le ranch, quand sa sœur était en visite chez lui avec son mari, le cheik de Qavi ?

— Oui. Cet enquiquineur de Russell a eu vent de l'affaire Jennings. Il a déboulé comme un pitbull, sous prétexte de nous aider à prouver que Marsh était dans le coup. D'ailleurs, il essaie de lui coller sur le dos deux autres meurtres non résolus.

— C'est vrai que Jake Marsh est notre principal suspect, admit-elle. Mais il est introuvable. Par ailleurs, malgré tous les efforts du labo et des techniciens, on n'a pas grand-chose à se mettre sous la dent. Tout ce que l'on sait, c'est que l'arme du crime est un neuf millimètres.

— Quelle misère... Si vous aviez eu des preuves solides, je vous aurais mise en relation avec Russell. Il avait besoin d'un expert, capable de consulter le fichier central et d'effectuer l'inventaire d'anciennes charges contre Marsh et Jennings. J'en ai profité pour lui fourguer Phil.

— Vous lui avez cédé une mine d'or. Nous avons besoin de personnes compétentes, Simon. Je veux absolument savoir qui a organisé le transfert de Jennings dans une prison d'Etat.

— Et moi donc ! Ecoutez, je vais demander au FBI de mettre les gars de leur labo sur le coup. S'ils peuvent nous emprunter des employés, on a le droit de leur en emprunter aussi. C'est un crime important, après tout.

— Merci, Simon. On se tient au courant, d'accord ?

— Entre-temps, je toucherai deux mots au conseil d'Etat. Ils pourraient, de leur côté, ouvrir une enquête judiciaire sur la remise en liberté de Jennings.

— Bonne idée.

Elle raccrocha, abasourdie. Ainsi le FBI se mêlait de l'enquête. Décidément, l'affaire commençait à intéresser beaucoup de monde. Trop de monde... Mais il est vrai que lorsque le nom de l'un des caïds de la pègre apparaissait, personne ne restait indifférent. Si seulement Brannon et elle pouvaient lui mettre la main dessus...

Le lendemain, Marc passa la chercher à sa chambre. Ils devaient prendre la voiture pour se rendre à Floresville, afin de questionner l'un des correspondants de Dale. Tout en descendant l'escalier, Josie lui rapporta son entretien avec Simon Hart.

— Mmm, toujours Jake Marsh, marmonna-t-il, les sourcils froncés. Hart est aussi pressé que nous de le mettre hors d'état de nuire.

— Oui. Et ton vieux camarade Russell aussi.

Il eut un regard sévère.

— Je ne comprends pas ce qu'il fiche dans cette histoire. La dernière fois que j'ai eu affaire à lui, il était dans les Services Secrets.

— D'après Simon, c'est le FBI qui l'a envoyé. Il a dû changer de job une nouvelle fois. En tout cas, il en a après Marsh.

— Donc nous pensons tous que Marsh est l'instigateur du meurtre de Jennings. Le problème, c'est que nous n'avons toujours pas de preuve.

— Excepté l'information selon laquelle les deux hommes étaient en relation, ainsi que les agissements de Dale. S'il est vrai que ce dernier détenait une preuve concrète d'infraction à la loi, on a du même coup un mobile plausible.

— En effet, concéda-t-il.

Une fois dehors, ils se dirigèrent vers le pick-up noir. Un petit garçon vêtu d'un jean, d'une chemise à manches longues et de tennis errait entre les interminables files de voitures, en pleurant à chaudes larmes.

— Hé, petit ! appela Marc doucement.

Il s'approcha de lui et le souleva de terre.

— Qu'est-ce qui t'arrive ?

— J'ai perdu ma maman.

Le garçon s'essuya les yeux de ses minuscules poings dodus.

— Eh bien, nous allons la retrouver, déclara Marc en souriant.

Josie sentit son cœur se serrer devant ce touchant tableau. Marc était complètement gâteux avec les enfants. En leur présence, l'implacable défenseur de la loi, célèbre pour ses sautes d'humeur et son tempérament bouillonnant, incarnait tout à coup le père idéal. On voyait tout de suite comment il se comporterait avec son propre enfant. Gentil. Sécurisant. Et tendre. Elle s'approcha en retenant ses larmes et caressa les cheveux soyeux du garçonnet.

— Il n'a même pas quatre ans, évalua-t-elle. Comment t'appelles-tu, mon chéri ?

— Jeffrey. Et j'ai trois ans, ajouta-t-il en levant quatre doigts.

Marc et Josie échangèrent un regard amusé.

Au même moment, des éclats de voix retentirent à la porte de l'hôtel.

— Il était là il y a une seconde ! cria une femme. J'ai à peine tourné le dos et...

— Tu ne fais jamais attention à lui ! coupa une voix d'homme. Tu n'as même pas été fichue de remettre ton coup de fil à plus tard pour le surveiller !

— Quelqu'un a perdu un enfant ? lança Marc.

Le couple se retourna. Lui portait des vêtements de rancher ; elle, un tailleur. Elle se rua aussitôt vers son enfant, les bras tendus.

— Jeffrey ! s'exclama-t-elle dans un sanglot. Dieu merci, tu es là... Si jamais il était allé sur la route... Oh, merci ! Merci !

Elle serra son fils contre sa poitrine et couvrit son petit visage de baisers.

L'homme considéra Marc calmement.

— Merci.

— Les enfants s'échappent plus vite qu'on ne le croit, fit remarquer Marc à la femme, d'un ton sec.

Elle avala sa salive et lança un regard effrayé à son mari.

— Je sais. Je suis désolée. Ça n'arrivera plus. Rentrons maintenant.

L'homme hocha la tête poliment, avant d'emboîter le pas à son épouse. Il faisait penser à un orage prêt à éclater.

— Les inconvénients du mariage, philosopha Marc en les suivant du regard. Trop de distance parfois.

— Manque de communication.

Il se tourna vers Josie.

— C'est ce qui s'est passé entre nous. Nous aurions dû nous montrer entièrement honnêtes l'un envers l'autre. Si nous l'avions fait, nous serions amis maintenant et pas seulement collègues de travail.

Elle le scruta avec attention.

— Tu aimes vraiment les enfants, n'est-ce pas ?

Il sourit.

— Je les adore.

— Moi aussi.

Il lui prit la main, déclenchant aussitôt un frisson de plaisir en elle.

— On y va ? fit-elle.

Ils reprirent ensemble le chemin du pick-up. Marc ne lui avait pas lâché la main et elle n'avait pas essayé de se dégager. Peut-être parviendrait-il à lui faire oublier son comportement cruel, pensa-t-il, plein d'espoir. A condition d'y aller doucement. Surtout ne pas la brusquer.

A ses côtés, il se sentait revivre. Et c'était là une sensation extraordinaire.

9

Sandra Gates avait à peu près l'âge de Marc. Cheveux blonds décolorés et ongles violets, elle affichait une grâce relative. Sa vieille caravane, flanquée de deux autres tout aussi sinistres, était parquée dans un terrain de camping sordide, aux environs de Floresville. Visiblement, elle n'appréciait guère leur arrivée inopinée. Ce ne fut que lorsque Marc la menaça d'un mandat de perquisition qu'elle les invita à entrer.

Ils s'assirent sur un sofa où s'égaillaient vêtements, journaux et papiers de bonbons. Pendant que Marc lui expliquait le but de leur visite, Josie enfouit subrepticement un des petits emballages transparents dans sa poche.

Sandra se laissa tomber sur une chaise, la lèvre inférieure avancée en une moue boudeuse.

— J'étais une amie de Dale, c'est tout, déclarat-elle avec un geste nonchalant de la main.

Un gros diamant étincelait à l'annulaire de sa main droite. Une bague qu'elle n'avait sûrement pas trouvée dans une pochette surprise.

— J'ai aucun rapport avec sa mort, ajouta-t-elle. Aucun.

— Mais nous ne vous accusons pas, mademoiselle Gates, la rassura Josie. Nous voulons simplement savoir si Dale vous a écrit quelque chose à propos de son transfert au Wayne Correctional Institute.

La jeune femme plissa les paupières. Son regard glissa vers la fenêtre avant de revenir sur ses visiteurs. Elle répondit, sans toutefois les regarder en face :

— Bien sûr que je savais qu'il avait été transféré. Il m'avait envoyé une lettre.

— Mentionnait-il dans sa lettre la façon dont il s'y était pris ? questionna Marc, l'air innocent.

Elle le fixa une seconde, déconcertée.

— Qu'est-ce que vous voulez dire ?

— Le Wayne Correctional Institute est une prison d'Etat, expliqua-t-il. Or Jennings était dans une prison fédérale à Austin, jusqu'à environ une semaine avant sa mort. On se demande comment il a réussi à se faire transférer à Wayne et à avoir accès aux travaux d'utilité générale.

Les bras croisés sur sa poitrine, Sandra lui lança un regard réfrigérant.

— Il m'a rien dit. Tout ce que je sais, c'est qu'il était plus facile de le voir dans sa nouvelle prison… Je veux dire, ç'aurait été plus facile s'il avait pas été tué.

— Mademoiselle, nous savons que vous le connaissiez avant sa condamnation. Et que vous lui avez rendu visite à Austin, comme à San Antonio.

194

Croisant les jambes, elle se mit à balancer son pied avec impatience.

— Oui, et alors ?

Ignorant la question, Marc jeta un regard circulaire. Ses yeux pâles se posèrent sur un ordinateur équipé d'une imprimante. L'ensemble devait valoir une petite fortune. Etonnant si l'on en jugeait par le reste du décor.

— Vous aimez les ordinateurs ? s'enquit-il sur un ton léger, changeant habilement de sujet. Je n'en suis pas fan, pour ma part, mais on est obligé de les utiliser au bureau, comme dans toutes les unités, d'ailleurs.

Elle parut se détendre.

— Oh, oui, je suis passionnée d'informatique. J'ai pris des cours de programmation dans un collège technique.

Elle désigna le certificat accroché au mur, au-dessus de la planche à tréteaux qui lui servait de bureau. Marc se leva afin d'y jeter un coup d'œil et en profita pour examiner l'ordinateur de plus près. Oui, il s'agissait d'un modèle récent et très perfectionné, constata-t-il tout en se penchant vers les CD-ROM éparpillés alentour. L'un d'eux était un logiciel de PAO.

— Impressionnant ! s'exclama-t-il en regagnant sa place. Pendant combien de temps avez-vous suivi ces cours ?

— Un an et demi. Je me suis payé ce stage avec mes pourboires. J'étais serveuse dans un restaurant routier près de San Antonio.

195

— Tiens, moi aussi, j'ai travaillé comme serveur quand j'avais dix-sept ans, enchaîna-t-il, aussi volubile que s'ils parlaient de la pluie et du beau temps. Il est vrai que, sans les pourboires, on ne gagne pas grand-chose.

— Des clous, oui ! J'en avais tellement marre d'être pauvre... Je suis pas tellement riche maintenant, mais je gagne pas mal ma vie. Je dessine des jeux software. Mon dernier a reçu le prix d'une revue d'informatique. Je viens de loin, vous savez, acheva-t-elle, non sans fierté.

— Oui, ça se voit. Cet ordinateur vaut son pesant d'or. C'est le top.

La jeune femme hocha la tête, de nouveau sur ses gardes.

— Il faut du bon matériel pour gagner sa vie.

Elle décroisa les jambes et se leva.

— Bon, j'ai un déjeuner d'affaires maintenant, déclara-t-elle en consultant brièvement sa montre. Désolée de vous bousculer mais je suis à la bourre.

Ils se levèrent à leur tour.

— Pas de problème, déclara Marc poliment. Merci de votre aide, mademoiselle Gates.

— Pourquoi ? Je sais rien.

— Je suis navré pour Jennings. A vrai dire, je ne pense pas qu'il ait assassiné Henry Garner.

Un voile pourpre colora les joues de Sandra, qui se mordit la lèvre. Son visage s'était figé.

— Dale n'était qu'un loser. Un pauvre idiot.

— Il n'était pas méchant, hasarda Josie. Il avait beaucoup de qualités.

— Pour ce que ça lui a servi... Le monde est rempli de gens qui se servent des autres et qui s'en sortent à merveille.

Josie allait lui demander ce qu'elle entendait par là quand Marc lui prit la main et l'entraîna dehors, après avoir salué leur hôtesse.

De retour dans la voiture, Josie voulut savoir pourquoi il l'avait fait sortir d'une manière aussi brusque.

— Parce que tu étais sur le point de lui demander qui, à son avis, se servait des autres. Ç'aurait été une maladresse. Cette femme n'est pas fiable. Si elle gagnait autant d'argent qu'elle le prétend, elle ne vivrait pas dans une caravane rouillée, et ne porterait pas des chaussures vieilles de trois ans. Créer des jeux d'ordinateur ne suffit pas à expliquer le caillou qu'elle porte au doigt, ni l'ordinateur et l'imprimante. Certains de ses CD-ROM coûtent plus de six cents dollars.

— Tu crois que c'est Dale qui lui a offert la bague ?

— Si le diamant est vrai — ce qui, à mon avis, est le cas —, peut-être. Je suis convaincu que c'est elle qui a piraté l'ordinateur pour transférer Jennings à Floresville.

— D'accord avec toi. Mais nous n'avons pas de preuves.

— Pas encore. Il faut à tout prix prévenir l'expert en cybercrime du procureur, ainsi que ton ami Douglas. Ce ne sera pas facile de la coincer. Je parie que Mlle Gates a une grande expérience du piratage et qu'elle a effacé les traces de son intervention sur son disque dur. Mais on ne sait jamais.

— En tout cas, quelqu'un l'a payée pour le transfert de Dale. Elle ne l'aurait pas fait pour ses beaux yeux.

— Absolument. Elle semble beaucoup apprécier l'argent. Sans doute Jennings n'était-il pas le seul à lui offrir des cadeaux. Je la crois parfaitement capable de se mettre au service d'un fumier si ça peut l'arranger.

— D'après Mme Jennings, la femme que Dale voyait aimait les bonbons à la menthe. J'ai volé ceci.

Elle lui montra l'emballage.

— Ouais, fit-il. Des bonbons d'importation. Elle a des goûts de luxe, pour quelqu'un qui vit dans une vieille caravane.

— L'un n'empêche pas l'autre.

— Tu dis que l'amie de Jennings aimait les bonbons chers. Est-ce que Mme Jennings a ajouté autre chose ?

— Non. Ça a été à peu près son seul commentaire.

— Peu importe. Chaque information, même la plus insignifiante, a son importance.

— Pourquoi ne voulais-tu pas qu'elle se méfie ? demanda-t-elle, curieuse.

198

— Parce que je compte demander au chef de la police de mettre sa ligne téléphonique sur écoute. Il existe pas mal d'indices qui tendent à prouver que Sandra Gates est mêlée à l'affaire. Et si c'est vrai, elle court à sa perte. Le meurtrier ne la laissera pas raconter ce qu'elle sait aux enquêteurs.

— Elle est donc en danger ?

— Exactement.

Josie extirpa une liasse de documents de sa mallette et commença à la feuilleter.

— Il y a quelqu'un d'autre que nous devrions interroger… Un associé de Jake Marsh, déclara-t-elle en fronçant les sourcils. Il s'appelle Johnny York, il a un dossier long comme le bras mais n'a été arrêté qu'une seule fois. Il a été soupçonné de meurtre, puis relâché, faute de preuves. Actuellement, il est en probation pour agression. D'après ce que nous savons de lui, il a un violon d'Ingres. Le billard. Peut-être le trouverons-nous en train d'y jouer au club de Mesquite Street.

— Sûrement pas à cette heure de la journée.

Se garant le long du trottoir, Marc alluma son ordinateur de bord, attendit que le système s'amorce, puis tapa son code d'accès suivi du nom de York. Au bout de quelques secondes, une icône apparut. Il cliqua dessus.

— C'est notre fichier central ! s'exclama Josie, ravie.

— Je sais. Je ne fais plus rien sans le consulter.

Une longue file de données s'afficha alors sur l'écran. Avec une photo représentant le suspect. York ressemblait à M. Tout-le-Monde. Cheveux fins et clairsemés. Petits yeux. Et une allure étrangement familière, songea Josie.

Marc fit défiler les informations. L'adresse de York apparut enfin.

— N'est-ce pas fantastique ? s'écria-t-il sur un ton triomphant. Avant, on aurait passé des heures à interroger des gens avant de savoir où il crèche.

— Oui, on gagne un temps fou.

— Il habite à six pâtés de maisons d'ici. Il doit dormir sur ses deux oreilles. On va le réveiller.

Il ne leur fallut pas plus de cinq minutes, malgré la circulation matinale assez dense, pour arriver à l'adresse indiquée. Quand ils descendirent du pick-up, un rideau remua devant une fenêtre du rez-de-chaussée. Et une fraction de seconde plus tard, une porte claqua derrière le bâtiment.

— Il essaie de ficher le camp ! s'écria Marc. Josie, reste en arrière. Il est peut-être armé.

Il dégaina son Colt et longea la bâtisse vers l'arrière.

Le cœur battant la chamade, Josie contourna la maison du côté opposé. Marc s'efforçait d'épingler un criminel tout seul, sans renforts. Certes, elle n'était pas policier, mais elle espérait que si elle tombait sur le fugitif elle le surprendrait suffisamment pour qu'il fasse demi-tour et reparte du côté de Marc. Et même s'il était armé, il ne tirerait pas sur une femme inoffensive.

Un coup de feu la tira de ses réflexions. Brannon ! Sans plus réfléchir, elle se rua vers l'arrière du bâtiment, où elle tomba sur un petit homme au front dégarni. Une silhouette singulièrement familière... Qui se retourna vivement à son approche. Elle éprouva soudain une vive douleur au bras, juste avant d'entendre la détonation. Bizarrement, son bras devint très lourd.

Il y eut un autre coup de feu. L'homme se tourna lentement, laissant tomber son arme. Marc chargea comme un fauve et le plaqua à terre en lui tordant les mains dans le dos. En un tournemain, il lui passa les menottes. Josie qui l'avait déjà vu attraper au lasso des vachettes, rapide comme l'éclair, trouva dans cette scène une certaine ressemblance avec le rodéo. Il n'avait pas son pareil pour capturer les bêtes... Bon sang, mais à quoi pensait-elle ? Et pourquoi se sentait-elle si faible, brusquement ?

Marc lui jeta un regard inquiet. Une tache de sang s'élargissait sur sa veste beige, et elle semblait sur le point de s'évanouir.

Avec un juron, il rangea son Colt dans son étui, puis s'élança vers elle. Sortant son téléphone portable de sa poche, il composa le 911, indiqua l'adresse où ils se trouvaient et demanda qu'on lui envoie une ambulance et une civière en plus des renforts.

Il attrapa Josie au moment où elle s'affaissait et l'allongea par terre. Rapidement, il défit sa cravate, puis, soulevant la manche de sa veste, entreprit de nouer un garrot au-dessus de sa blessure.

Elle ne bougeait pas. Si l'on exceptait les tremblements involontaires qui la secouaient des pieds à la tête.

— Je me sens toute drôle, murmura-t-elle avec un petit rire.

— Ne parle pas.

Il déchira d'un coup sec la manche de la veste, afin d'examiner les dégâts. Dieu merci, l'os n'avait pas été touché. La balle avait pénétré dans le biceps et était ressortie de l'autre côté. Dans l'espoir d'arrêter l'hémorragie, il resserra le garrot à l'aide d'un stylo qu'il utilisa comme un tourniquet. Ensuite, il appuya fortement sur la blessure.

— Mais qu'est-ce qu'ils foutent ? maugréa-t-il.

Pas une sirène à l'horizon.

Une douleur lancinante la transperçait à l'endroit où les doigts de Marc exerçaient leur pression. Sous elle, le macadam était froid. Des gravillons lui écorchaient la peau du dos. Elle leva les yeux vers Marc, avec l'impression d'être extérieure à la scène.

— C'est l'artère, n'est-ce pas ?

Sa voix résonna étrangement à ses propres oreilles. Elle avait la langue pâteuse et ne parvenait pas à articuler correctement.

— Oui.

Il continua d'exercer une forte pression sur la blessure. Le sang giclait sur ses mains. D'ailleurs, il y en avait partout. Sur le bitume, le liquide rouge et visqueux formait des sortes d'îlots. Elle en percevait l'odeur. Une odeur métallique...

— Au nom de toutes les conneries que tu as faites dans ta vie, tiens bon, Josie ! grommela-t-il. Bon Dieu, où est-elle, cette maudite ambulance ?

Malgré ses efforts, le flot de sang jaillissait toujours comme un geyser. Il savait que si l'hémorragie persistait, Josie risquait de mourir.

Elle le contempla, les yeux voilés par la brume, et vit une lueur de colère impuissante briller dans son regard.

— Marc, chuchota-t-elle, en proie au vertige. Pourquoi ne m'as-tu même pas dit au revoir ?

Le sifflement encore faible des sirènes retentit dans le lointain.

— Quoi ?

Il appuyait toujours sur la blessure, oubliant le suspect, couché et menotté un peu plus loin.

— Pas une lettre, pas un coup de fil... Tu es parti sans un regard en arrière... Je voulais mourir...

Soudain, elle se tordit pour se dégager.

— Arrête ! cria-t-elle. Tu me fais mal !

— Mieux vaut souffrir que mourir, fit-il entre ses dents.

L'ambulance arriva enfin, gyrophare allumé. Furieux, Marc se mit à traiter les secouristes de tous les noms. Josie sourit. Décidément, il ne changerait jamais. Elle ferma les yeux, insensible au remue-ménage, puis se laissa engloutir par la douleur.

*
**

Allongée sur une civière, elle sentit qu'on la poussait dans une petite salle, Marc toujours à ses côtés. Elle était à l'hôpital. Et complètement groggy. Sans doute lui avait-on administré des analgésiques.

Quelques secondes plus tard, un médecin entra. Il examina la blessure et annonça qu'il allait s'en occuper tout de suite. Aussitôt, des infirmières entourèrent Josie afin de l'anesthésier, et rajoutèrent des antibiotiques à son goutte-à-goutte. Quand le médecin commença à recoudre les bords de la plaie, Marc prit la main de Josie dans la sienne.

— Tu l'as eu, hein ? demanda-t-elle d'une voix ensommeillée.

— Oui. Il a été transporté ici en même temps que toi. Il doit être en réanimation, en attendant d'aller au bloc pour se faire extraire la balle. Il souffre beaucoup plus que toi, crois-moi.

— Tu as toujours été bon tireur. Tu dégaines plus vite que n'importe qui. D'ailleurs, tu ne détiens pas un record, dans ce domaine ?

— Tu as eu de la chance, déclara-t-il, ignorant ses éloges. D'ici à la fin de l'enquête, tu risques d'apprendre encore plein de choses sur les blessures par balle.

— C'est vrai qu'elle a eu de la chance, intervint le médecin. Ce sera douloureux pendant quelques jours. Je vais vous prescrire des antibiotiques. Est-ce que quelqu'un peut rester avec vous ce soir ?

— Non, murmura-t-elle.

— Oui, dit Marc en même temps.

Le médecin toussota.

— Sinon, nous pouvons vous hospitaliser.

— Pourquoi ? répliqua-t-elle. Ce n'est qu'une égratignure.

— Vous ne direz pas la même chose quand l'effet des analgésiques aura passé.

Il se tourna vers Marc.

— Il faudra que vous remplissiez un formulaire au sujet de cette balle.

— Josie travaille au bureau du procureur général. C'est une enquêtrice entraînée, mais elle n'a pas de permis de port d'arme. Du reste, elle aurait dû y penser avant de voler à mon secours, alors que j'essayais d'arrêter un suspect… Ne fais plus jamais ça, Josie, acheva-t-il d'une voix plus douce.

— Je ne le ferai plus. Ne t'inquiète pas, je tiendrai le coup. Et puis j'aurai enfin quelque chose d'intéressant à écrire dans mes mémoires.

— Tout est ma faute, se reprocha-t-il, insensible à son humour. Je t'ai mise en danger. En conséquence, je me dois de m'occuper de toi jusqu'à ce que tu sois remise sur pied.

Il interrompit ses protestations en levant la main.

— Tu aurais agi de même si ç'avait été moi.

Elle poussa un soupir.

— D'accord.

Pendant qu'elle attendait son ordonnance, il longea le couloir en direction du bloc de chirurgie où l'on avait conduit son prisonnier. Il reconnut le jeune policier qui attendait devant les portes. Il s'agissait de l'adjoint du shérif de Bexar County dont la juridiction s'étendait sur tout le sud en bordure de Wilson County. A la vue de Marc, un sourire éclaira son visage.

— Bon boulot, Ranger ! s'exclama-t-il en lui tendant la main. Voilà des mois que nous courons après cette ordure. Nous l'avons convaincu d'agression aggravée — il a failli descendre le propriétaire d'un magasin d'alcools. Il était soûl comme une bourrique quand il a pris le volant mais il a réussi à nous semer.

— Il a tiré sur ma coéquipière, lui apprit Marc avec colère. Elle n'était pas armée.

— Bah, c'est pas le genre de détail qui arrêterait York. Il vendrait père et mère pour trois sous. On le soupçonne d'être l'un des hommes de main de Jake Marsh. La PJ de San Antonio l'aurait coffré volontiers pour le meurtre de Jennings, mais on manque de preuves.

— Donnez-nous un peu de temps.

Marc hésita avant de poursuivre :

— Au fait, il me semble l'avoir déjà vu quelque part.

— Vous étiez aux obsèques de Jennings hier ?

— Oui, mais...

— Vous vous souvenez du pasteur ?

Il retint son souffle.

— Le pasteur ! Nom d'un chien, et moi qui ai cru que sa nervosité était due au trac... Que diable faisait-il au cimetière ?

— Peut-être qu'il cherchait à repérer sa prochaine victime. Dieu seul sait qui.

Marc fourra les poings dans les poches de son pantalon. Il réfléchissait. Si le faux pasteur était un tueur à gages, le fait qu'il assiste à l'enterrement de Jennings signifiait qu'il savait déjà qui serait la prochaine victime. Et si Josie et lui n'avaient pas décidé de lui rendre une petite visite le matin même, il aurait peut-être réussi.

Maintenant, qui était la cible ? Et pourquoi ?

Marc réfléchissait toujours à la question quand il récupéra Josie. Le trajet se déroula dans le silence. Elle était trop groggy pour parler. Une fois garé devant son immeuble, il la prit dans ses bras et la porta jusqu'à l'ascenseur, sous les regards des curieux. Arrivé à son étage, il croisa l'un des agents de la sécurité.

— Hé, Bill, tu veux bien prendre ma clé et ouvrir la porte ?

— Bien sûr, fit l'autre en jetant un coup d'œil indiscret à son fardeau.

— Elle sort de l'hôpital.

— Drôle d'endroit pour draguer, Marc, le taquina Bill. Evidemment, si c'est le seul moyen de trouver une nana…

— Arrête ! Elle a reçu une balle. Je ne pouvais pas la laisser toute seule, elle n'a pas de famille.

— Une balle ?

Bill ouvrit la porte, avant de lui rendre son trousseau de clés. Il remarqua alors le bandage sur le bras de Josie, à travers sa manche déchirée.

— Elle serait mieux à l'hôpital, non ?

— Ce n'est qu'un petit bobo, murmura-t-elle.

La tête sur la poitrine de Marc, elle entendait les battements de son cœur. L'insigne des Rangers, dur, froid, lui meurtrissait la joue, mais elle n'avait pas la force de bouger.

— Il n'avait pas l'intention de me blesser, articula-t-elle péniblement.

— Parce que tu tires sur des femmes maintenant ? s'enquit Bill, les yeux ronds.

— Mais non, andouille ! C'est un suspect qui lui a tiré dessus. Moi, j'ai tiré sur le suspect. Et je l'ai eu. En ce moment même, il est en chirurgie.

— Désolé, mademoiselle, déclara Bill à Josie qui le considérait, les yeux mi-clos. Quand vous vous rétablirez, j'espère qu'ils vous autoriseront à aller faire un petit coucou à votre agresseur.

— Oh, oui. Avec deux revolvers, un dans chaque main, marmonna-t-elle. Oh, Marc, je tombe de sommeil.

— Okay. On y va. Merci, Bill.

— Pas de quoi.

L'agent de la sécurité poussa le battant avec un grand sourire à l'adresse de Josie, puis adressa un clin d'œil à Marc.

— Franchement, y en a qui ont de la chance !

Sur ce, il s'éloigna avant que Marc ait trouvé une bonne repartie.

208

Il transporta Josie dans la chambre d'amis et la coucha doucement sur le couvre-lit beige et marron à motifs géométriques. Puis il lui ôta ses chaussures, sa jupe, sa veste et son chemisier tachés de sang. Une fois qu'elle fut en culotte et soutien-gorge, il s'efforça de faire abstraction de ce joli corps à moitié dévêtu et de son léger parfum de rose.

Il la souleva, le temps de tirer les draps, la reposa sur le lit et la recouvrit. Ensuite, reculant d'un pas, il étudia son visage. Des mèches de cheveux s'étaient échappées de son chignon. Marc lui retira ses lunettes, les posa sur la table de nuit. D'un geste tendre, il tenta de lui arranger sa coiffure puis, cédant à une impulsion, lui ôta ses épingles à cheveux. Les torsades dorées ruisselèrent dans ses paumes.

— Oh, non, grommela-t-elle d'une voix pâteuse. Je ne vais pas arriver à les démêler.

— Laisse. Tu as les plus beaux cheveux que j'aie jamais vus.

Ce disant, il les répandit comme une auréole autour du petit visage livide. Un sourire attendri brilla sur ses lèvres.

— Fatiguée ?

— Très… Pardon pour le dérangement.

— Tu ne me déranges pas. Je retourne au boulot. Je reviendrai vers 19 h 30. Repose-toi. Dès que tu iras mieux, nous reprendrons notre collaboration.

— D'accord.

Ses yeux cherchèrent les siens.

— Ce n'était pas ta faute, murmura-t-elle.

Le visage de Marc se referma.

— J'aurais dû me douter que tu jouerais les héroïnes.

— Tu n'y es pour rien.

— C'est toi qui as été blessée. J'aurais dû être à ta place.

Elle parvint à esquisser un sourire.

— Jaloux !

— Moi ? fit-il, l'air faussement indigné. Tu délires !

— Ça va aller...

— Bien sûr que ça va aller. Mais il va falloir que tu te reposes un jour ou deux. Tu as perdu beaucoup de sang.

Se penchant, il l'embrassa doucement sur la bouche.

— Dors bien, ma chérie. Je te reverrai plus tard. Veux-tu boire quelque chose ?

Avait-il dit « ma chérie » ? se demanda-t-elle, l'esprit embrouillé. Sûrement pas...

— Oui... Quelque chose de frais...

— Du jus d'orange ? proposa-t-il, connaissant ses préférences.

Les yeux de Josie s'allumèrent.

— Oh, oui, s'il te plaît.

Il s'éclipsa. Lorsqu'il reparut, elle dormait à poings fermés.

Il posa la carafe de jus d'orange sur la table de chevet et resta un instant à la contempler, avec un curieux sentiment dans le cœur. Il n'avait jamais emmené de femme chez lui. Et il n'arrivait pas à s'expliquer pour quelle raison il se sentait responsable de tout ce qui concernait Josie. Elle avait besoin d'affection, songea-t-il, troublé. Depuis la mort de sa mère et le mariage de sa sœur, il se sentait inutile. Il en ressentait un manque, le besoin de s'occuper de quelqu'un. Mais cela, il se garderait bien de le lui avouer...

Ce fut la douleur, une douleur sourde et lancinante, qui ramena Josie à la réalité. Son bras était lourd, et elle sentait les pulsations de son cœur palpiter dans sa blessure. Une sensation désagréable.

Une fois bien réveillée, elle s'assit péniblement dans le lit. Et sourit en découvrant sur la table de nuit la carafe de jus d'orange et le verre que Marc y avait posés. Il avait aussi laissé ses médicaments. Elle prit un cachet de chaque et les fit passer avec le jus d'orange. Un peu revigorée, elle pressa le verre froid sur son front brûlant. Sans doute avait-elle de la fièvre, songea-t-elle en se demandant si Marc avait un remède quelque part.

Elle se traîna en direction de la salle de bains et découvrit dans l'armoire à pharmacie un flacon d'antipyrétiques. Elle fit tomber deux gélules dans sa paume et regagna la chambre pour se remettre au lit.

L'instant d'après, elle rouvrait les yeux et se relevait. Etrange impression que de ne pas arriver à tenir en place malgré la fatigue... Elle fit le tour de la chambre du regard dans l'espoir de trouver ses habits. Si jamais un des policiers entrait et la découvrait en sous-vêtements, la réputation de Marc en prendrait un coup.

Mais ses vêtements avaient disparu. Ouvrant la penderie, elle trouva quelques vieilles nippes appartenant au maître de maison. Entre autres, un jean élimé et une chemise blanche à rayures jaunes à laquelle il manquait une poche. Elle les enfila et repartit dans la salle de bains. Plus d'épingles à cheveux. En désespoir de cause, elle se coiffa tant bien que mal avec le peigne de Marc, puis se mit le bras en écharpe afin de ne pas trop le solliciter.

Enfin, elle gagna la cuisine, résolue à concocter un bon repas. Une chance, le réfrigérateur regorgeait de provisions. Elle prépara des galettes qu'elle enfourna avec un poulet, et fit rissoler des pommes de terre.

Les galettes mirent peu longtemps à cuire, contrairement au poulet. Mais, à 19 h 30 tapantes, tout était prêt, et la table de la cuisine dressée.

Marc arriva peu après avec... un poulet rôti de chez le traiteur. Il s'immobilisa sur le seuil de la cuisine, les yeux fixés sur la table.

— Du poulet ? demanda-t-il en humant l'air. Ça sent rudement bon !

— Poulet au romarin. Désolée. Je ne savais pas que tu rapporterais quelque chose.

Il posa le grand sac de papier brun sur le comptoir et s'approcha de la table.

— Mmm, des galettes faites maison ! s'exclama-t-il, visiblement ravi. Tu n'aurais pas dû te donner autant de mal, Josie... Même si j'adore ta cuisine. J'avoue que je n'ai pas eu un bon dîner depuis notre... depuis qu'on s'est séparés. Je passais souvent chez toi prendre le petit déjeuner, tu t'en souviens ?

— Oui.

Elle se rembrunit un peu. A l'époque, elle croyait dur comme fer qu'ils vivraient ensemble. Marc la taquinait, disant qu'il avait hâte qu'elle emménage chez lui, afin d'avoir un copieux petit déjeuner tous les matins.

— Excuse-moi, marmonna-t-il. C'était un commentaire stupide. Je ne voulais pas te rappeler de mauvais souvenirs.

— Ils ne sont pas mauvais. Allez, assieds-toi. Et mets du beurre sur tes galettes avant qu'elles refroidissent.

Ils s'installèrent autour de la table. Tandis qu'il remplissait son assiette de galettes, de poulet et de pommes de terre, Josie prit une aile de poulet.

— Tu n'as pas faim ? s'alarma-t-il.

— Non, pas trop. Je suis encore un peu nauséeuse... J'espère que les galettes sont bonnes. J'ai roulé la pâte d'une seule main.

Il avala une bouchée.

— Mmm, divin!

— Tant mieux. Avant, tu ne prenais jamais le temps de manger. Le plus souvent, tu te contentais d'un sandwich pris sur le pouce.

— Je ne me souviens même plus du dernier repas que j'ai fait sans être dérangé.

Avec sa fourchette, il piqua un morceau de poulet et le porta à sa bouche lentement, comme pour le savourer.

— Tu es content d'avoir réintégré les Rangers ? s'enquit-elle, histoire de relancer la conversation.

— J'aime les Rangers. Depuis toujours. Je resterai avec eux jusqu'à la retraite. Bien sûr, j'ai aussi mon ranch, qui rapporte pas mal. En fait, j'ai largement les moyens d'arrêter de travailler. Les bénéfices me servent à racheter du bétail et des équipements. Et le reste, je l'investis. J'ai fait quelques bons placements...

— Je te vois mal en gentleman farmer, menant une vie tranquille pendant que les autres se décarcassent.

— Tu as tout compris... Bois au moins un peu de jus d'orange, suggéra-t-il en la voyant se lever. Et je t'interdis de faire la vaisselle. Je m'en occuperai. Oh, demain soir, c'est moi qui fais la cuisine.

— Tu sais cuisiner ?

— Je ne suis pas un cordon-bleu, mais je réussis assez bien le pain de viande.

— Eh, c'est l'un de mes plats préférés...

Il lui jeta un coup d'œil éloquent.

— Je ne l'ai pas oublié, commenta-t-il avant d'énumérer en souriant : Pain de viande, tarte aux pêches, crêpes, et milk-shake au chocolat.

Il se tut, l'air soudain triste.

— J'aurais tant voulu remonter le temps, Josie.

— Il est inutile de ressasser le passé, répliqua-t-elle en évitant son regard. Raconte-moi plutôt où tu en es avec l'homme qui m'a tiré dessus. Est-ce que tu as découvert quelque chose ?

Il lui apprit que Johnny York et le pasteur qui avait officié à l'enterrement de Jennings étaient une seule et même personne.

— Bon sang ! s'écria-t-elle. C'est vrai que je l'ai trouvé un peu nerveux, mais je croyais qu'il était nouveau dans la profession. Qu'est-ce qu'il faisait là ?

— Selon toute probabilité, il était en train de repérer sa prochaine victime.

10.

Josie retint son souffle.

— C'est lui qui aurait tué Dale ?

— Possible, mais on n'en sait rien. D'autant qu'on ne connaît pas le contenu de la preuve, ni le commanditaire du meurtre. Qui Jennings faisait-il chanter et avec quoi ? Notre enquête ne nous a pas encore apporté beaucoup de réponses.

— Je sais. Seul point positif : York est actuellement hors d'état de nuire.

— York est comme Marsh : il vous glisse entre les doigts, fit remarquer Marc. Il recommencera dès qu'il en aura l'occasion. A l'évidence, il s'estime suffisamment bien payé pour en prendre le risque. Il doit probablement déjà avoir de fausses pièces d'identité, ainsi qu'un billet d'avion pour disparaître une fois qu'il aura rempli son contrat. Ou ses contrats. Cette affaire est un puits sans fond, enchaîna-t-il avec une grimace. Chaque fois qu'on croit avoir avancé, on découvre d'autres énigmes. En tout cas, quelqu'un qui aurait beaucoup à perdre est prêt à éliminer tous ceux qui le dérangent.

— Mme Jennings a déjà servi de cible. Si l'auteur du crime a l'impression qu'elle en sait plus que ce qu'elle dit — et à mon avis, c'est la vérité —, elle est toujours en danger. Et si ce n'est pas York, ce sera un autre tueur à gages.

Il se contenta de la regarder.

— Tu as l'air fatigué. Va te coucher, je rangerai la cuisine.

— Merci. C'est vrai que je ne me sens pas très bien... Ça ira mieux demain.

Il émit un grognement dubitatif.

Le laissant seul dans la cuisine, elle regagna péniblement la chambre et se laissa tomber sur le lit. Elle se sentait fébrile. Une minute après, Marc apparut, le haut d'un pyjama tout neuf dans la main.

— J'en ai toujours un, pour le cas où je me retrouverais à l'hôpital, expliqua-t-il. Sinon, je n'en porte pas.

Rougissante, elle prit la veste de pyjama. Nul doute qu'elle lui arriverait aux genoux, vu sa taille !

— Je porterai le bas pendant que tu es ici. Et demain, j'irai chercher tes affaires à l'hôtel. Je dirai au réceptionniste de te garder ta chambre.

— Merci.

— Maintenant, tâche de dormir. Bonne nuit.

— Bonne nuit.

Il sortit et referma la porte. Josie enfila la veste de pyjama, puis se glissa sous les couvertures. Peu après, elle sombrait dans le sommeil. Malheureusement, cela ne dura que quelques heures.

Elle se réveilla brusquement, brûlante de fièvre, la peur au ventre.

La porte se rouvrit. S'approchant du lit, Marc posa sa main fraîche sur son front bouillant.

— J'ai chaud, chuchota-t-elle d'une voix rauque. Très chaud.

Il alluma la lampe de chevet, puis disparut dans la salle de bains d'où il ressortit avec un linge mouillé. Il lui baigna le visage et la nuque avant de lui soulever la tête, afin qu'elle puisse avaler un médicament contre la fièvre. Ensuite, comme s'il avait peur de la laisser toute seule, il se faufila sous les couvertures et l'attira dans ses bras. Elle s'y blottit, les yeux brûlants, en claquant des dents.

— Oh, Marc…, murmura-t-elle dans son délire. Marc, pourquoi es-tu parti ?

Il sentit ses mâchoires se contracter. Elle s'agitait, revivant la soirée fatidique qui avait brisé leur relation. Elle se mit à pleurer et à grelotter, jusqu'à ce que le remède fasse son effet. Alors, elle se rendormit, le visage baigné de larmes.

Lorsqu'elle se réveilla, elle ne se sentait guère mieux. Son bras la faisait souffrir atrocement, et la fièvre persistait. Marc, déjà levé et habillé, lui apporta médicaments et petit déjeuner.

Ce fut une longue journée pendant laquelle il ne la quitta pas une minute. Il lui baigna le visage et la nuque, lui donna ses cachets, la fit boire…

Quand elle parut aller mieux, il se recoucha à côté d'elle.

— As-tu déjà été blessé ? s'enquit-elle en posant la tête sur sa poitrine.

— Deux fois. Une fois à la jambe — par chance, la balle n'a pas touché l'os —, et une autre fois, à l'épaule.

— Qui t'a soigné ?

— Moi-même.

— Gretchen le savait ?

— Non. En général, je lui épargne ce genre de nouvelles. En plus, à l'époque, elle se faisait suffisamment de souci pour notre mère et pour le ranch. La maladie de maman l'a terriblement éprouvée, tu sais. A sa mort, j'ai envoyé Gretchen en vacances. C'est là qu'elle a rencontré son mari.

— J'ai toujours bien aimé ta sœur.

— Elle te le rendait bien.

— Au fait, comment va York ?

Marc laissa échapper un petit rire.

— Il doit être dans une pièce, sous bonne garde, avec Grier qui le questionne sans répit... Je n'aurais pas souhaité un tel interrogatoire à mon pire ennemi.

— Je n'ai pas encore rencontré Grier.

— Tu n'as rien raté. Il est du genre à avoir un insigne cousu sur son slip et un blason tatoué sur les fesses.

— Mais pas un insigne de Ranger, murmura-t-elle, somnolente.

— Ces insignes-là se méritent. Lui, il ne l'a plus depuis deux ans.

Il lui lissa ses cheveux qui dégageaient une vague fragrance de roses. Elle était si vulnérable, pensa-t-il avec émotion tout en éprouvant une sensation de paix — une sensation qu'il n'avait jamais ressentie avec une autre femme. Il aimait la tenir dans ses bras pendant qu'elle dormait.

— Rendors-toi, dit-il doucement.

Mais à peine bougea-t-il qu'elle s'agrippa à sa chemise.

— Ne t'en va pas !

Elle avait trop peur, trop mal, pour faire semblant d'être courageuse. Il se rallongea auprès d'elle, en songeant à ce qu'elle lui avait dit pendant la nuit, dans son délire. Des phrases qu'il valait mieux oublier...

Il la sentit remuer contre lui, puis s'immobiliser entre ses bras protecteurs. Parfaitement détendue, elle ferma les yeux et s'endormit aussitôt. Marc demeura immobile dans l'obscurité. Et dut combattre une fois de plus la passion qui n'avait pas cessé de le tourmenter depuis deux ans...

Lorsque les premières lueurs de l'aube éclairèrent la fenêtre, il se glissa hors du lit et regagna sa chambre.

Le lendemain matin, Josie se réveilla la première. Elle se doucha, s'habilla, puis alla préparer le petit déjeuner. Tout était prêt quand Marc sortit de sa chambre en bâillant.

Les yeux encore ensommeillés, il s'arrêta net en la voyant poser le beurre sur la table.

— Je t'avais dit de rester au lit, grogna-t-il en s'approchant.

Elle s'obligea à se concentrer sur ses gestes. Les cheveux ébouriffés, torse nu, il était aussi sexy qu'un acteur de cinéma. Bien sûr, ce n'était pas la première fois qu'elle le voyait ainsi, mais elle ne pouvait s'empêcher d'être troublée à la vue de ce torse musclé, recouvert d'une douce toison dont l'ombre disparaissait sous la ceinture du jean. Dire qu'elle avait touché, caressé et embrassé cette peau...

Le feu aux joues, elle détourna le regard.

— Je me sens mieux, déclara-t-elle. J'ai encore un peu mal, sans plus. La fièvre est tombée.

— Montre.

Elle tressaillit quand il posa la main sur sa joue. Il sentit sa peau s'échauffer et son cœur battre follement dans sa poitrine. Troublé lui aussi, il effleura doucement ses lèvres de son pouce dans un silence que seul brisait le grésillement du bacon sur le gril.

— Le bacon ! s'exclama-t-elle soudain.

Il la sonda du regard avant de retirer ses mains. La seule vue de ses grands yeux marron lui serrait le cœur. Il avait eu beau la faire souffrir par le passé, elle semblait l'aimer encore. Il se demanda quelle serait sa réaction en découvrant qu'il avait exploré avidement son corps pendant qu'elle dormait. Cela l'avait gardé éveillé jusqu'au matin. Heureusement, il avait l'habitude des nuits courtes et des petites siestes réparatrices.

Avec des gestes incertains, elle attrapa une spatule et fit glisser le bacon dans un plat. Après avoir éteint la plaque, elle disposa le plat près des œufs brouillés et du panier de galettes chaudes et croustillantes. Enfin, elle remplit leurs tasses de café.

— Je retourne travailler aujourd'hui, annonça-t-elle.

— Oh, non !

Elle le défia du regard.

— Je ne suis pas payée pour ne rien faire.

— Tu as droit à des congés maladie comme tous les fonctionnaires, observa-t-il tout en beurrant une galette. Je suis prêt à parier que tu n'as pas pris une seule journée depuis que tu travailles pour Simon Hart.

— Je ne suis jamais malade.

— Moi non plus, mais une balle est pire qu'une maladie. Aujourd'hui, tu restes ici.

Il lui prit la galette qu'elle essayait de beurrer d'une seule main, et la tartina à sa place.

Elle hocha la tête.

— Bon, d'accord. Encore un jour, mais pas plus.

— On verra.

Elle laissa son regard dériver vers le torse de Marc, avant de se détourner. Ses muscles n'étaient pas trop proéminents, songea-t-elle. Juste ce qu'il fallait pour correspondre aux critères de la beauté masculine. Rien qu'à voir de quelle façon il avait terrassé Johnny York, elle devinait qu'il suivait un entraînement régulier.

Il termina ses œufs au bacon et se renversa sur sa chaise, sa tasse entre les mains. Il l'observa un moment, amusé de la voir s'efforcer à ne pas le regarder.

— Tu peux retirer ta chemise, si tu veux, déclarat-il en sirotant une gorgée de café. Comme ça, on pourrait comparer nos blessures.

— Tu as déjà vu la mienne, répliqua-t-elle en feignant un détachement qu'elle était loin d'éprouver.

— Et plus encore, fit-il avec un sourire espiègle.

Elle faillit renverser son café.

— Ça suffit, Brannon !

— Nous y revoilà, lâcha-t-il en soupirant. Tu crois encore qu'on ne se connaît pas assez pour s'appeler par nos prénoms.

Elle reposa sa tasse et s'essuya la bouche avec sa serviette.

— Je vais me recoucher.

Il se redressa prestement, lui bloquant le passage. Ses grandes mains chaudes lui encadrèrent le visage.

— Pas la peine de le nier. Tu m'en veux encore de t'avoir quittée sans un mot d'explication.

— Disons que certains souvenirs sont plus tenaces que d'autres.

224

Elle avait la voix enrouée. Le contact de ces mains puissantes sur son visage la faisait fondre.

— J'ai témoigné contre toi à ton procès, articula-t-il d'un ton neutre. Je me basais sur les affirmations du garçon et sur la déposition de l'interne qui t'a examinée à l'hôpital. Peux-tu imaginer ce que j'ai ressenti quand j'ai su, *su* sans aucun doute, que tu disais la vérité ?

— C'était il y a longtemps.

— Pas pour moi. J'ai commis une faute impardonnable. Au lieu de te soutenir, j'ai contribué à l'erreur judiciaire. Tu as été traitée comme si tu étais la criminelle et pas la victime. Je t'ai brisée. Tu portes encore les cicatrices de cette blessure, autrement plus profonde que celle que tu as au bras.

— Je peux vivre avec mes cicatrices.

— Mais pas moi ! s'écria-t-il, les yeux étincelants. Moi je ne les supporte pas ! Josie, tu t'habilles comme une vieille fille ! Et tu ne sors avec personne !

Comme elle levait le regard, il enchaîna :

— Hart me l'a confirmé. D'après lui, tu envoies paître quiconque ose t'adresser un sourire. Après cette histoire de viol, tu n'es même pas allée au bout de ta thérapie, sous prétexte que ton père n'y croyait pas. Résultat, aujourd'hui, tu as vingt-quatre ans et pas plus de satisfactions sexuelles que cette chaise. Et c'est ma faute ! Oui, ma faute, Josie.

Elle ferma les yeux. Sans doute avait-il raison… Jusqu'à présent, elle avait refusé de penser au passé, mais aujourd'hui, passé et présent se retrouvaient intimement liés, dans un cycle infernal.

Il la prit par les épaules.

— Je me suis détesté pour ça. J'ai tout quitté, mais ça n'a rien changé. J'ai emporté mes remords dans mes bagages, raconta-t-il, ses mains glissant vers sa taille fine. Gretchen m'a assuré que tu ne m'en voulais pas.

Elle contempla un instant ce visage dur, étonnée d'y déceler une ombre d'incertitude.

— Non, murmura-t-elle enfin. J'ai rencontré Gretchen par hasard à Jacobsville où j'étais allée vendre un terrain que mon père avait là-bas. Je suis tombée sur elle à la banque. On a parlé… Elle m'a expliqué que ce n'était pas parce que j'avais accusé Bib du meurtre de Garner que tu étais parti. C'était ce que je croyais. Je m'étais mis dans la tête que tu m'en voulais à cause du procès, que tu ne pouvais plus me voir…

— Bon sang !

Il l'attira contre lui en faisant attention à son bras blessé et, de ses lèvres, lui effleura les cheveux.

— Les gens me contredisent tout le temps. Ce n'est pas pour ça que j'abandonne tout ce que j'aime derrière moi !

— Je m'en souviendrai.

Il lui caressa les cheveux très lentement, afin de mieux en apprécier la douceur.

— Je suis parti parce que je m'étais mépris sur toi. Malgré les relations que nous avions nouées à San Antonio, j'avais encore des doutes. Si tu étais capable d'accuser un innocent de viol... C'était une simple question de confiance.

— Tu avais la trouille de finir devant un tribunal, répliqua-t-elle avec un rire creux.

Se dégageant, elle se dirigea vers la porte.

— Je ne fais pas confiance aux autres, expliqua-t-il vivement. Et ce, depuis toujours. Les gens sont sympas quand ils veulent quelque chose. Je te trouvais trop bien pour être honnête. Et compte tenu de ton passé — ou de ce que j'en savais —, la balance penchait du côté de la prudence. Et puis, cette nuit-là, notre dernière nuit, j'ai complètement perdu la tête.

Il ferma les yeux, en proie à sa propre souffrance.

— Quand je t'ai laissée devant chez toi, j'ai erré en voiture pendant des heures. J'étais obnubilé par mon erreur de jugement. J'entendais encore le verdict, quand ton violeur a été acquitté, en partie grâce à mon témoignage. Je te revoyais assise sur le banc, calme et fière. Tu n'as même pas pleuré. Puis tu es sortie de la salle d'audience la tête haute, accompagnée de tes parents. Jamais je n'oublierai cette image.

Il rouvrit les yeux. Immobile sur le seuil, Josie le regardait.

— Nous serons toujours dans deux camps opposés, Brannon, dit-elle sans sourire. Tu n'as confiance en personne. Moi non plus. Enfin, plus maintenant.

— Du moins as-tu été blanchie quand cette ordure a trouvé la mort, après avoir violé et tenté d'étrangler une autre femme.

— Ça n'a plus d'importance. J'ai un bon emploi, des collègues qui m'apprécient et un avenir auprès du procureur.

— Ah, oui ? Et tu n'as pas envie de fonder une famille ? D'avoir des enfants ?

— Je ne veux pas me marier.

Marc se raidit. Il venait de comprendre pourquoi elle lui avait cédé, cette maudite nuit. Après ce qu'elle avait vécu dans son adolescence, il n'y avait qu'une raison qui expliquât pourquoi elle avait accepté de se donner à lui : l'amour. Elle l'aimait — ou plutôt, elle l'avait aimé. Et lui s'était comporté comme un salaud. Sous le choc de sa frustration, il l'avait traitée comme une pestiférée. Il lui avait ordonné de se rhabiller, l'avait raccompagnée chez elle, l'avait plantée là... Et à part un bref coup de fil plus tard dans la nuit pour s'assurer qu'elle ne s'était pas suicidée, il ne lui avait plus jamais donné signe de vie.

Le visage dur, il enfouit ses mains dans les poches de son jean.

— Nous aurions pu résoudre ce malentendu ce soir-là. Il aurait suffi d'en parler honnêtement.

— J'avais honte.

— Pas tout le temps, corrigea-t-il d'une voix empreinte de regrets.

Ecarlate, elle tourna les talons, sortit de la cuisine et traversa rapidement le vestibule.

Il la suivit dans sa chambre.

— Je ne discuterai pas avec toi ! fulmina-t-elle, les yeux brillants. J'ai mal. Laisse-moi tranquille !

Il fit un pas en avant.

— Oh, non, tu ne t'en iras pas cette fois.

Elle leva les deux bras afin de le repousser et grimaça de douleur. Avec un sourire, il l'enlaça, l'attira contre son torse nu.

— Petite idiote... Tu es encore fragile !

— Je ne veux pas que tu me prennes dans tes bras ! cria-t-elle.

— Très drôle. Parce que tu as dormi deux nuits de suite dans ces bras-là.

— Quoi ?

Il ôta de sa joue une mèche de cheveux.

— Si c'est moi qui avais été blessé, serais-tu allée dormir dans la chambre à côté ?

— Bien sûr que non ! répondit-elle sans réfléchir.

— J'ai fait la même chose.

— Oui, mais... ç'aurait été impersonnel, bredouilla-t-elle.

— Et ça l'a été... Enfin, la plupart du temps.

— La plupart du temps ?

Il lui caressa la joue du bout des doigts, faisant naître de petits frissons sur sa peau.

— C'est assez difficile pour un homme de rester froid, quand une partie de sa personne est dure comme un roc.

Elle se contenta de le considérer, incrédule, les yeux écarquillés.

— Ça a été ma punition, déclara-t-il. Et ma récompense. Tu n'as pas cessé de me caresser, de m'embrasser, de me murmurer que tu me voulais comme une folle... Je ne suis pas de bois, Josie.

— Je n'ai... pas...

Il la regarda, un sourire indolent sur les lèvres. Seigneur, comme il était irrésistible...

— Non, non, la rassura-t-il. Mais ç'aurait été délicieux. Je n'ai pas eu de femme depuis longtemps, et l'abstinence est source de fantasmes.

Leurs yeux se croisèrent. Il était facile de deviner la question qu'elle se refusait à poser. Il l'embrassa doucement.

— Deux ans, Josie... Je n'ai pas fait l'amour depuis deux ans. Depuis que j'ai perdu la tête avec toi.

Il glissa la main sous sa chemise. Ses doigts frôlèrent un sein nu pendant que, de sa langue, il la forçait à entrouvrir les lèvres. Elle sentit la pointe de ses seins se durcir et se cambra, lâchant un soupir involontaire.

— Oui, murmura-t-il alors que son baiser se faisait plus insistant.

Ses mains, impatientes, défirent les boutons de sa chemise. Il sentit contre son torse les petits seins aux pointes dressées. Josie tremblait des pieds à la tête.

Il l'enlaça par la taille, baissa le regard sur son corps frissonnant de désir.

— Même dans mes rêves, tu n'étais pas aussi belle...

Se penchant, il happa la pointe rose d'un sein. Elle tressaillit.

— Je ne te mordrai pas. Je veux juste te goûter.

Son souffle devint plus saccadé. Elle renversa la tête en arrière, sentant une onde de feu la traverser de part en part. Ses doigts tremblants plongèrent dans les cheveux de Marc, tandis qu'il tirait sur la fermeture Eclair de son jean. Soudain apeurée, elle lui attrapa le poignet.

Il laissa échapper un soupir mais n'insista pas. Se redressant, il attira Josie contre lui et la sonda du regard.

— Donc tu n'as pas eu cette petite opération dont nous avons parlé.

Le souffle court, elle déglutit. Elle était à moitié nue dans ses bras et sentait sur son bas-ventre le désir qu'elle lui inspirait.

— Je... je t'ai dit il y a des années que... que je n'avais pas d'amants... Je n'ai toujours pas...

Il hocha la tête, le cœur battant, les yeux brillant de passion.

— Je sais, je vis au Moyen Age, poursuivit-elle d'un ton sarcastique en essayant de se dégager.

— Ne t'excuse pas. C'est un état d'esprit que je respecte.

Elle baissa le regard vers ses seins, écrasés contre la poitrine nue de Marc.

— Ça se voit !

Il sourit.

— Ce n'est qu'un petit préliminaire parfaitement admissible même par les personnes les plus chastes.

Elle posa ses mains à plat sur sa poitrine et le repoussa doucement.

— Laisse-moi.

S'écartant à contrecœur, il prit les pans de sa chemise et les réunit.

— Je n'ai pas vu une seule statue grecque qui puisse se comparer à toi, murmura-t-il en agrafant les boutons. Tu as les plus jolis seins que j'aie jamais vus.

— Tais-toi...

— Mais tu peux me rendre le compliment.

Elle toussota.

— Tu n'as pas de seins.

Il lui adressa un sourire empreint de sensualité.

— J'ai quelque chose d'autre qui aurait pu t'inspirer des commentaires.

Elle le repoussa de toutes ses forces, presque violemment.

— Ça suffit maintenant.

Il rit, amusé par sa colère, puis, la soulevant dans ses bras, il la déposa gentiment sur le lit.

— Tu ne me demandes pas pourquoi je n'ai pas fait l'amour depuis deux ans ?

— A cause d'une maladie sexuellement transmissible ?

— Non.

232

Elle fixa sa bouche. Une bouche si masculine, et pourtant si merveilleusement douce...

— Tu ne devrais pas me tenter pendant que tu es à l'horizontale, Josie, la taquina-t-il en se penchant pour l'embrasser gentiment.

Il reprit son sérieux et se redressa.

— Repose-toi. Je vais faire un tour. Je reviendrai avant que tu ne puisses penser que je te manque. Je vais verrouiller la porte. N'ouvre à personne, compris ?

— Oui.

Il se dirigea vers la porte.

Elle se rassit dans le lit, le souffle court.

— Marc ?

Il se retourna, le regard interrogateur.

— Pourquoi... n'as-tu pas eu de femme pendant deux ans ? demanda-t-elle d'une voix enrouée.

Il la regarda dans les yeux.

— Je crois que tu le sais, Josie.

Et il quitta la chambre.

Quelques minutes plus tard, il cria « au revoir » avant de refermer la porte d'entrée. Assise dans son lit, Josie s'efforçait de décrypter cette remarque énigmatique. Elle n'était pas loin de trouver la réponse quand le sommeil la prit.

11.

Marc lui rapporta ses dossiers et quelques vêtements. Il affichait une drôle d'attitude, mélange de gentillesse et de distance. Peut-être regrettait-il les baisers qu'ils avaient échangés ? Josie n'eut pas l'occasion de le lui demander car il repartit presque aussitôt.

Lorsqu'il revint vers 20 heures, elle était assise sur le lit, au milieu de documents épars, et parlait au téléphone tout en griffonnant des notes sur un carnet. Elle avait troqué le haut de pyjama contre une tenue stricte : pantalon gris, pull col cheminée surdimensionné. Ses cheveux, de nouveau tirés en arrière, formaient un chignon serré sur sa nuque.

Intriguée par son air morose, elle leva les yeux sur Marc sans interrompre sa conversation téléphonique. Il s'éloigna en direction de la cuisine. Elle le rejoignit après avoir raccroché.

Penché sur le comptoir, il beurrait des tranches de pain.

— Jambon, fromage ou salami ? s'enquit-il sans se retourner.

— Désolée, j'ai déjà mangé.

Il se contenta de hocher la tête.

— J'ai appelé Simon, continua-t-elle. Il a récupéré Phil. Je lui ai téléphoné à Austin et je l'ai branché sur Sandra Gates. Il fera le nécessaire… Ensuite, j'ai passé un coup de fil au procureur. Son assistante m'a promis de mettre son expert en cybercrime en contact avec Phil. Il doit s'agir de Grier ?

De nouveau, il acquiesça d'un bref mouvement de tête.

— Est-ce que tu m'écoutes au moins ? fit-elle, exaspérée.

Il disposa les sandwichs dans un plat avant de lui faire face. Ses yeux étaient plus durs que jamais.

— Tout ça, c'est quoi ? Une déclaration ? lâcha-t-il en pointant le menton vers elle.

— Une déclaration ?

— Tu es fagotée comme un sac. Rien que de l'unisexe.

— Qu'est-ce que tu espérais ? rétorqua-t-elle. Que je t'attendrais en nuisette transparente, trépignant d'impatience ?

— Oh, non ! Venant de toi, certainement pas !

— Alors, où est le problème ?

— Tu n'arrives pas à oublier, n'est-ce pas ? avança-t-il d'une voix lasse. Tu ne feras jamais le moindre geste pour m'encourager, pas même laisser tes cheveux défaits.

Elle baissa le nez sur son carnet de notes. Elle avait peine à trouver ses mots. Son regard, elle le sentait, reflétait un immense chagrin.

Marc s'appuya sur le comptoir en la fixant.

— Même un homme avec un ego monstrueux aurait besoin d'un encouragement de la part d'une femme comme toi. Mais tu n'as pas confiance. Tu vois toujours en moi le salopard qui est sorti de ta vie sans un mot d'explication.

— C'est peut-être vrai, admit-elle après un silence. La confiance ne figure pas sur la liste de mes qualités. Mais il n'y a pas que la confiance. Tu n'as pas besoin d'une femme, Marc. Tu te suffis à toi-même. Tu tiens ta maison mieux que la plus exigeante des ménagères. Tu es un solitaire né.

Elle haussa les épaules. Son bras blessé la tirailla, lui arrachant une grimace.

— Moi aussi, enchaîna-t-elle, j'aime être seule, avoir mon espace, ne pas rendre de comptes. Je… je n'ai pas envie de changer de vie. Je suis habituée à vivre seule.

— Que sais-tu de moi ?

C'était une question incongrue, qu'elle ne comprit pas.

— Tu es né à Jacobsville. Tu as commencé comme policier, puis tu as rejoint la police de patrouille. Tu es devenu Ranger à l'âge de vingt-six ans. Aujourd'hui, tu en as trente-trois. Ta sœur a épousé un chef d'Etat étranger.

— Exact. Tu ne connais que les faits, les apparences.

Il se servit une tasse de café.

— Que sais-tu de la musique que j'aime ? De mes lectures ? Des choses que j'apprécie ? De mes rêves ?

Elle aurait pu répondre à certaines de ces questions, mais elle ne le fit pas. Plutôt mourir que de risquer un nouvel abandon...

— Je ne sais pas, répondit-elle sèchement.

— Et tu ne veux pas savoir.

Il la scruta un long moment.

— Je t'ai trahie une fois et tu ne peux pas l'oublier.

— Tu m'as trahie *deux fois* et je ne peux pas l'oublier, corrigea-t-elle.

Il haussa les sourcils.

— Deux fois ?

— Tu m'as vendue à l'avocat général pendant le procès de Dale.

— C'est faux. Je t'ai dit que c'était Bib qui avait pris cette initiative sans même me consulter.

— Peut-être, mais tu lui avais raconté mon histoire.

Ça, il ne pouvait le nier.

— Oui, concéda-t-il, les mâchoires crispées. Mais quand j'ai appris qu'il en avait parlé, je lui ai raconté la vérité. Il en a été bouleversé, au moins autant que moi. Malheureusement, il n'y avait plus rien à faire. C'était trop tard.

Ils échangèrent un regard, Marc se rappelant qu'elle avait accusé son meilleur ami de meurtre, Josie revoyant les manchettes des journaux et les commentaires acides des chroniqueurs. Elle avait

238

cru que ses vieilles blessures s'étaient refermées. Belle erreur. Il suffisait d'un geste, d'une parole pour les rouvrir. Jamais elle n'arriverait à surmonter ses souffrances passées. C'était trop tard, comme il l'avait si bien dit.

— Ça n'a plus d'importance, Brannon, trancha-t-elle en se détournant. Remettons-nous au travail, d'accord ? Mieux vaut ne pas envenimer une situation déjà assez compliquée. Je suis sûre que tu pourrais avoir toutes les femmes de la terre si tu voulais.

D'un pas ferme, elle se dirigea vers la porte. Derrière elle, un bruit sourd retentit — celui d'un poing qui s'abat sur une table. Elle ne jeta pas un regard en arrière. Une fois dans sa chambre, elle posa son carnet et se remit à feuilleter ses dossiers.

La trêve n'avait duré que deux jours ; ils étaient redevenus ennemis. Oh, ils se comportaient poliment, avec la cordialité qui s'impose entre coéquipiers, mais rien de plus.

Le lendemain, ils retournèrent au travail. Josie avait encore mal au bras, mais elle se sentait assez forte pour reprendre l'enquête. Elle regagna son hôtel, après avoir remercié Marc de son hospitalité. Il ignora totalement ses remerciements.

Plus tard dans la journée, elle essaya d'appeler Mme Jennings, sans succès. Elle ne réussit pas non plus à joindre le policier chargé de la surveiller. Inquiète, elle décida de se rendre chez la vieille dame sans en avertir Marc. Cette dernière parlerait plus facilement à une femme seule, pensa-t-elle.

Elle loua une voiture et fit le trajet jusqu'au nouveau domicile de Mme Jennings.

Elle sonna à la porte, insista… En vain. Il n'y avait personne. De plus en plus inquiète, elle se rendit chez Mme Danton, la voisine qui avait proposé de prendre ses messages téléphoniques jusqu'à ce que sa ligne fonctionne.

— Je ne l'ai pas vue depuis avant-hier, lui apprit celle-ci. Mais hier, elle a eu de la visite. Un homme et une femme bien habillés. Ils sont arrivés dans une belle voiture noire. La femme était blonde ; elle portait un chapeau avec une voilette à pois. Je m'en souviens parce que je l'ai trouvé joli. J'aurais bien aimé en avoir un pareil. Je mettais toujours un chapeau autrefois, quand j'allais à la messe…

Josie sentit une sombre appréhension l'envahir.

— Ils sont restés longtemps ? s'enquit-elle.

— Non, pas trop. Une heure tout au plus. Ils sont repartis dans leur voiture. Ils doivent être de la famille, parce qu'ils transportaient des affaires appartenant à Mme Jennings.

— Quelle sorte d'affaires ?

— Un coffret en bois de la taille d'une boîte à cigares, un livre… peut-être une Bible. L'homme tenait une cigarette à la main. Il l'a écrasée sous le talon de sa chaussure dans l'allée juste avant qu'ils remontent en voiture. De belles chaussures, aussi ! Vous savez, des richelieux…

240

Son appréhension se mua en inquiétude. Revenant dans l'allée, elle trouva le mégot sur les graviers. Elle s'accroupit, tira un mouchoir de sa poche, puis fit rouler le mégot dessus avec un stylo. Elle enfouit sa trouvaille dans sa mallette et remit le tout dans sa voiture, avec son sac. Extirpant ensuite son téléphone portable de la boîte à gants, elle le glissa dans la poche de sa veste.

De retour à l'appartement, talonnée par la voisine, elle tenta de regarder à l'intérieur à travers les rideaux. En vain. Elle contourna le petit immeuble, sans plus de succès. Quand il n'y avait pas de rideaux, des stores vénitiens obstruaient les fenêtres. Ce n'est qu'en arrivant devant la porte de service vitrée qu'elle put apercevoir quelque chose. Un bout de la cuisine. Il n'y avait personne à l'intérieur et la lumière était éteinte. Remarquant un carreau cassé, elle s'en approcha. L'odeur qui agressa ses narines était reconnaissable entre toutes.

Elle alluma son portable et composa le numéro du Samu. Puis elle appela le bureau du shérif et réclama une patrouille et des inspecteurs. Enfin, elle téléphona à Marc. Il était sorti, lui répondit-on. Elle lui laissa un message.

— Vous pensez qu'il lui est arrivé quelque chose, hein ? demanda la voisine tristement. C'est chose courante, ici. Souvent, l'un des locataires tombe, meurt, et on le découvre plusieurs jours après. Si c'est pas malheureux d'être vieux et démuni...

— Rentrez chez vous, madame Danton. Merci pour votre aide, mais ce n'est pas la peine d'être là quand nous entrerons dans l'appartement.

La vieille femme fit la grimace. Les bras croisés sur la poitrine, elle fit demi-tour et disparut dans son appartement.

Josie attendit dehors jusqu'à l'arrivée des renforts. La voiture du shérif apparut la première. Elle s'approcha et se présenta à l'adjoint du shérif.

— D'après l'odeur, elle est morte, déclara-t-elle. Cette femme est en rapport avec une affaire sur laquelle je travaille avec un membre de la division D des Rangers et avec le procureur de San Antonio. Si elle est aussi morte qu'elle en a l'air, il s'agit d'un homicide.

— En êtes-vous sûre ? demanda l'adjoint du shérif, visiblement dubitatif.

— Certaine.

Ils durent forcer la porte. La puanteur les assaillit sitôt que le battant céda. A l'intérieur, l'absence de climatisation et de ventilation rendait l'air irrespirable. Mme Jennings était étendue sur le tapis devant la porte de la cuisine, près de sa canne. Les yeux écarquillés, la bouche ouverte, elle avait des marques brunes le long de ses jambes et de ses bras maigres. Un petit trou ornait le corsage de sa robe de coton. Aucune arme visible près du corps... Le policier chargé de garder un œil sur elle, appelé ailleurs pour une mission urgente, n'avait pu lui rendre visite au cours des dernières vingt-quatre heures. Il fit une déposition, bien sûr, mais ne put produire la moindre information.

Quelques minutes plus tard, un crissement de pneus se fit entendre sur les graviers. Josie sortit sur le perron à temps pour voir Marc se garer, suivi de la voiture du labo. Il émergea du pick-up. De l'autre véhicule jaillit Alice Jones, l'assistante du médecin légiste.

Josie salua Marc d'un signe de tête, avant de s'adresser à Alice.

— Tu travailles pour les homicides maintenant, Josie ? la taquina celle-ci tout en transportant son grand sac le long des marches jusqu'au perron.

— Et toi, tu découpes toujours des cadavres ?

Alice la serra dans ses bras en riant.

— Il n'y a pas de sot métier... Oh, mais M. Brannon est là. Il va vouloir que j'enfonce le thermomètre dans le derrière du macchabée devant tout le monde !

— Nom de Dieu, Jones, ferme-la ! grommela Marc, l'air écœuré.

— Mon vieux, tu n'as jamais eu le sens de l'humour. Pas étonnant que tu ne sois pas capitaine.

— Je n'ai pas encore l'âge, grogna-t-il.

— Mauvaise excuse, murmura-t-elle en se frayant un passage vers l'appartement de Mme Jennings, l'esprit déjà concentré sur sa tâche.

L'adjoint du shérif lança à Marc un coup d'œil amusé, puis suivit la jeune femme à l'intérieur.

On aurait dit qu'un ouragan avait balayé les pièces chichement meublées de Mme Jennings. Les maigres possessions de la vieille dame étaient éparpillées par terre, autour de son corps inanimé recouvert d'un drap. Seules ses chaussures dépassaient. Josie se remémora l'affection de cette femme pour son fils, son chagrin au cimetière. Peut-être étaient-ils ensemble à présent, songea-t-elle avec tristesse.

Marc et Josie attendaient dehors, en compagnie de l'adjoint du shérif et de deux inspecteurs. Ils s'efforçaient de disperser les curieux quand Alice Jones sortit de la maison. Elle les attira à l'écart.

— Vous aurez le rapport complet de l'autopsie plus tard, annonça-t-elle. Mais je peux déjà vous affirmer que la mort remonte à vingt-quatre heures minimum et que la victime a été torturée avant d'être tuée.

— Des brûlures de cigarette, murmura Josie.

— Exactement.

Josie se dirigea aussitôt vers sa voiture où elle avait rangé sa mallette, tout en criant par-dessus son épaule :

— J'ai quelque chose pour toi, Alice. Je l'ai trouvé sur la chaussée devant l'appartement.

Elle revint avec le mouchoir contenant le mégot.

— Bill, viens voir, cria Alice à l'un des techniciens du labo.

L'homme s'approcha. Il portait des gants en caoutchouc. Josie lui raconta dans quelles circonstances elle avait découvert le mégot, et leur fit la description des « visiteurs », telle qu'elle avait été faite par la voisine. Le technicien prit délicatement le mégot avec une pince et le fit glisser dans une poche en plastique dont il referma les bords.

— C'est un bon début, déclara Alice, professionnelle. Pour 7 % de la population, on peut dessiner le profil de l'ADN grâce aux traces de salive. Croisons les doigts.

Sur ces mots, elle retourna à l'intérieur donner des ordres pour le transport du corps. Marc et Josie se retrouvèrent seuls.

— Bon boulot, Josie, lui lança-t-il.

— Simple question de chance. Si la voisine ne m'en avait pas parlé, j'aurais marché dessus sans le voir... Mais j'ai remarqué autre chose. C'est une marque de tabac inhabituelle.

— Je l'ai remarqué aussi... Bon sang, je veux ces fumiers sous les verrous. Je n'arrive pas à imaginer quelle sorte d'ordure est capable de torturer une vieille femme sans défense.

— D'après la voisine, ils ont emporté une boîte et un livre, peut-être une Bible. Mme Jennings savait effectivement quelque chose. Nous ne saurons jamais quoi.

— Au fait, j'ai d'autres nouvelles, déclara-t-il. York a réussi à s'évader de l'hôpital en assommant son gardien.

— Génial... Un tueur à gages dans la nature et une cible dont on ne sait pas encore le nom. A moins que...

Elle tourna les yeux vers l'appartement.

— Tu crois que...

— La description de l'homme ne correspond pas à York, objecta-t-il. En revanche, d'après mes informations, Jake Marsh porte toujours des riche-lieux.

— Il a une femme ? Une maîtresse ?

— J'ai entendu dire qu'il avait deux épouses, répondit-il, le sourcil levé. Mais ce n'est pas sûr.

— D'après Mme Danton, la femme qui l'accom-pagnait portait un joli chapeau à voilette.

— Malheureusement, ça ne suffit pas.

— Je sais... Est-ce que quelqu'un a prévenu ce pauvre M. Holliman ?

— Pas encore. On pourrait s'en charger tous les deux, proposa-t-il. Après tout, on le connaît mieux que les inspecteurs. Je vais voir ça avec eux.

Sur ces mots, il s'éloigna en direction de l'adjoint du shérif.

— Tu as remarqué que tous les tiroirs de Mme Jennings avaient été vidés ? s'enquit Josie.

Installés dans le pick-up, ils roulaient en direction de la maison de M. Holliman.

— Oui.

— J'en conclus que l'objet qu'ils recherchent est suffisamment petit pour être rangé dans un tiroir.

— Bonne déduction.

— Je suis une enquêtrice entraînée, qu'est-ce que tu crois !

246

— Et tu ne demandes rien d'autre à la vie, hein ? Faire triompher la justice jusqu'à ta retraite.

Elle fronça les sourcils.

— Et alors ?

— Autrefois, tu aimais les enfants, lui rappela-t-il. Quand on allait au parc nourrir les pigeons, tu regardais toujours les enfants sur les balançoires.

— On n'a pas d'enfant sans passer par l'acte sexuel.

— La loi de la nature !

— C'est le seul langage que tu puisses comprendre, n'est-ce pas ? lui renvoya-t-elle en croisant les bras sur sa veste bleue.

Une fois de plus, elle portait des vêtements amples, masquant ses courbes.

— Qu'est-ce que tu reproches au sexe ? demanda-t-il gentiment.

Elle frissonna. Chaque fois qu'elle y pensait, les mêmes images l'assaillaient. Son violeur. Ou Marc... Marc et ses caresses choquantes et délicieuses à la fois.

— Je sais que tes parents étaient croyants. Et que tu as reçu une éducation religieuse. Il n'empêche que le sexe fait partie de la vie. C'est une expérience formidable entre deux personnes qui s'aiment.

— Si elles sont mariées.

Il rit doucement.

— Tu es la seule femme de ma connaissance qui ait des idées aussi rétrogrades.

— Je sais, je ne suis pas à la mode. Tu me l'as déjà dit.

— Si tu avais subi la petite opération que nous savons, tu aurais fait l'amour avec moi, déclara-t-il avec une assurance révoltante.

Fermant les yeux, elle se laissa aller contre l'appuie-tête.

— Après quoi, tu te serais envolé vers ta prochaine conquête. Tu veux me séduire uniquement parce que tu ne peux pas m'avoir.

Il éclata de rire.

— Très drôle !

Elle tourna la tête vers lui.

— Pourquoi ?

Il emprunta la longue route poussiéreuse qui menait à la maison de Holliman, et regarda Josie une fraction de seconde, avant d'accélérer.

— Parce que j'aurais pu t'avoir si je l'avais voulu, il y a deux ans.

— Ça, c'est un...

— Si tu comptes dire « mensonge », tu peux économiser ta salive. C'était moi qui ai mis fin à notre petite fantaisie érotique ce fameux soir. Tu me suppliais de continuer.

— Assez ! gronda-t-elle, les dents serrées.

— Pourquoi avoir honte ? Nous étions adultes et consentants. Dans ta bouche, faire l'amour prend des allures de perversion.

Elle ferma de nouveau les paupières, espérant faire cesser ce supplice.

— Je te plaisais. Tu me plaisais, poursuivit-il. Jamais je n'avais eu autant envie de quelqu'un. Ce n'était qu'un jeu innocent...

248

— Innocent !

— Innocent, répéta-t-il.

Elle se figea, le visage froid comme un masque de pierre, et évita son regard inquisiteur.

— Après cette histoire de viol, tous les citoyens de Jacobsville m'ont considérée comme coupable, débita-t-elle d'une voix hachée. J'avais accusé un garçon de viol et il avait été acquitté parce que j'avais menti. Personne ne m'approchait plus. J'avais mauvaise réputation. Et quand nous avons déménagé à San Antonio, une fille dont la famille était originaire de Jacobsville a eu vent de l'histoire. Elle l'a racontée à tout le monde.

— Josie...

— Je vivais en recluse. Je n'allais jamais aux fêtes parce que les garçons se moquaient de moi ou faisaient des allusions à mon passé. Je n'ai jamais participé à une seule manifestation au lycée. Plus tard, quand je suis allée à la fac, j'ai cru mon calvaire terminé. Malheureusement, j'y ai retrouvé certains anciens du lycée. Je n'ai jamais eu de petit ami jusqu'au jour où j'ai commencé à sortir avec toi.

Il la contempla un instant, avec l'envie de rentrer sous terre. Il se rappela cette époque où ils sortaient ensemble. Alors qu'elle n'avait absolument aucune expérience en la matière, il avait tout fait pour qu'elle tombe amoureuse de lui ; il ne lui avait pas laissé le temps d'hésiter ou de réfléchir. Elle l'aimait si profondément qu'elle aurait tout accepté si elle avait pu.

— Gretchen ne t'en a jamais parlé ? demanda-t-elle, surprise par son silence.

— Nous ne parlions pas de toi. Ni après cette nuit, ni avant, avoua-t-il avant de prendre une profonde inspiration. Il est trop tard pour te présenter mes excuses. Mais je suis désolé, Josie. Vraiment.

— Ce n'est pas grave. Plus maintenant. Depuis le début, nos rapports étaient fondés sur un malentendu…

Distraitement, elle se mordilla un ongle.

— Marc, est-ce que tu te serais arrêté dans des circonstances… normales ?

— Non… Désolé, fit-il. Ça manque de romantisme mais c'est la vérité. J'avais envie de toi depuis très longtemps… Nous étions seuls chez moi. Tu as répondu à mes avances avec une telle fougue que je ne savais plus ce qui était bien ou mal. J'ai perdu le contrôle. Ça ne m'était jamais arrivé avant.

— Oh…

— Et je n'étais pas le seul, poursuivit-il. Toi non plus tu ne te contrôlais pas. Voilà pourquoi tu refuses d'affronter la réalité. Tu me désirais au point de sangloter. Tu m'as supplié de continuer, même quand j'ai pris conscience que tu étais vierge. Rien que de repenser au procès, j'en étais malade.

Il s'arrêta à un panneau de signalisation, à un carrefour désert, et se tourna vers elle.

— J'ai aggravé mon erreur en m'en allant sans une explication. J'avais honte de moi, tu comprends ? Honte de t'avoir séduite, sans tenir compte du passé. Bon sang, je méritais le fouet !

250

— Ce n'était pas entièrement ta faute. Je... je...

Elle serra sa mallette sur sa poitrine, laissant sa phrase en suspens.

— Tu me voulais, acheva-t-il à sa place. Ce n'est pas un gros mot, tu sais ? Dieu a créé le désir afin de perpétuer les espèces. L'acte sexuel n'est pas quelque chose de laid.

— Ça l'est. C'est laid parce que les femmes se comportent comme des prostituées.

— Les prostituées vendent leurs corps, ma chérie. Il y a une différence. Une énorme différence.

Se penchant, il lui saisit la main et la serra.

— Josie, le fait d'avoir envie de toi ne m'empêchait pas de nourrir de plus nobles sentiments à ton égard... J'avais toujours du mal à me séparer de toi. J'inventais mille excuses pour passer au campus dans l'espoir de te croiser. J'ai commencé à aller à la messe, le dimanche, à seule fin de te rencontrer.

Elle le regarda, les yeux écarquillés.

— Tu ne t'en es pas rendu compte, continua-t-il. Ton père, si. Il s'en inquiétait, bien sûr, compte tenu de ma déposition au procès mais, peu à peu, il a compris qu'entre toi et moi, l'attirance n'était pas que physique.

— Et... elle ne l'était pas ?

Il accentua la pression de ses doigts sur sa main.

— Josie, tu es bourrée de qualités. Tu as un cœur gros comme ça. Tu es généreuse. Tu aimes les gens, et ils viennent vers toi parce qu'ils le sentent à la façon dont tu les regardes, dont tu leur parles. Tu es loyale, tu détestes le mensonge, tu ne refuses jamais un job sous prétexte qu'il est fatigant ou dangereux. Tu es drôle. J'adorais t'accompagner au parc rien que pour te regarder observer les autres. Je n'ai jamais douté que j'éprouvais pour toi plus que du désir.

— Non ?

— Tu le sais déjà. Sauf que tu hésites à me faire confiance. Tu m'accuses de vivre dans le passé, mais tu fais la même chose. Si tu ne surmontes pas ton ressentiment et ta colère, nous n'arriverons jamais à rétablir une relation saine.

Elle remua sur son siège.

— Quelle sorte de relation pourrions-nous entretenir ?

Il lui caressa la paume de son pouce.

— Celle que tu voudras, répondit-il ouvertement. Je veux être ton amant, c'est entendu. Mais je suis prêt à t'offrir tout ce qui te ferait plaisir. Même si ce n'est que de l'amitié.

Elle ne répondit pas. Ses yeux sombres s'étaient radoucis.

— Je ne te mets pas la pression, ajouta-t-il. Je voudrais simplement mieux te connaître.

Elle avala sa salive.

— Comment ? Tu vis à San Antonio et moi à Austin.

— Viens travailler au bureau du procureur, ici. Ils ont besoin de personnes comme toi. Ou alors je postulerai pour un job de Ranger à Victoria, tandis que toi, tu te feras embaucher par le procureur de Jacobsville.

— Une sorte de... d'engagement, en somme ?

— Oui. Un engagement.

Elle poussa un soupir.

— Qu'attends-tu de moi, Marc ?

— Maintenant ou... plus tard ?

— Maintenant.

Il sourit.

— Une amie qui m'accompagnerait au concert, à l'opéra, au ballet. Autrefois, nous partagions la même passion pour la musique.

Elle s'éclaira.

— C'est vrai... J'aimais bien sortir avec toi.

— Et moi, j'aimais bien juste être avec toi.

Il porta sa main à sa bouche et l'embrassa.

— Je te promets de ne rien tenter pour te séduire.

— Je ne sais pas... Il faut que je réfléchisse à la question, répondit-elle après un silence.

Son cœur battait la chamade, et elle le sentait sur le point d'exploser.

Devant son expression, il sourit.

— Prends ton temps.

Il relâcha sa main, puis redémarra. Peu après, ils remontaient l'allée sinueuse de la propriété de Holliman. Marc avait la sensation d'un nouveau départ. Et il espérait que, cette fois, il ne ficherait pas tout par terre.

12.

Quand ils arrivèrent chez M. Holliman, ils trouvèrent le vieil homme assis sous son porche délabré. Il commença par sourire, puis se rembrunit en les voyant s'approcher.

— Il s'est passé quelque chose, n'est-ce pas ? demanda-t-il, les traits tirés par l'inquiétude.

— Oui, répondit Marc. Je suis désolé de vous l'annoncer : votre sœur a été assassinée.

Abasourdi, le vieil homme les considéra un moment sans rien dire.

— Assassinée ? répéta-t-il enfin. Comment ?

— On ne sait pas encore. Son appartement a été fouillé. Le ou les auteurs du crime ont dérobé deux objets dont on ne sait pas encore s'ils sont ceux qu'ils cherchaient. Nous pensons qu'il s'agit d'objets ayant appartenu à Dale. L'enquête le démontrera.

Holliman se laissa retomber pesamment sur sa chaise.

— Où est-elle ? A l'hôpital ?

— A l'Institut médico-légal. Le médecin légiste doit procéder à l'autopsie. Une fois qu'on aura les

255

résultats du labo, votre sœur sera transportée aux pompes funèbres. Vous pouvez téléphoner à Alice Jones, à l'Institut, si vous avez des questions à lui poser.

— D'accord. J'appellerai aussi les pompes funèbres, murmura-t-il, en hochant la tête. Deux enterrements en une semaine... Seigneur... Je suis le dernier survivant de ma famille, ajouta-t-il tristement. Oui, le dernier.

— Pouvons-nous faire quelque chose pour vous, monsieur Holliman ? s'enquit Josie.

— Oui. Attrapez le meurtrier. Et faites-le condamner. Parce que celui qui a tué ma sœur a aussi tué mon neveu.

Ils firent le trajet de retour dans le silence. Une fois à San Antonio, Marc déposa Josie devant les bureaux du procureur, situés dans le palais de justice. Elle sortit de la voiture et se pencha à la vitre.

— J'ai réfléchi. Et si Jennings avait loué un coffre dans une banque ?

Marc opina lentement de la tête.

— C'est possible... Je me renseignerai. Je t'appelle plus tard.

— D'accord.

— Encore quelque chose : si tu te sens mal, fais-toi raccompagner chez moi et appelle-moi. Je n'aime pas te savoir seule ici, avec un assassin qui court les rues.

Il faisait allusion à York. Josie le regarda, un curieux petit sourire aux lèvres. Il avait un côté très protecteur... Elle aurait dû s'en indigner et, pourtant, elle appréciait sa sollicitude.

— Entendu.

Il lui rendit son sourire.

— Et ne va pas tenter l'aventure.

Elle remua son bras en écharpe.

— Sûrement pas tout de suite. A plus tard.

Elle referma la portière et regarda le pick-up s'éloigner. Enfin, elle entra dans le palais de justice. Quelqu'un la présenta à Grier, qui l'invita dans son bureau.

Cash Grier avait trente-huit ans. Grand, la figure émaciée, les yeux noirs, il avait de longs cheveux bruns rassemblés en catogan. Il portait un jean et un T-shirt noirs, sous un informe blouson en denim, et était chaussé de bottes noires. Josie l'observa, secrètement amusée. Ce Ranger repenti ne semblait pas priser les Stetson blancs et les coupes de cheveux conventionnelles, contrairement à ses collègues. Rien à voir avec l'image du détective conservateur auquel elle s'attendait.

Grier exhiba brièvement ses dents d'une éclatante blancheur, dans un sourire de bienvenue. Spécialisé dans l'informatique, il affichait les manières directes du parfait professionnel. Apparemment, il connaissait très bien son affaire.

— C'est bien Sandra Gates qui a organisé le transfert de Jennings dans une prison d'Etat. Et elle a veillé à ce qu'il soit affecté aux travaux d'intérêt général, déclara-t-il sans ambages. J'ai passé au crible toutes ses transactions, tous les contacts qu'elle a eus durant les trois derniers mois, y compris les mouvements de son compte bancaire. Elle touche des honoraires à quatre chiffres pour ses jeux software. Mais elle a déposé cinquante mille dollars à sa banque le jour où Jennings a été tué.

— Génial ! s'exclama Josie. Pouvez-vous le prouver ?

— Oui. En fait, j'ai suffisamment d'indices pour obtenir un mandat de perquisition. Sauf qu'il y a un petit problème.

— Lequel ?

Grier se renversa sur son siège. Ses yeux noirs lancèrent un éclair d'impatience sous l'ombre de ses cils.

— Mlle Gates a pris la poudre d'escampette. Elle a retiré tout son argent de la banque, a appelé un taxi et s'est rendue à l'aéroport. Votre ami Phil Douglas l'a localisée à Buenos Aires. Malheureusement, on ne peut pas la faire extrader.

— Au moins, on sait maintenant qu'elle est bel et bien mêlée à cette affaire.

— Oui, mais ça ne nous autorise pas à la rattacher au meurtre de Jennings, ni à remonter la filière jusqu'à Jake Marsh. J'ai examiné le disque dur de son ordinateur : il n'y a pas de trace informatique qui nous renseigne sur sa façon de procéder, mais elle a bien dû se connecter à Jennings quand il était en prison, et accéder aux ordinateurs pour falsifier son dossier. L'ordinateur de la prison à Floresville a

258

eu, très opportunément, une défaillance, à la suite de quoi bon nombre de prisonniers ont disparu du fichier.

— Tout s'explique.

— Mais ne nous aide pas à avancer. Si je m'écoutais, je prendrais le premier vol pour l'Argentine et je la ramènerais de force.

— Demandez donc au procureur un billet d'avion, suggéra-t-elle d'un ton léger.

— Je l'ai fait. Elle en a touché deux mots au responsable du budget. Il m'a conseillé de faire la manche !

Josie rit.

— Bon, d'accord, oublions cette piste. Il nous reste celle qui relie Jennings à Marsh. Et nous avons toujours York... Du moins nous l'avions, car il s'est volatilisé.

— Ouais, je suis au courant, fit Grier en croisant les jambes. Bavure policière.

— Pas vraiment. L'officier de garde a été assommé. Il souffre d'une commotion cérébrale. Personne ne s'attendrait à voir un homme avec une balle dans le corps circuler dans les couloirs de l'hôpital.

— Moi si, et la prudence n'est pas superflue ! objecta Grier en désignant son bras en écharpe. Votre blessure ne semble pas vous avoir ralentie, en tout cas.

— Exact. Toujours est-il que York est dans la nature et que nous ignorons qui sera la prochaine cible. Néanmoins, ce n'est pas lui qui a tué la mère de Dale. La voisine a vu un homme sortir de chez Mme Jennings. Il portait des richelieux. Or nous savons que Marsh affectionne ce genre de chaussures.

— Oui, ainsi que les costumes à deux mille dollars.

Grier se leva et prit un revolver dans le tiroir de son bureau. Il vérifia le chargeur, mit en place le cran de sûreté, puis l'enfouit dans l'étui fixé à sa ceinture. Il portait un gilet pare-balles, nota-t-elle.

— Un de mes indics fait partie de la pègre, expliqua-t-il. Il est au courant de tout ce qui se passe dans le milieu. J'irais bien lui rendre une petite visite.

— Je peux venir avec vous ?

— Pourquoi ?

— Je connais l'affaire Jennings par cœur, répondit-elle en toute simplicité. Je pourrais lui poser des questions qui ne vous viendraient pas à l'esprit.

Comme il hésitait, elle s'empressa d'ajouter :

— Ne vous inquiétez pas. Je n'ai pas l'intention de lui présenter mes lettres de créance. Je serai discrète... Vous n'avez qu'à me présenter comme une collègue.

Il lui jeta un curieux regard, comme s'il évaluait ses mérites.

— Est-ce que vous allez avertir Brannon ? demanda-t-il.

— Je ne lui adresse pas le rapport détaillé de tous mes faits et gestes. De toute façon, il n'y verra pas d'inconvénient.

— Il a d'étranges opinions à propos des femmes. Je l'ai entendu parler de vous... Il est possessif comme un tigre et a presque aussi mauvais caractère que moi. Désolé, je n'ai pas l'habitude de marcher sur les plates-bandes des copains.

— Peut-être, mais je suppose que vous ne recueillez pas de femmes blessées chez vous, dans votre appartement.

— Je n'amène pas de femmes chez moi, rétorqua-t-il, sans l'ombre d'un sourire. En général, on va à l'hôtel.

Elle retint une réplique bien sentie.

— C'est pour le travail, insista-t-elle. Il n'y a rien de personnel.

Il haussa les épaules, puis s'écarta pour la laisser passer.

Il conduisait une voiture banalisée, munie d'enjoliveurs identiques à ceux des voitures de police. Josie y jeta un coup d'œil amusé avant de s'installer à la place du passager.

— Quelque chose de drôle ? s'enquit-il en se glissant derrière le volant.

— Vos enjoliveurs. Pas difficile de deviner que vous êtes policier.

Il émit un grognement et l'ignora. Le trajet fut court, avant qu'il se gare devant une salle de jeux. Ils descendirent de voiture et se dirigèrent vers le bâtiment.

A l'intérieur, deux hommes avaient engagé une partie de billard, trois autres jouaient aux cartes. Grier traversa la salle, Josie sur ses talons.

— Salut, Bartlett !

Il s'était adressé à l'un des joueurs de billard, le plus âgé et le plus trapu. Ils échangèrent une poignée de main virile.

— Comment ça va ?

— Pas trop mal, Grier.

Bartlett lança un regard à Josie.

— Tu t'amuses à estropier les nanas maintenant ?

— Pas moi qui ai tiré.

Bartlett s'esclaffa. Il avait la voix râpeuse des grands fumeurs. Son rire se mua en quinte de toux, puis il retourna à son jeu. Il visa une boule, qu'il fit tomber dans l'un des trous.

— Joli coup ! le complimenta Josie.

Il la considéra avec curiosité.

— Vous jouez ?

— Un peu. J'ai appris quand j'étais à la fac.

— Je parie que vous auriez du mal à disputer une partie, observa-t-il en pointant le menton vers son bras.

— A moins de manier la queue de billard avec les orteils.

Il pouffa.

— Elle est marrante, déclara-t-il à Grier, tout en visant une autre boule. Qu'est-ce que tu veux ?

— Causer un instant en privé.

— Pas de problème.

Bartlett posa sa queue de billard et, suivi de Grier et de Josie, passa dans la salle adjacente déserte.

— T'es au courant que Marsh est impliqué dans un contrat ?

Le petit homme leva les sourcils.

— Comment tu le sais ?

— Peu importe. Qu'est-ce que tu sais, toi ?

— On dit que Marsh a embauché un type pour éliminer un maître-chanteur. Le boulot terminé, il a découvert que le macchabée n'avait pas sur lui la camelote qui lui servait à le faire chanter. A ce qu'il paraît, Marsh a pété les plombs. Il s'est juré de la trouver, quitte à tirer sur tout ce qui bouge.

— Est-ce qu'il ne l'aurait pas déjà trouvée ?

— J'en sais rien mais je pense pas, répondit Bartlett. Marsh a peur de tomber pour le meurtre de Jennings... Non que ce soit lui qui ait appuyé sur la détente.

— Qui l'a fait ? York ? demanda Grier.

— Possible. York est dans le circuit depuis pas mal d'années. On lui donnerait le bon Dieu sans confession mais il est capable de tout pour du fric. Marsh lui confie tous ses sales boulots.

Grier lui décrivit l'homme qui avait abattu Mme Jennings.

— C'est pas York. Mais ça m'étonnerait que ce soit Marsh. Il est pas du genre à torturer les vieilles dames.

— Il y avait une femme avec lui. Elle portait un chapeau à voilette.

— Marsh a une maîtresse. Moi, je l'ai jamais vue. On dit qu'elle est mariée à un gars plein aux

263

as. D'après les rumeurs, la pépée n'est pas prête à quitter sa poule aux œufs d'or.

— Le chantage, il porte sur quoi ?

Bartlett sourit.

— Minute, papillon ! C'est toi le policier, non ?

Durant le trajet du retour, Josie garda le silence. La présence d'une femme chez Mme Jennings semblait d'autant plus troublante que personne ne semblait croire Marsh assez sadique pour torturer la pauvre vieille dame... Etait-ce sa compagne qui avait exécuté cette basse besogne ?

La situation se compliquait singulièrement. Une femme mariée à un homme fortuné, ayant des liens avec Dale Jennings. Ce dernier détenant la preuve d'un délit. Et au milieu de tout ça, Jake Marsh, le roi de la pègre, un tueur à gages et deux meurtres... Eh bien, ils avaient du pain sur la planche !

— Quelqu'un prend d'énormes risques, tout ça pour mettre le grappin sur une preuve compromettante, commença-t-elle.

— Quelqu'un qui serait proche de Marsh et de Jennings, renchérit Grier.

— Cette femme, la maîtresse de Marsh... est-ce qu'elle n'aurait pas torturé Mme Jennings pour lui extorquer des informations ?

— Ça se pourrait.

— Certaines femmes sont pires que les hommes.

Le visage de Grier se durcit davantage.

— Tout à l'heure, je boirai un verre à votre santé.

Il avait dû vivre une mauvaise expérience, songea-t-elle sans insister.

— Comment peut-on la retrouver ?

— Toute la question est là.

Il se gara dans le parking du palais de justice, au moment où Marc émergeait de son pick-up. Les mains sur les hanches, les yeux plissés, ce dernier les regarda descendre de voiture.

— Où diable étais-tu passée ? gronda-t-il à l'attention de Josie.

Son intonation aurait pu enflammer un fagot de bois humide.

Grier la gratifia d'un coup d'œil, genre « je vous avais prévenue ». Puis, ayant salué Marc d'un signe de tête, il s'éloigna.

— J'ai accompagné Grier qui voulait interroger un de ses contacts, expliqua-t-elle avec un calme qu'elle n'éprouvait pas.

Il la dévisagea. Ses yeux brillaient d'un éclat métallique.

— On en parlera pendant le déjeuner. J'ai faim.

— Ecoute, Marc…

— Tu n'as pas faim ?

— Non, répondit-elle, aussitôt contredite par un gargouillis. Si.

— On peut parler et manger en même temps.

— D'accord.

Il était plus facile de s'incliner que de discuter. Après tout, il fallait bien le mettre au courant de ses découvertes. Le problème, c'est qu'elle n'avait pas très envie de se retrouver en tête à tête avec lui. Il l'intimidait quand il ne souriait pas.

Il parqua son pick-up devant un immeuble cossu. Le parking était presque plein, bien qu'il ne fût pas encore midi.

— Tu manges souvent ici ? s'enquit-elle.

— C'est la cantine des policiers. Il y a toujours du poisson frais au menu, été comme hiver.

Il la conduisit à l'intérieur, où une serveuse les plaça peu après. Josie demanda des additions séparées. Elle commanda le plat du jour et du café. Marc l'imita, remplaçant le café par du thé glacé.

— Très bien. Qu'est-ce que tu as appris ?

Elle lui raconta tout. Les soupçons qui pesaient sur Sandra Gates, son départ précipité, le rôle que la mystérieuse compagne de Jake Marsh avait sans doute joué dans la mort de Mme Jennings.

— Que des généralités, commenta-t-il.

— Je sais. Si au moins nous savions qui est cette femme...

— L'indic de Grier n'en savait pas plus ?

— Il a seulement dit qu'elle était riche.

Il avala une bouchée de poisson.

— C'est Grier qui t'a demandé de l'accompagner ? s'enquit-il. Tu sais, il fréquente des individus dangereux. C'est imprudent de te montrer avec lui.

— Pourquoi ? Grier n'a pas peur d'eux.

266

— Parce qu'il est plus dangereux qu'eux. Tu ne sais pas qui il est.

— Il est l'expert en informatique du procureur, répliqua-t-elle en grignotant une frite.

Il éclata de rire. Repoussant son assiette vide, il s'essuya la bouche avec sa serviette et attrapa son verre de thé glacé.

— Tu trouves ça drôle ? demanda-t-elle, vexée.

Il se pencha en avant, une lueur amusée dans le regard.

— Est-ce qu'il correspond à l'idée que tu te fais d'un expert en informatique ?

Elle compara mentalement Grier à Phil Douglas.

— En fait, non.

— Ne t'attache pas trop à ce type, lui conseilla-t-il, les yeux plissés.

Elle haussa les sourcils.

— Non ? Et pourquoi pas ?

Il se pencha plus encore, de façon que leurs visages se touchent presque.

— Parce que tu es à moi, déclara-t-il d'une voix cassante.

Elle chercha une réponse spirituelle, mais il se leva brusquement et prit les deux tickets. Se levant à son tour, elle fouilla dans son sac à la recherche d'un pourboire.

Tandis qu'elle posait quelques pièces de monnaie dans la soucoupe, Marc se dirigea vers la caisse, où il s'empressa de régler les deux repas.

— Arrête de me nourrir, marmonna-t-elle alors qu'ils repartaient vers le pick-up.

— Je ne peux pas m'en empêcher. Tu es trop maigre.

Le parking était désert. Il la repoussa doucement contre la portière et posa ses mains sur la carrosserie, de part et d'autre de ses épaules.

— Brannon ! protesta-t-elle, le souffle court.

Il la scruta au fond des yeux si longtemps qu'elle sentit son cœur s'emballer, consciente qu'elle ne pouvait pas lui résister. Il devait se rendre compte qu'il la troublait... Son regard ardent se posa sur sa bouche.

— Okay, grommela-t-il. On fera comme tu veux : fleurs, bonbons et chocolats, billets de concert.

— Q...quoi ?

Il posa les lèvres sur les siennes.

— J'aime t'embrasser, Josie. J'ai toujours aimé.

Il était difficile de ne pas succomber à son charme. Surtout quand il jouait la carte de la tendresse. Elle posa les paumes sur son torse, sentant ses pectoraux sous la chemise, et ferma les yeux.

— On va se faire arrêter pour attentat à la pudeur...

— La loi ne condamne pas les amoureux.

Et il l'embrassa avec fougue en réprimant un soupir.

Quand elle rouvrit les paupières, elle comprit qu'il n'avait pas menti. Son expression ne trompait pas, il semblait prendre un immense plaisir à l'embrasser. Et ce n'était pas tout. Elle éprouva une dure pression contre son bas-ventre.

— Marc, il y a une voiture…

Péniblement, il s'arracha à elle et releva la tête. La voiture qui venait d'entrer dans le parking ne comportait qu'un seul occupant. L'expression voluptueuse de Marc se transforma en un rictus railleur, quand il reconnut Grier.

Le policier se gara juste à côté d'eux.

— Elle m'a dit que tu ne verrais pas d'inconvénient si elle venait avec moi. Ha !

Avant qu'ils aient pu répondre, il se dirigea à grandes enjambées vers le restaurant.

— Oh, Brannon…, fit Josie, un rire dans la gorge.

— Tu lui as dit ça ? demanda-t-il.

— Oui. Apparemment, je me trompais.

Il enroula une mèche de cheveux autour de ses doigts.

— Je suis flic depuis un bail et, pourtant, Grier a eu des aventures dont je n'ose pas rêver, déclara-t-il en haussant les épaules. Il déteste les femmes, mais elles le suivent comme les poules suivent le serpent à sonnette. Il les fascine.

Il était jaloux ! Pourquoi ne l'avait-elle jamais remarqué ?

— Je ne suis pas jaloux, répliqua-t-il, comme s'il avait lu dans ses pensées. Simplement je ne crois pas qu'il soit prudent de parcourir la ville avec Grier.

Elle l'étudia un instant : cheveux châtain doré, yeux gris, visage hâlé et taillé à coups de serpe, bouche ciselée... Soudain, ce fut plus fort qu'elle. Elle éclata de rire.

— Je me suis toujours figuré que tu savais que tu étais beau... Mais tu as une mauvaise image de toi.

Il hocha la tête, mal à l'aise.

— L'apparence ne compte pas. C'est l'insigne qui...

— Brannon, même avec un gros nez et les oreilles décollées, tu serais encore séduisant.

Il haussa un sourcil, étonné.

— Vraiment ?

Voilà qui était terriblement touchant, songea-t-elle, attendrie. Avait-il besoin qu'elle le rassure ? Qu'elle lui prouve qu'elle le trouvait attirant ? Impulsivement, elle se hissa sur la pointe des pieds et l'embrassa avec douceur. Il parut surpris, mais répondit tendrement à son baiser.

— Ton seul problème, c'est ton caractère, murmura-t-elle. Auprès de toi, Grier a des allures d'enfant de chœur.

Il sourit.

— Je me calmerai dans quelques années.

— Tu en es sûr ?

— On dit que les enfants aident à arrondir les angles.

— Et tu as beaucoup d'angles à arrondir ?

Il fronça les sourcils. Délibérément il laissa son regard glisser vers le ventre de Josie.

— On en reparlera un de ces jours. En attendant, ça te dirait un concert symphonique, samedi prochain ?

— Marc, nous sommes sur une enquête...

— Et alors ? On interrogera le chef d'orchestre et le premier violon. Ensuite, je ferai un rapport.

— Brannon !

— Même les détectives ont le droit de se détendre. Samedi sera à nous.

Il l'embrassa une dernière fois, ouvrit la portière et l'aida à grimper à la place du passager. Tandis qu'il contournait le véhicule, il aperçut une bande d'adolescents dans un van stationné devant le restaurant. A l'évidence, ils avaient assisté à la scène, car ils arboraient de larges sourires. Sourires qui s'épanouirent quand Marc recoiffa son Stetson et qu'ils remarquèrent ses bottes, son Colt et son insigne.

Se sentant rougir, il s'empressa de monter en voiture.

Josie, qui avait aussi aperçu les jeunes gens, devint écarlate. Marc lui lança un coup d'œil, alors qu'elle bouclait sa ceinture.

— Tu rougis encore. Si c'est pas malheureux à ton âge...

— Ah, oui ? Mais toi aussi, tu rougis, mon cher.

— Je ne rougis jamais !

Il démarra et longea le van. L'une des filles siffla avec enthousiasme à son passage.

Il entendit le rire de Josie, mais se garda bien de se regarder dans le rétroviseur. De toute façon, il ne rougissait pas !

— Rien du côté du coffre-fort ? s'enquit Josie tandis que Marc se garait devant le palais de justice.

— Fausse piste. J'ai passé en revue toutes les banques de la ville qui ne réclament pas de garanties. Rien. Aucune ne dispose d'un coffre au nom de Dale Jennings. A toutes fins utiles, je demanderai aussi aux banques qui exigent des garanties.

Elle réfléchit.

— Suppose… oui, suppose que le coffre soit au nom de la femme ?

— Le problème, c'est qu'on ne la connaît pas. En tout cas, ce n'était pas Sandra Gates.

— Je parie que Grier l'identifiera. Il semble entretenir de bonnes relations avec le milieu.

— Laisse-le faire son job, et ne t'en mêle pas. Je refuse que tu t'exposes au danger.

— Que sais-tu sur lui exactement ?

— Des choses que je ne peux pas répéter.

— Des choses ?

Après une hésitation, il poussa un soupir.

— Le dossier a été classé, déclara-t-il finalement.

Elle le dévisagea. Cela n'avait pas de sens.

— Ecoute, contente-toi de ma parole, reprit-il avec fermeté. Tu as déjà reçu une balle, et ça a été

272

une rude épreuve pour mes nerfs. Je ne veux pas risquer de te perdre une seconde fois.

— Non ? fit-elle distraitement, les yeux rivés sur son visage.

Il toucha la mèche de cheveux qui avait échappé à son chignon.

— Josie, comment te sentirais-tu si j'avais été blessé ?

Elle poussa une exclamation étouffée qui en disait long. Le masque était tombé, et elle le scrutait avec ferveur.

Il tendit la main. Son pouce lui frôla les lèvres.

— Au moins, tu éprouves encore quelque chose pour moi, murmura-t-il d'une voix enrouée.

Elle voulut protester mais, de nouveau, le pouce de Marc lui scella les lèvres.

— Ne me déçois pas, chuchota-t-il.

Une nouvelle fois, il se pencha vers elle, la bouche entrouverte. Et dut se faire violence pour ne pas la broyer dans ses bras...

En relevant la tête, il croisa les yeux noirs de Grier. Celui-ci s'accouda à la fenêtre ouverte, côté passager.

— Elle a dit que tu t'en ficherais si elle m'accompagnait, déclara-t-il pour la deuxième fois, pince-sans-rire.

— Je ne m'en fiche pas, répondit Marc, menaçant.

L'espace d'une seconde, un éclair traversa ses prunelles grises. Grier éclata de rire.

— Calme-toi, Brannon. Je suis expert en informatique maintenant.

Il tourna les talons et s'en fut, les mains dans les poches de son jean.

Josie fronça les sourcils.

— Qu'est-ce qu'il se passe, à la fin ? fit-elle, agacée.

Marc détourna le regard.

— De mauvais souvenirs de l'époque où on travaillait ensemble... Maintenant, va travailler. Mais pas avec Grier.

— Je ne suis pas serveuse !

Il cligna des paupières.

— Pardon ?

— Je ne reçois pas d'ordres.

Elle lui adressa un sourire moqueur, puis descendit de voiture.

Il se pencha vers la porte ouverte où la silhouette mince de Josie se profilait en ombre chinoise.

— Je veux des gosses !

Elle se retourna, bouche bée.

— Et alors ?

— Alors, prends soin de toi et fais ce que je t'ai dit.

Il referma la portière et démarra avant que Josie ait pu exiger des explications sur cette révoltante déclaration.

13

Josie passa l'après-midi à éplucher les dossiers concernant Jake Marsh et à discuter avec les inspecteurs qui l'avaient interrogé. En sortant du palais de justice, elle aperçut le pick-up de Marc. Surprise, elle s'approcha. Il se pencha pour lui ouvrir la portière avant.

— Monte. Je te raccompagne à ton hôtel.

On aurait dit le bon vieux temps, lorsqu'il passait la chercher à l'université ou à la bibliothèque, le samedi. Ravie, elle se hissa dans le véhicule.

— Merci. Mais pourquoi tu es venu ?

Il lui lança un coup d'œil oblique, haussa les épaules. Puis soupira.

— J'ai pensé que Grier te proposerait peut-être de te raccompagner, avoua-t-il à contrecœur.

Cette démonstration de jalousie involontaire lui arracha un petit rire.

— Grier est sorti il y a au moins trois heures. Il n'est pas rentré de l'après-midi.

Marc sourit.

— Mmm, tant mieux.

Il fit démarrer la voiture et se mêla prudemment à la circulation.

— J'ai cherché des informations sur Marsh, expliqua-t-elle, tandis qu'ils roulaient au ralenti. J'ai vu l'un des policiers qui l'avaient interrogé lors du procès de Jennings. Marsh a reconnu qu'il avait souvent utilisé Jennings comme coursier mais qu'il a cessé de l'employer quand celui-ci a commencé à traîner chez Bib Webb.

Marc se renfrogna.

— Il ne traînait pas chez Bib. Il travaillait pour Henry Garner.

— Je te répète simplement ce qu'il a déclaré. C'est dans le rapport que le policier a rédigé après l'interrogatoire.

— Bib arrive ce week-end. On pourra l'interroger lui aussi.

— Excellente idée.

— Est-ce que Jennings t'avait déjà emmenée quelque part, avant la réception des Webb ?

Elle ne répondit pas tout de suite, comme toujours quand la conversation s'engageait sur un terrain glissant.

— Non. Je le voyais au café en face du campus. Il y était tout le temps. Cette année-là, la femme de Bib suivait des cours à l'université. Je l'ai aperçue une fois là-bas.

Il se raidit.

— Silvia ? Elle y allait souvent ?

— Oh, non. Je l'ai vue une fois ou deux. Elle était assise toute seule à une table.

Il plissa le front. Bib ne lui avait jamais dit que sa femme fréquentait l'université. C'était d'autant plus incroyable qu'elle n'avait même pas terminé le lycée.

— A-t-elle parlé à quelqu'un ?

— Je ne m'en souviens pas. D'habitude, j'étais pressée d'aller en classe ou à la bibliothèque, ou encore de rentrer chez moi. J'avalais vite une tasse de café avec un pain aux raisins maison. Dale les appréciait aussi. C'est comme ça qu'on a lié connaissance. Parfois, on discutait de choses et d'autres... J'ai été très étonnée quand il m'a demandé d'aller chez les Webb avec lui, parce qu'on n'était pas vraiment amis.

Marc évita de se rappeler pourquoi elle avait accepté.

— Est-ce qu'il avait le béguin pour toi ? demanda-t-il.

— Pas du tout. Il m'aimait bien, sans plus. Il avait juste besoin d'une cavalière, selon ses propres termes.

Il s'assombrit. Que Jennings ait pu nourrir de sinistres arrière-pensées à propos de cette sortie le dérangeait. Cet homme avait-il projeté d'assassiner Garner, auquel cas Josie aurait dû lui servir d'alibi ?

— Tu te demandes pour quelle raison il m'a invitée, n'est-ce pas ? Je me le suis demandé aussi. D'autant qu'une fois sur place, il n'est pas resté une minute avec moi.

— Où étaient les Webb ?

— Bib dansait avec une jolie petite brune, qui avait l'air assez nerveuse. Quand Silvia est revenue et les a surpris ensemble, j'ai cru qu'elle allait faire une scène.

— Becky, murmura-t-il distraitement. Becky Wilson. Bib l'a prise dans son équipe pour sa campagne sénatoriale. Elle lui est entièrement dévouée. Elle tuerait pour le défendre.

— Elle m'a donné cette impression, oui. Mais je l'ai trouvée sympathique.

— Et Silvia, comment l'as-tu trouvée ?

Elle fit la grimace.

— Assez déplaisante. Quant au reste des invités, je me sentais aussi mal à l'aise parmi eux que du pain rassis sur un étal de chez Fauchon. Il n'y avait pratiquement que des célébrités politiques en vue. D'après Dale, c'était Silvia qui lui avait demandé de venir accompagné, mais elle m'a ignorée toute la soirée. Jusqu'au moment où j'ai avalé un verre de ce maudit punch. Elle m'a alors gentiment proposé de me raccompagner... Il faut dire qu'elle était tout à fait sobre. Contrairement à son mari, se rappela-t-elle en souriant. Chaque fois qu'elle regardait ailleurs, il en profitait pour s'envoyer un verre de punch. Il en a donné un à Becky, qui a eu la sagesse de le poser sans le boire.

Marc garda le silence. Il s'efforçait de se rappeler un détail, quelque chose d'important. C'était là, quelque part, mais il n'arrivait pas à le formuler.

Soudain, le téléphone de la voiture sonna, l'arrachant à ses méditations. Il appuya sur le bouton

du récepteur. La voix d'Alice Jones emplit l'habi-
tacle.

— Brannon, c'est Jones à l'appareil. Je t'appelle de
l'Institut médico-légal. J'ai les résultats de l'autopsie
de Mme Jennings.

— Je t'écoute, déclara-t-il en s'arrêtant à un feu
rouge.

— La mort a été causée par un sévère traumatisme
crânien derrière la tête. Il y a une drôle d'entaille
sur le cuir chevelu.

— De forme ovale ? Comme si le coup provenait
d'un gourdin ?

La jeune femme marqua une pause.

— Maintenant que tu le dis...

— Jones, consulte les rapports d'autopsie de
Henry Garner, il y a deux ans. Vérifie si l'entaille
est identique.

— G-a-r-n-e-r ? épela-t-elle.

— C'est ça. Tiens-moi au courant.

— Entendu. Maintenant, ne va pas imaginer
que je vais t'appeler à tout bout de champ, lança-
t-elle. D'accord, tu n'es pas mal avec ton insigne de
Ranger, mais je te rappelle que nombre de beaux
mecs comme toi attendent leur tour pour entendre
ma voix suave...

Marc raccrocha en riant.

— Il n'y a qu'une seule Alice Jones, déclara
Josie. Elle me manque beaucoup depuis que je
suis partie à Austin.

— Je te coucherai sur mon testament, si tu arrives
à lui trouver un job là-bas.

— Désolée ! J'ai déjà Phil Douglas. Je te laisse Alice.

Marc se concentra sur la circulation.

— Tu sembles bien t'entendre avec le personnel du procureur, ici, remarqua-t-il.

— En général, je m'adapte assez facilement. Mais j'aime Austin.

— Pourquoi ? Parce que je n'y suis pas ?

Elle étreignit la poignée de sa mallette.

— Marc, tu as été absent de San Antonio pendant deux ans.

— Tu sais pourquoi je suis parti, murmura-t-il. Si tu étais plus téméraire, tu me demanderais aussi pourquoi je suis revenu.

— Ça ne me regarde pas.

Surtout ne pas ouvrir la boîte de Pandore...

Sans prévenir, il quitta la rue principale et s'engagea dans la rue pavée qui menait à son appartement.

— Je veux rentrer à l'hôtel ! protesta-t-elle.

— Et moi, je veux qu'on parle.

— On parlera au téléphone.

L'ignorant royalement, il pénétra dans le parking souterrain de son immeuble et se gara dans son box.

— Tu n'en as pas assez de fuir le passé ? demanda-t-il d'une voix grave en se tournant vers elle.

Son regard luisait dans la semi-obscurité du garage.

— Je suis ici pour résoudre un meurtre. Après, je retournerai à Austin, à ma propre vie et à mes...

280

— A ton deux-pièces solitaire, avec la télé pour seule compagnie, coupa-t-il. Métro, boulot, dodo. Quand tu te coucheras la nuit, tu rêveras, mais tu seras toujours seule. Pour tes repas, ce sera plateaux-télé ou plats de chez le traiteur... Quel genre de vie est-ce là ?

— Ton genre, répliqua-t-elle du tac au tac.

Le visage de Marc se crispa.

— Touché...

— Ça ne veut pas dire que tu es malheureux.

— Tu crois ? Je vis pour mon travail. Je n'ai fait que ça durant les quinze dernières années, à part quelques brèves rencontres qu'on ne peut même pas qualifier de flirts. En dehors de ces quelques semaines que j'ai passées avec toi, j'ai vécu comme un moine.

Josie sentit son cœur faire un bond. Elle ne parvint pas à articuler un traître mot.

— Et toi, tu es vierge, enchaîna-t-il avec ténacité. Pourquoi ?

Elle ouvrit la bouche, mais les mots restèrent bloqués au fond de sa gorge.

— Inutile de me resservir tes vieux principes. Tu me voulais à l'époque et tu me veux maintenant.

— Chacun a ses faiblesses, commenta-t-elle, blessée.

Levant les sourcils, il laissa son regard errer sur sa bouche.

— Pourquoi essayer de les surmonter ?

— Je ne veux pas avoir une aventure avec toi.

Il haussa les épaules.

— En matière d'aventures, je ne suis pas très avancé non plus.

— Alors, c'est pire que ce que je pensais, Brannon. Je ne me vends pas sur le marché pour une nuit.

— Moi non plus.

Elle le dévisagea, sans comprendre.

— Tu n'as peut-être pas de problèmes d'abstinence, reprit-il, mais l'idée que quelqu'un d'autre et, qui plus est, un homme, puisse partager tes idéaux ne t'a jamais effleurée ? Tu ne serais pas un peu sexiste ?

— Tu n'arriveras jamais à me faire croire que tu es puceau !

— Je ne le suis pas. Mais je ne suis pas non plus un coureur de jupons. Comme je te l'ai déjà dit, ça fait deux ans que je n'ai pas touché une femme.

De ses yeux inquiets, elle contempla son visage à la recherche de réponses.

— Mais pourquoi ? demanda-t-elle à brûle-pourpoint.

— Pourquoi n'as-tu pas toi-même fini dans le lit d'un autre homme ? Je ne veux personne d'autre, Josie. Et toi non plus, même si ça t'écorcherait les lèvres de l'avouer.

En effet, plutôt mourir que de l'admettre devant lui... La vanité représentait un vice destructeur de la gent masculine, elle le savait. Comme elle savait que Marc deviendrait insupportable si elle entrait dans son jeu.

Eludant la question, elle lança :

— Pourquoi m'as-tu amenée ici ?

— Parce que, en plus du pain de viande, je sais faire les crêpes françaises.

Elle sursauta. C'était la réponse qu'elle attendait le moins.

— Pardon ?

— Tu te souviens, tu voulais toujours aller au même restaurant français ? Tu adorais leurs crêpes. Le restaurant a fermé, mais j'ai retrouvé le chef et je lui ai demandé sa recette.

— Mais... pourquoi ?

— Quelques gâteries, une cuisine exquise, du blues en musique de fond. Et une petite opération chirurgicale...

Rouge comme une pivoine, elle lui donna une tape sur le bras. Il poussa un soupir.

— Très bien. Demain sera un nouveau jour.

Descendant de voiture, il lui ouvrit la portière.

— Laisse tes dossiers ici. Je n'ai pas envie de les consulter pendant le repas.

Il lui prit la main et l'entraîna vers l'ascenseur.

A peine eut-il refermé la porte de son appartement qu'il la plaqua contre le battant. Il lui bloqua le passage et la sonda du regard. Elle se mit à frissonner.

— Bien ! constata-t-il. Je m'aperçois qu'après deux ans de séparation, tu te mets à trembler dès que je m'approche de toi.

Il se rapprocha davantage et serra son grand corps, musclé et puissant, contre elle.

— Je sens ton cœur battre contre ma poitrine, chuchota-t-il.

Il commença à onduler doucement, sensuellement, contre son bassin, puis se figea, transpercé par la flamme de son propre désir. Son pantalon le comprimait douloureusement.

— Brannon ! s'exclama-t-elle, gênée.

Il lui mordilla la lèvre supérieure, les yeux clos, afin de mieux savourer leur baiser.

— Menthe et café, murmura-t-il. Tu as toujours eu un goût rafraîchissant et exitant à la fois.

Il la serra contre lui. Son propre cœur battait à tout rompre tandis que, du genou, il lui écartait les jambes. Elle ne protesta pas. Au contraire. Le souffle court, elle s'était cambrée et ses ongles griffaient aveuglément sa chemise.

— Oui, gémit-il. Touche-moi...

Il guida sa main vers les boutons-pressions. Elle fit le reste. Les boutons sautèrent, et ses doigts s'attaquèrent à la boucle de son ceinturon ornée du blason des Rangers. Glissant les mains sous les pans de sa chemise, elle caressa la toison veloutée de sa poitrine, ses pectoraux, son ventre ferme et plat.

— Oh, oui..., approuva-t-il avec un sourire. Grier a peut-être du charme mais je suis un as de la séduction quand je suis seul avec toi... Ouvre la bouche, Josie.

Il inséra sa langue dans sa bouche, pendant que sa cuisse ondoyait dans une danse serpentine contre son entrejambe. Elle se remit à trembler. Avec un petit gémissement de plaisir, elle lui rendit son baiser, les mains nouées à son cou.

— Attends... attends un peu...

284

Ses doigts s'activèrent, lui ôtant ses vêtements un à un. Peu après, elle sentit l'air frais sur sa peau nue. Trop tard pour faire marche arrière...

Marc baissa les yeux sur les petits seins aux aréoles roses. Doucement, avec une lenteur délibérée, il pinça la pointe dressée entre le pouce et l'index, puis attira Josie contre son torse nu.

— Oh, oui... Oh, mon Dieu...

— Il y avait si longtemps, murmura-t-elle, haletante.

Il lui reprit les lèvres dans un mouvement impétueux.

— Trop longtemps... Viens là, ma chérie... Viens plus près...

Il agrippa ses fesses rondes, l'attirant avidement contre son bas-ventre enflammé de désir. Un éclair de plaisir le traversa, telle une langue de feu, lui arrachant un grognement.

Josie sentit des larmes lui piquer les paupières. Comme Marc happait de ses lèvres un de ses mamelons, elle plongea les doigts dans ses cheveux. Renversant la tête en arrière, elle laissa échapper un cri de volupté.

Il ne pouvait pas lui résister, songea-t-elle obscurément. Elle sentait sa bouche avide et affamée sur ses seins, sur sa gorge, sur son ventre, dans le silence tendu. Des frissons parcouraient son corps mince. Il ne l'avait pas caressée ainsi depuis plus de deux ans, depuis la fameuse nuit où il l'avait tenue toute nue dans ses bras et qu'elle l'avait imploré de ne pas s'arrêter...

Il releva la tête et la regarda dans les yeux.

— Je t'avais déshabillée, chuchota-t-il d'une voix rauque. Tu t'en souviens ? J'avais enlevé tes vêtements, et toi, les miens. J'étais couché sur toi, ma bouche sur la tienne, mes jambes entre les tiennes...

Il se redressa et pressa ses lèvres chaudes contre les siennes avant de poursuivre.

— Alors, tu as crié. J'étais hors d'haleine. Je tremblais. Je voulais tellement te faire l'amour. Mais je n'arrivais pas à te pénétrer... Au début, pendant quelques secondes, je n'ai même pas compris pourquoi. Jusqu'à ce que tu te mettes à sangloter... Ça a été comme une douche glacée.

Elle gémit et enfouit son visage contre sa poitrine.

— Quand je t'ai regardée, tu es devenue toute rouge. J'ai su alors, sans aucun doute, que tu n'avais jamais été avec un homme. J'ai eu si honte que j'en ai perdu l'usage de la parole.

— Oh, pas tant que ça, lui rappela-t-elle d'un ton chagrin. Tu m'as traitée de tous les noms.

— Josie, j'espère qu'au moins une fois dans ton existence, tu as regardé un film X. Tu comprendrais peut-être pourquoi j'étais aussi bouleversé...

— Mais je comprends, fit-elle, rougissante. Enfin, j'essaie.

Il émit un petit rire. Ses mains remontèrent vers son chignon. Il lui retira les épingles, l'une après l'autre, jusqu'à ce que la masse épaisse et dorée de sa chevelure dégringole sur ses épaules.

— Non, tu ne comprends pas. Quant à moi, j'en ai conservé un souvenir trop pénible pour recommencer... Alors, restons-en là. Pour le moment.

Se reculant, il la prit par la taille et la tint à bout de bras devant lui. Le corps secoué par un tressaillement, il prit une profonde inspiration, tandis qu'il combattait ses vieux démons.

— Pardonne-moi, s'excusa-t-il finalement, avec un sourire penaud. Je n'avais pas l'intention de... de perdre la tête une fois de plus.

Elle s'attendait à tout sauf à des excuses, aussi inattendues que ce brusque revirement. Lentement, une certitude s'imposa dans son esprit engourdi : il ne faisait pas semblant. Apparemment, il n'exagérait pas la durée de son régime d'abstinence. Il avait l'air vraiment bouleversé.

Elle le contempla avec une sorte de timide affection, qui le fit sourire. Il aimait sa timidité. Elle semblait si sûre d'elle-même, si réfractaire à la tentation. Mais elle ne l'était pas. Elle était l'esclave de sa passion. Comme lui.

Il se détendit un peu.

— Tu dois penser que c'était toi le plat principal. Détrompe-toi. J'étais sincère quand je t'ai promis des crêpes.

— Je sais.

Le sourire de Josie lui alla droit au cœur. Comme ces grands yeux doux, lumineux, pleins de secrets. Il jeta un ultime regard à ses seins nus, qu'elle s'empressa de recouvrir d'un geste nerveux. Il reboutonna sa chemise, sans le moindre signe de colère, puis coula vers elle un regard espiègle. Elle avait les lèvres gonflées par leurs baisers sauvages, les cheveux ébouriffés. Elle semblait un peu hagarde... Et heureuse.

Peut-être, pensa-t-il en souriant. Oui, peut-être...

Pendant qu'elle préparait une salade verte et une crème brûlée, il fit dorer les crêpes. Il avait enfilé un jean et un T-shirt noir ; elle avait gardé le pantalon de son tailleur et remis son col roulé beige. Ses longs cheveux flottaient dans son dos. Ils cuisinaient côte à côte, dans un silence paisible, comme s'il n'y avait rien de plus naturel.

Peu après, ils s'attablèrent devant un copieux repas. Josie paraissait se régaler.

— Tu es impressionnée, on dirait, observa-t-il avec un large sourire.

— Très !

Elle avait dévoré ses crêpes et lorgnait du coin de l'œil l'assiette de Marc. En riant, il attrapa sa dernière bouchée avec sa fourchette et la lui présenta.

— Je suis flatté.

— C'est délicieux, articula-t-elle, la bouche pleine.

— Quand je pense que si nous vivions ensemble, je te concocterais de bons petits plats tous les jours...

288

Elle s'immobilisa, sa tasse de café en l'air et la bouche arrondie. Il avait l'air sérieux... Son regard gris se planta dans le sien avec fermeté, détermination et quelque chose de plus profond encore.

La sonnerie du téléphone brisa net la tension qui montait. Marc se leva et alla décrocher.

— Allô ?

Un silence suivit, pendant lequel il lança un bref coup d'œil à Josie.

— Maintenant ? fit-il avec impatience. Ça ne peut pas attendre demain ?

Nouveau silence. Il poussa un soupir résigné.

— Puisque c'est si important... Okay. Dans une vingtaine de minutes.

Il raccrocha et contempla un instant l'appareil d'un air absent.

— C'était Bib, déclara-t-il finalement. Il est dans sa propriété de San Antonio et m'a demandé d'aller le voir. Apparemment, un journaliste aurait une nouvelle approche du meurtre de Garner. Il a exposé sa théorie à Becky, et Bib est mort de peur.

— Qu'est-ce qu'il veut exactement ? Que tu arrêtes ce journaliste ?

— Il veut simplement mon avis. Compte tenu de la nature de cette histoire, tu ferais mieux de venir avec moi.

— Pour quelle raison ?

— Parce que, d'après le journaliste, un individu de la pègre aurait découvert un indice accablant contre Bib et s'apprêterait à le faire chanter.

Les yeux de Josie s'allumèrent.

— Enfin ! La preuve, et peut-être le coupable.

— Oui, si la chance nous sourit. Viens.

Ils roulèrent à vitesse modérée jusqu'au manoir des Webb. Pour la énième fois, Josie ne put s'empêcher de penser que, grâce à la mort de Garner, Webb avait hérité d'un véritable empire.

Deux voitures étaient garées devant la demeure. Une petite Volkswagen grise, rangée près d'une Lincoln noire dernier modèle.

— Sa femme est ici ? s'enquit Josie, désignant la petite voiture.

— C'est la voiture de Becky. Silvia conduit une Ferrari.

— Encore un scandale en vue ? demanda-t-elle.

— Bib en a assez de vivre dans le mensonge. Dans l'état où il est actuellement, un scandale concernant ses rapports avec Becky est le cadet de ses soucis.

— Et tu es toujours persuadé qu'il n'a pas été mêlé au meurtre de son associé.

— Sûr et certain, répondit-il avec conviction.

Ayant coupé le moteur, il sortit, contourna le pick-up et ouvrit la portière de Josie. Elle sourit.

— Hmm... En voilà, de bonnes manières !

— Ma mère était très à cheval sur l'éducation, comme la tienne.

Il lui tendit la main pour l'aider à descendre, puis l'entraîna vers la porte d'entrée.

290

A peine eut-il sonné que Bib Webb en personne leur ouvrit. Il tenait une canette de Coca Light à la main et paraissait épuisé. Les boutons de manchette défaits, il ne portait ni veste ni cravate et avait les cheveux ébouriffés, comme s'il y avait passé et repassé ses doigts nerveux. Des cernes mauves auréolaient ses yeux battus. En un mot, il semblait au trente-sixième dessous.

— Entrez...

Il adressa un sourire forcé à Josie.

— C'est gentil à vous d'être venue, mademoiselle Langley, vu les circonstances...

— Et c'est gentil à vous de me recevoir, répondit-elle poliment.

Becky Wilson, au bord des larmes, se tenait au milieu du salon. Elle portait une longue robe imprimée à col blanc. Avec son chignon, ses lunettes rondes et ses chaussures plates, elle incarnait l'antithèse de Silvia Webb.

— Vous connaissez Becky ? avança Bib.

— Oui, répondit Marc. Content de vous revoir, mademoiselle Wilson.

— Sa vie sera ruinée ! s'écria cette dernière, visiblement affolée. Complètement ruinée ! Oh, mon Dieu, qu'allons-nous faire ?

Bib l'interrompit.

— On ne va pas baisser les bras. Examinons d'abord les options qui s'offrent à nous.

— Mais quelles options ?

— Il y a toujours des options, lui fit-il remarquer gentiment. Assieds-toi, Becky.

Elle se laissa tomber dans un fauteuil mais resta penchée en avant, comme si elle s'interdisait de se détendre.

Bib s'assit sur le canapé et invita Marc et Josie à prendre place.

— Qu'est-ce que ce journaliste sait exactement ? s'enquit Marc, entrant dans le vif du sujet.

— Apparemment, il a discuté avec un ami de Marsh. Selon lui, Marsh connaîtrait l'existence d'un registre de comptabilité prouvant que le milieu m'a versé certaines sommes afin de m'aider à acculer mon adversaire à la démission, lors de la campagne pour le poste de vice-gouverneur. L'informateur aurait ajouté que Marsh ne détient pas le registre mais qu'il sait où il se trouve.

— Un registre de comptabilité, ben voyons ! fit Marc en lançant un coup d'œil à Josie, qui paraissait aussi étonnée que lui.

Vu sous cet angle, le puzzle commençait à se remettre en place.

Marc fronça les sourcils.

— C'est vrai, Bib ? Tu as touché des pots-de-vin ?

— Tu me connais depuis des années. Suis-je le genre d'homme à acheter les voix de mes électeurs ?

Marc lui sourit cordialement.

— Non, bien sûr que non.

— En revanche, j'ai licencié un militant de mon équipe, poursuivit Bib. Ça s'est passé il y a deux ans, une semaine avant la réception. L'homme en question était une relation de Marsh et de Dale Jennings. J'ignorais tout du fameux registre, à l'époque. Je savais simplement qu'une bagarre avait opposé Henry Garner à Jennings parce que ce dernier lui avait volé quelque chose. En fait, Henry et moi avons eu des mots à son sujet. Je lui ai reproché de garder Jennings à son service. Henry voulait l'avoir sous la main, jusqu'à ce qu'il lui rende l'objet. Le registre, sans doute... J'étais sûr que Jennings complotait quelque chose et je ne me suis pas privé de le dire à Henry.

Il hocha tristement la tête.

— J'aurais donné n'importe quoi pour effacer notre dispute, même si elle n'était pas vraiment méchante.

— Eh bien, nous savons au moins à quoi nous en tenir à présent. Sais-tu que la mère de Jennings a été assassinée ?

— Quoi ? s'écria Bib. Pauvre femme...

— Elle a été dépossédée de ses biens et expulsée de chez elle. Puis sa maison a brûlé et elle a été torturée à mort pour un renseignement qu'elle n'avait peut-être pas.

Bib enfouit son visage dans ses mains.

— Quelle horreur...

— Un homme et une femme lui ont rendu visite la veille du jour où son corps a été retrouvé, expliqua Josie d'une voix posée. Nous pensons que l'homme est Marsh. Nous avons également identifié le tueur à gages qui a abattu Dale Jennings, ainsi que l'expert en informatique qui a truqué son dossier dans l'ordinateur de la prison.

Bib releva vivement la tête.

— Qui est le tueur ?

— Un certain York, déclara Marc. Il a tiré sur Josie. J'ai riposté et il a été blessé, mais il a réussi à s'échapper de l'hôpital. On ignore encore qui est sa prochaine cible.

Stupéfait, Bib crispa ses mains sur ses genoux.

— Marsh ne perdra pas de temps. Quiconque est au courant du fameux registre est en danger, observa-t-il en faisant tourner son alliance.

Il marqua une pause et se tourna vers Becky.

— Tu es sur la première ligne, avec moi… Et Silvia aussi, ajouta-t-il, apparemment moins inquiet pour sa femme que pour son assistante.

— A propos de Silvia, où est-elle ? s'enquit Marc.

— En train de faire la razzia des boutiques, comme d'habitude. Elle veut se constituer une garde-robe digne de l'épouse d'un sénateur, enchaîna-t-il avec un rire creux. J'ai beau lui répéter que le poste de vice-gouverneur me suffit amplement, elle ne veut rien savoir. Depuis que le sénateur en place a déclaré qu'il allait démissionner avant la fin de son mandat, elle n'a que ça en tête. Bon sang, je suis au gouvernement depuis deux ans seulement ! Je n'ai aucune envie de m'en aller à Washington, poursuivit-il en lançant à Becky un regard affectueux. De toute façon, avec cette histoire de registre, il y a peu de chances que j'y arrive.

294

— Le journaliste m'a promis de ne rien publier… du moins pas avant d'avoir vérifié la source de son information, annonça Becky. Encore heureux qu'il soit venu me voir au lieu d'écrire un article fondé uniquement sur des soupçons. Il n'est pas méchant… D'ailleurs, il a l'air d'apprécier Bib.

— Personne ne m'appréciera plus si un scandale éclate… Je peux dire au revoir au siège de sénateur. C'est drôle, mais cette campagne était l'idée de Sil, pas la mienne. Elle est ambitieuse. Le pouvoir lui donne l'illusion d'être quelqu'un. Elle ne rêve que de côtoyer les grands de ce monde et de porter des vêtements suffisamment coûteux pour exciter la jalousie des autres femmes. Moi, tout ce que je veux, c'est me retirer après mon mandat de vice-gouverneur. Mon rêve le plus cher consiste à expérimenter de nouvelles machines agricoles.

Il regarda Marc en secouant la tête.

— Mais ce n'est pas une raison pour laisser courir des rumeurs. Je n'ai jamais touché le moindre dessous-de-table. Je veux que tu m'aides à le prouver, que ce journaliste publie ou pas son histoire.

— Ça ne sera pas facile.

— A mon avis, tout est lié au meurtre de Dale Jennings. Et je ne peux pas m'empêcher de penser que Jake Marsh tire les ficelles de cet imbroglio.

— Je le pense également. On passe un temps fou sur cette affaire ; l'enquête progresse pas à pas. Si on pouvait mettre la main sur la femme…

Becky parut sur le point de dire quelque chose. Bib la fit taire d'un regard.

Remarquant un petit bol surchargé d'ornements sur la table basse, Josie se leva pour l'examiner de plus près.

— Ce sont des bonbons à la menthe, déclara Bib. Servez-vous. Je ne les aime pas. Becky les fait venir de France.

Elle sentit son cœur faire un bond et jeta un regard éloquent à Marc. Visiblement, il pensait la même chose qu'elle. Des bonbons d'importation, avait dit Mme Jennings. La femme qui voulait récupérer le cahier de Dale aimait les bonbons d'importation...

Marc lui jeta un regard intense, tout en hochant imperceptiblement la tête. Elle saisit le message. Prenant un bonbon, elle le dépiauta, le fourra dans sa bouche et empocha soigneusement l'emballage. Tout en remarquant que Becky gardait les yeux fixés sur son patron.

Etait-ce elle, la complice de Jake Marsh, capable de torturer une vieille dame ? se demanda-t-elle. Mais Becky n'étais pas blonde. Encore qu'elle aurait pu porter une perruque...

— Mmm, délicieux, fit Josie en souriant. Merci.

— Ils sont excellents, n'est-ce pas ? renchérit Becky. Monsieur Brannon, ajouta-t-elle après une profonde inspiration, pensez-vous que Bib soit la prochaine victime sur la liste du tueur ?

— Non, ça ne servirait à rien. Le fameux registre doit contenir une information susceptible d'expédier le tueur en prison jusqu'à la fin des temps, sinon il ne mettrait pas un tel acharnement à le récupérer. Je suis prêt à parier un an de salaire qu'il blanchit Bib tout en incriminant quelqu'un d'autre. Et c'est pourquoi le tueur est tellement pressé de mettre le grappin dessus.

— Si ça se trouve, il s'agit d'un de mes propres employés, murmura Bib d'un air abattu. Une personne suffisamment aux abois pour tuer, rien que pour dissimuler son secret.

Marc avait son idée là-dessus. Mais il ne souffla mot.

— Nous te tiendrons au courant. Mademoiselle Wilson, tâchez de faire patienter le journaliste. Aussi longtemps que possible.

— Mais où est le registre ? s'inquiéta Bib. Qui le détient ? Et qu'est-ce qu'il contient au juste ?

— Nous allons bientôt le savoir, je te le promets.

Bib se leva, le visage morose.

— Tu m'as toujours soutenu. Même quand j'ai été accusé du meurtre de Henry, tu as témoigné en ma faveur.

— Je te connais, dit Marc simplement.

Bib lui tendit la main.

— Tu es le meilleur ami que j'aie jamais eu.

— Je ne t'abandonnerai pas.

— Moi non plus, intervint Becky fermement. Et je me fiche de l'avis de Mme Webb. Elle aurait dû se tenir à ton côté, au lieu d'aller dévaliser les boutiques... Mais elle n'est jamais là. Ni ici, ni à Austin.

— Becky, arrête, lui intima Bib gentiment. Nous savons bien tous les deux que mon sort n'intéresse pas Silvia. Elle n'a que deux passions : le prestige et l'argent.

— Elle ne s'intéresse à personne en dehors d'elle-même, marmonna Becky. Tu aurais dû avoir une ribambelle d'enfants.

— J'aurais bien voulu...

Son sourire tendre la fit rougir.

— On y va, Marc ? intervint Josie, un peu embarrassée.

— Oui. Ne t'inquiète pas, Bib. Et surtout, ne signe rien.

— Je te rappelle que j'ai un diplôme de juriste.

— Je sais, mais les bons conseils n'ont jamais fait de mal à personne.

Bib hocha la tête et les raccompagna à la porte.

— Prenez soin de vous, tous les deux. Il y a déjà deux morts — trois si on compte Henry. Quel que soit le monstre qui a commis ces crimes, il n'hésitera pas à se débarrasser de tout ce qui lui barre le chemin.

— J'en suis sûr, fit Marc, un sourire énigmatique aux lèvres. En fait, je compte là-dessus. Encore une chose, ajouta-t-il après une courte pause : Est-ce que Silvia a suivi des cours à l'université ?

Bib éclata de rire.

— Silvia ? Tu plaisantes ! Elle a quitté le lycée à quatorze ans. Poursuivre son instruction reviendrait à sacrifier une partie du temps qu'elle consacre au shopping.

14.

Une fois dans le pick-up, Josie s'exclama avec excitation :

— Si Silvia n'a jamais pris de cours, que faisait-elle donc sur le campus ?

— Je me pose la même question.

— Et ces bonbons ! poursuivit-elle en extirpant l'emballage de sa poche. D'après Mme Jennings, l'amie de son fils s'empiffrait de bonbons à la menthe et connaissait l'existence de la preuve. Becky commande ces bonbons à l'étranger et, tu l'as dit toi-même, elle tuerait pour protéger Bib.

Marc alluma le moteur.

— Façon de parler. Elle n'irait pas jusqu'au meurtre. Et puis elle n'est pas blonde.

— Les perruques, ça existe.

— Franchement, Josie, peux-tu imaginer Becky infligeant des brûlures de cigarette à une vieille dame ?

— Non, pas vraiment, admit-elle après une hésitation. Mais à l'évidence, elle éprouve un profond attachement pour Bib, qui le lui rend bien. Les amoureux font parfois des choses irrationnelles.

Il soupira.

— Becky est amoureuse de Bib depuis des années. Elle et Silvia s'entendent comme chien et chat. Silvia a tenté à plusieurs reprises de la faire licencier mais Bib a tenu bon. Becky est une source de frictions au sein du couple — une de plus. Silvia est ambitieuse, pas Becky.

— D'accord, mais elle veut des enfants.

Elle revit le chagrin et le ressentiment qui transparaissaient dans ses yeux alors qu'elle couvait Bib du regard.

— Bib aussi en veut. Malheureusement, Silvia ne peut pas en avoir. Elle a fait une mauvaise chute il y a des années qui l'a rendue stérile.

— Tu le crois vraiment ?

— Comment être sûr... En revanche, je sais qu'un coup de feu ne la ferait pas sursauter. Elle est dure comme un roc et manipulatrice. Quand elle veut quelque chose, elle l'obtient, quel qu'en soit le prix.

— Peut-être se trouvait-elle dans ce café dans un but précis. Est-ce qu'elle trompe son mari ?

Ils quittèrent la propriété des Webb et mirent le cap sur l'autoroute.

— Je n'en sais rien. Peut-être.

— J'ai vu une photo de Jake Marsh dans le fichier du procureur, déclara-t-elle. Il est séduisant, bien habillé. On raconte que, pour un caïd de la pègre, il a des manières princières et a amassé une petite

302

fortune. Et si Mme Webb, perpétuellement absente du domicile conjugal, entretenait une liaison à l'insu de son mari ?

Marc s'assombrit. Il n'avait jamais considéré cette éventualité, sachant Silvia très attachée à son statut d'épouse d'homme politique.

— Elle place sa position sociale au-dessus de tout. Risquerait-elle de tout perdre pour une aventure avec un autre homme ? Surtout quelqu'un comme Marsh ?

— Le danger attire certaines femmes comme le miel attire les mouches.

Il lui jeta un regard malicieux.

— Ah, oui ? Allons donc tester cette théorie. Ça te dirait, une petite partie de billard ?

— Oh, non, gémit-elle. Pas encore !

— Tu y es bien allée avec Grier. Tu sais, je suis aussi méchant et aussi qualifié que lui pour soutirer des informations aux gens.

— Je te préfère à lui, répondit-elle distraitement.

— Pourquoi ?

Elle croisa son regard.

— Il ne sait pas faire la cuisine.

Il éclata de rire.

En dépit de l'heure tardive, la salle de billard affichait complet. Ils aperçurent le petit M. Bartlett penché sur l'une des tables, en train de viser une boule d'un air concentré. Ayant réussi un joli coup, il releva la tête et aperçut Marc. Il posa sa queue de billard en levant ostensiblement les bras.

— J'ai jamais dit du mal des Rangers ! déclarat-il. J'ai absolument rien à voir dans l'attentat qui a failli coûter la vie à Judd Dunn, le mois dernier. Et je sais pas qui conduisait la voiture qui l'a renversé.

Josie lança un coup d'œil à Marc. Lui qui dans l'intimité se montrait enjoué, maussade ou moqueur, se révélait ici carrément intimidant. Il se fraya un passage vers Bartlett en jouant des coudes.

— Je sais rien, Brannon ! Je le jure ! répéta Bartlett.

— Je n'ai jamais dit que tu savais, répondit Marc sans cesser d'avancer. Viens, on va faire un tour.

— Pas si tu ne me promets pas devant témoins que je serai capable de marcher, après. J'en ai entendu de belles sur ton compte. Je refuse de te suivre.

— Il ne t'arrivera rien. Aucun Ranger ne se comporte comme un voyou. On a des principes et on les respecte.

— Alors… d'accord.

— Et la partie ? se plaignit un gros type.

— On continuera à mon retour, répliqua Bartlett.

Josie et Marc le suivirent dans une arrière-cour chichement éclairée.

— Bon, qu'est-ce que tu veux ?

— Des informations sur la copine de Marsh.

Bartlett prit une grande inspiration.

— Ecoute, mon vieux, Grier est passé l'autre jour. Il m'a posé la même question…

— Et il a fait chou blanc, acheva Marc à sa place.

Il se campa devant lui, l'œil glacial.

— Maintenant, tu vas me répondre. Tu ne veux pas te trouver mêlé à un meurtre, n'est-ce pas ?

— Non, répondit l'autre, après un silence. J'ai pas envie de payer les pots cassés de Marsh et je me fous de ses menaces… Mais il a des preuves contre moi au sujet d'un…

— Ça ne lui servira à rien s'il est en prison. Allez, parle.

Bartlett soupira.

— Bon, voilà. Marsh est en cheville avec une femme riche. Tous les deux veulent retrouver le registre qui a disparu. Il paraît qu'elle a autant à perdre que lui si jamais ce petit paquet de dynamite échouait entre les mains des flics. Peut-être même plus… D'après ce que je sais, la dame y perdrait toute sa fortune.

— Est-ce que tu l'as déjà vue ?

— Ouais… Une vraie poule de luxe, blonde. Elle et Marsh sont habillés comme des gravures de mode.

Marc coula un regard vers Josie qui ne perdait pas une miette de la conversation. La description ne correspondait pas à Becky. D'un autre côté, peut-être que l'experte en piratage, Sandra Gates, possédait une garde-robe cachée. Non seulement elle était blonde, mais elle possédait une cargaison de bonbons à la menthe dans sa caravane.

— Est-ce que Marsh couche avec la blonde ? s'enquit Marc.

— Je crois, oui, mais j'suis pas dans leur intimité. En tout cas elle est aussi féroce que lui. On dit que c'est elle qui a torturé la petite vieille.

A cette confirmation, Josie sentit ses cheveux se dresser sur sa nuque. Et l'image de Sandra Gates, une femme dure et sans scrupules, lui revint à la mémoire. Elle avait déjà violé la loi en falsifiant le dossier d'un condamné pour meurtre. Peut-être lui était-il aussi facile de torturer une dame âgée si cela avait pu servir ses intérêts. Malheureusement, Mlle Gates était en Argentine, et on ne pouvait pas demander son extradition.

— Avez-vous entendu parler d'une certaine Sandra Gates ? s'enquit-elle à tout hasard.

— Gates ? Ouais. La nana des ordinateurs. Marsh s'en sert pour diverses enquêtes. C'est une dure à cuire…

Encore une pièce du puzzle. Ses liens avec Marsh, les bonbons d'importation dans la caravane, son côté « dure à cuire »…

Bartlett marqua une pause, soudain inquiet.

— Dis, Brannon, t'iras pas raconter à Marsh que j'ai causé, hein ? Parce qu'il m'enverrait York…

— Je ne balance pas mes indics, assura Marc. Encore une question, et on a fini. Quel est le rapport entre Jennings, Marsh et cette femme ?

Bartlett alluma une cigarette ; ses mains tremblaient. Il aspira la fumée, l'exhala par les narines, puis émit une sorte de ricanement.

— Jennings a couché avec la blonde. Il s'est fait photographier avec elle pendant une partie de jambes en l'air. Il paraît qu'elle est devenue livide quand elle l'a su. Son mari aimerait bien la larguer mais elle refuse le divorce. S'il avait vent de ces photos, il aurait plus qu'à appeler son avocat, pas vrai ?

Josie leva les sourcils. Sandra Gates avait-elle un mari ? Ou Becky Wilson ? Une fois de plus, les pièces du puzzle s'éparpillaient.

— Okay, fit Marc. C'est tout ce que je voulais savoir. Merci, Bartlett. A charge de revanche.

— Si Marsh apprend...

Le poing de Marc s'élança si brusquement que Josie ne vit même pas le mouvement. Elle retint un cri. La tête du Bartlett ballotta. Il souffla comme un bœuf et toucha sa mâchoire meurtrie en grimaçant.

— Montre ce bobo à tes copains, déclara Marc en désignant la salle de billard du menton. Et dis-leur que je voulais le nom de l'homme qui a renversé Dunn.

Malgré la douleur, Bartlett sourit.

— Merci, Brannon. T'es réglo. Au fait, est-ce que tu sais, toi, qui a essayé de descendre Dunn ?

— Non, mais lui le sait, malheureusement pour son agresseur. Allez, au revoir. Et merci encore.

— Pas de quoi.

Le petit truand s'empressa de s'éclipser.

— Sandra Gates ! s'écria Josie. Elle est blonde, elle n'hésite pas à enfreindre la loi, elle aime les bonbons d'importation, elle connaît Marsh, et c'était sûrement elle, la mystérieuse amie de Dale. Marsh l'a probablement fait chanter pour qu'elle l'aide à récupérer la preuve que Dale détenait... Ça colle !

— On dirait. Mais si elle a un mari, il est bien caché. D'autre part, elle n'a rien d'une riche épouse... Non, quelque chose ne tourne pas rond.

— Quoi ?

Il fourra les poings dans ses poches.

— Je ne sais pas, avoua-t-il, agacé. Je n'arrive pas à y voir clair. (Il la regarda avec un sourire). Je suis fatigué et toi aussi. Ne le prends pas mal, mais je préfère te reconduire à ton hôtel au lieu de retourner chez moi. Après une bonne nuit de sommeil, nous saurons mieux à quoi nous en tenir.

— Rabat-joie...

Il la scruta longuement.

— La torture est punie par la loi.

Elle ignora le sous-entendu.

— Je te rapporterai tes affaires demain. Si tu as besoin de moi, téléphone-moi.

Elle hésita. En réalité, elle cherchait la meilleure façon de lui annoncer une nouvelle qu'il ignorait encore. Finalement, elle opta pour le silence. Elle lui dirait une autre fois, décida-t-elle.

— Entendu. Si tu as fini de taper sur les gens, on peut y aller.

Remontant dans le pick-up, il la reconduisit à son hôtel.

— Au fait, tu ne portes plus ton écharpe ?

Elle fléchit son bras.

— Non. Ça m'agaçait. Et puis la blessure est cicatrisée maintenant.

— Si jamais tu remarques des rougeurs ou des élancements...

— Je ferai attention. Merci pour les crêpes.

— De rien, répliqua-t-il. Je les adore, moi aussi.

Sa main se referma sur sa nuque.

— Viens là. Embrasse-moi pour me dire bonne nuit...

Sa voix profonde la faisait fondre littéralement. Elle se pencha vers lui en riant.

— Tu veux aussi que je te lise une histoire ?

— Pourquoi pas ? Un bon polar d'Agatha Christie.

— Nous avons deux meurtres sur les bras. Tu n'aurais pas plutôt envie de penser à autre chose ?

Il l'attira vers lui et l'embrassa doucement. Elle entrouvrit les lèvres sur un soupir.

— On prend des mauvaises habitudes, murmurat-il.

— Tu crois ?

Il l'étreignit avec force.

— Tu es sûre que tu veux retourner à Austin ? chuchota-t-il en l'embrassant de nouveau.

Elle sentit une boule de feu la traverser de part en part. La bouche de Marc sur la sienne l'irradiait d'une flamme dévorante, et elle répondit à son baiser de son mieux, consciente de son manque d'expérience.

Il fit glisser ses lèvres le long de son cou.

— San Antonio offre plus de divertissements, souffla-t-il. Un orchestre symphonique, un corps de ballet, une troupe d'opéra...

Du bout des doigts, Josie lui caressa les lèvres. Elle ne savait quoi répondre, quoi dire, quoi penser. Leurs retrouvailles à Austin, quelques jours plus tôt, s'étaient déroulées dans un climat hostile. Alors qu'ici, il la gavait de crêpes et l'embrassait tendrement. La pensée de ne plus le voir après l'enquête la déprimait. Brusquement, la peur l'envahit et, lorsqu'il l'embrassa une nouvelle fois, elle s'accrocha à lui comme s'il allait monter à l'échafaud. Leur baiser devint plus intense, plus ardent. Après qu'il eut fait sauter les boutons de son chemisier, elle sentit sa large main brûlante sur sa peau nue et la douce caresse de sa paume sur les pointes de ses seins... Un sanglot se forma dans sa gorge.

Soudain, un bruit de moteur déchira la nuit. Une voiture approchait. Marc sursauta. D'un air hagard, il retira sa main, puis reboutonna son chemisier à la hâte.

— Et merde, lâcha-t-elle d'un ton plaintif qui arracha un rire à son compagnon.

— Ce n'est pas plus mal, finalement.

Elle déglutit.

— En fait... eh bien... tu pourrais monter avec moi, bredouilla-t-elle d'une voix étranglée.

Il secoua la tête, visiblement désolé.

— A quoi bon...

— Je l'ai fait il y a deux ans, déclara-t-elle alors, à brûle-pourpoint.

— Tu as fait quoi ?

Elle s'éclaircit la gorge, les yeux baissés sur la poitrine de Marc. Les battements de son cœur étaient visibles à travers sa chemise.

— Ce... cette petite opération mineure...

Il demeura figé, comme pétrifié. Son esprit ne fonctionnait plus. Il se contenta de la contempler tout en s'efforçant de reprendre ses esprits.

— Il y a deux ans ? répéta-t-il à mi-voix.

Elle hocha la tête. Ses doigts effleurèrent l'étoile des Rangers.

— Je... je croyais que tu m'avais quittée parce que je ne pouvais pas faire l'amour. Alors, j'ai consulté un gynécologue. Et j'ai subi l'intervention. Mais tu n'es pas revenu. Tu ne m'as pas écrit, ni appelée. Je suis allée chez les Webb dans l'espoir de t'y trouver pour te le dire, mais...

Sa voix se brisa.

— Oh, ma chérie, murmura-t-il en l'entourant de ses bras. Ma chérie, je suis désolé... J'avais trop honte pour revenir.

Le visage enfoui dans son cou chaud et parfumé, il lui passa tendrement les mains dans le dos.

— J'étais déjà traumatisé par l'erreur de jugement que j'avais eue à ton égard il y a des années de cela. En comprenant que tu étais innocente, j'avais subi un choc... Cette culpabilité-là est restée au fond de moi, même quand j'ai réussi à renouer des liens avec toi. Et pendant le procès de Jennings, tu m'as regardé avec une telle haine... C'est pour ça que je suis parti et que j'ai essayé de tout oublier. Il me semblait que tu ne me pardonnerais jamais de t'avoir soupçonnée de mentir, autrefois, et que le moindre conflit viendrait réveiller ce ressentiment.

— J'étais jeune et naïve à quinze ans. Ce qui n'est plus le cas aujourd'hui. Je sais faire la part des choses. Tu ne savais pas la vérité, Marc. Et je ne t'en veux pas. Tu es simplement humain.

Il la serra plus fort.

— Je n'aurais jamais dû te quitter, murmura-t-il en cherchant ses lèvres. Non, pas de toute cette vie...

Elle réprima un sourire. Enfin, il se laissait aller à sa passion. Pour la première fois, il ne songeait plus à se contrôler. Il la désirait avec une telle force qu'il ne parvenait plus à se contenir. Peut-être n'était-ce pas exactement ce qu'elle voulait, mais cela valait mille fois mieux qu'une petite vie triste sans lui.

Comme il cessait de l'embrasser, elle en profita pour lui susurrer au creux de l'oreille :

— Tu peux monter avec moi.

Sans le moindre bégaiement. Depuis leur interlude amoureux à l'appartement, ses sens étaient en feu.

Il ne répondit pas. Ses mains voyageaient le long de sa colonne vertébrale. Il semblait savourer la douce sensation de son corps contre lui, la faible senteur de roses qui émanait d'elle.

— Non.

Elle le dévisagea, bouche bée. Elle s'était attendue à tout sauf à un refus.

— Mais… pourquoi ?

— Parce que je ne veux pas réduire ce que j'éprouve pour toi à une demi-heure dans un lit.

Elle sentit son cœur s'envoler. Elle avait été si sûre qu'il sauterait sur l'occasion… Se reculant, elle essaya de distinguer son visage dans la pénombre.

Il lui prit la main et lui effleura la paume d'un baiser.

— Et toi non plus, j'en suis sûr, acheva-t-il avec conviction. Josie, si je ne voulais que passer un bon moment avec toi, je n'aurais pas appris à faire des crêpes.

Il grimaça un sourire.

— Tu ne peux pas imaginer ce que j'ai ressenti en te revoyant à Austin, dans l'ascenseur. De ma vie je n'ai eu autant de mal à feindre l'indifférence.

— Et moi qui croyais que tu me détestais…

— Je me détestais moi-même. Et d'une certaine manière, je me déteste encore.

Il lui embrassa les paupières, caressant du bout de la langue ses longs cils recourbés.

— Te savoir dans le même bureau que Grier est un supplice.

— Pourquoi ?

— Tu es son genre de femme, avoua-t-il en admirant ses traits délicats. Tu dégages une sorte de tendresse très rare.

Elle pressa ses doigts fins contre ses lèvres.

— Toi aussi, murmura-t-elle.

Prenant une profonde inspiration, il referma doucement la main autour du bandage qui enserrait son bras blessé.

— J'aimerais beaucoup prendre soin de toi.

— D'habitude, je m'occupe de moi toute seule, observa-t-elle avec un sourire. Mais puisque tu as l'intention de prendre soin de moi, je pourrais te rendre la pareille.

Il retint son souffle tout en étudiant avidement le petit visage levé vers lui. Un flot d'images le submergea — tous les deux se réveillant ensemble le matin, s'endormant ensemble le soir, chevauchant dans les plaines, nourrissant les bêtes, partageant les corvées... Il aurait enfin un être tout à lui. Quelqu'un avec qui il vivrait les bons et les mauvais moments, quelqu'un qui lui serait un réconfort. Et qu'il réconforterait à son tour... Sans compter qu'il l'aurait toutes les nuits dans ses bras. A cette idée, un frisson délicieux le parcourut.

— Des pensées profondes ? s'enquit-elle.

— Très profondes... Tiens, où sont tes lunettes ?

— Je te vois, tu sais.

— Moi peut-être, mais pas les autres, corrigea-t-il. Mets-les, sinon tu ne pourras pas te protéger. Et n'essaie pas de me convaincre que tu portes des lentilles, l'interrompit-il lorsqu'elle se mit à protester.

Elle soupira.

— D'accord, je les porterai. Je ne m'aime pas avec des lunettes, c'est tout.

— Moi, si. Les verres font paraître tes yeux encore plus grands. Et bien plus sensuels, si tu veux la vérité.

— Demain, j'irai en acheter trois paires, promit-elle.

Il lui effleura le bout du nez.

— Ferme ta porte à clé.

— Pourquoi ? Aurais-tu l'intention de m'enlever ?

— Ne me donne pas de telles idées ! Je te rappelle que je suis toujours dans un état d'excitation avancé.

Une lueur coquine traversa ses prunelles marron.

— Tiens, tiens, fit-elle en se rapprochant.

Il l'arrêta net.

— Le pick-up se mettra à bouger. Les gens le remarqueront et avertiront la police. Qui enverra Grier sur place. Tu n'as pas idée de ce qu'il est capable de faire. Du genre appeler la télé sur les lieux pour nous traîner dans la boue...

Elle éclata de rire.

— Bon, d'accord, j'abandonne. Tu as un langage très imagé.

— Je suis un Ranger. Les descriptions imagées font partie de mon job.

— Message reçu, cinq sur cinq.

Il l'embrassa une dernière fois.

— N'oublie pas de t'enfermer à double tour.

— N'aie pas peur, le rassura-t-elle en poussant la portière. Mais j'aimerais te savoir en sécurité aussi. (Elle lança un coup d'œil inquiet alentour.) Ces gens qui t'ont attaqué... s'ils revenaient ?

— Tu vois ça ? fit-il, la main sur la crosse de son Colt .45.

Elle leva les bras.

— Fais attention quand même. Tu vois ça ? répéta-t-elle en posant la main sur son cœur. Il cesserait de battre s'il t'arrivait quelque chose.

Il lui dédia un tendre sourire.

— Je m'en doutais déjà, mais ça fait du bien de te l'entendre dire. Entendu, j'éviterai les balles. Bonne nuit, mon amour.

— Bonne nuit, Marc.

Elle descendit de voiture, lui souffla un baiser, puis disparut dans l'hôtel. Dissimulée derrière la porte vitrée, elle regarda le pick-up s'éloigner jusqu'à ce que ses feux arrière disparaissent. Alors seulement, elle se décida à monter dans sa chambre, seule. Un véritable supplice...

A peine eut-elle franchi le seuil que le téléphone sonna. Elle décrocha.

— Mademoiselle Langley ?

— Oui ?

— Ici Holliman. J'ai réfléchi à cet objet que mon neveu aurait caché quelque part. J'ai peut-être une idée. Pourriez-vous venir demain matin, avec le Ranger ? Je ne veux pas vous en parler au téléphone. L'appareil fait des bruits bizarres depuis quelque temps.

— Oui, bien sûr. A demain matin, monsieur Holliman.

Des bruits bizarres... Sans doute Marsh ou l'un de ses sbires avaient-ils mis la ligne sur écoute.

Finalement, songea-t-elle, ils commençaient à disposer d'assez d'éléments pour résoudre l'affaire. Le responsable de la mort de Mme Jennings irait pourrir dans un quartier de haute sécurité, sans espoir d'être un jour transféré frauduleusement dans une prison d'Etat...

Elle dormit par à-coups, trop excitée pour goûter à un repos bien mérité. Mais si elle avait caressé l'espoir d'une grasse matinée, elle fut déçue. La sonnerie du téléphone la tira de sa somnolence. Il était 5 heures du matin.

— Allô ? marmonna-t-elle en décrochant.

— Ici le bureau du procureur de San Antonio, dit une voix de baryton. Nous voudrions connaître vos plans pour aujourd'hui.

Elle s'assit, complètement réveillée.

— Pourquoi ?

Un silence.

— Afin d'éviter les doubles emplois. Nous avons une piste dans l'affaire Jennings.

Elle faillit — faillit seulement — vendre la mèche. Mais quelque chose l'intriguait. D'abord, elle n'avait pas reconnu la voix de son correspondant, alors qu'elle avait rencontré presque tous les collaborateurs du procureur. Ensuite, ils n'avaient aucun besoin de connaître ses projets ; ils ne travaillaient pas de cette façon.

— Eh bien, commença-t-elle en simulant un bâillement. Primo, je vais dormir jusqu'à 8 h 30. Secundo, Brannon m'a demandé d'aller chercher un témoin pour l'interroger dans vos bureaux.

Un autre silence.

— Quel témoin ?

— Une relation du caïd local. Je vous en dirai plus au bureau, demain.

A ces mots, son interlocuteur raccrocha.

Etrange, songea-t-elle. Quel besoin avait-on de lui téléphoner pour connaître son emploi du temps si Holliman était effectivement sur écoute ? Peut-être le vieil homme s'était-il trompé, tout simplement.

Aussitôt, elle composa le numéro de Marc.

— Bon sang, il est 5 heures du matin ! explosa-t-il en décrochant, sans même demander qui l'appelait. Si c'est toi, Grier, prépare-toi à être transformé en cible au stand de tir !

— Ce n'est pas Grier, répondit-elle d'une voix douce. Bonjour.

Elle l'entendit déglutir.

— Josie ? Que se passe-t-il. Tu vas bien ?

Son inquiétude lui fit chaud au cœur.

— Très bien. Je viens d'avoir un curieux appel. Quelqu'un qui prétendait faire partie de l'équipe du procureur. Et qui voulait connaître mon emploi du temps. J'ai l'impression que nous avons écrasé des orteils trop sensibles. Ça ne m'étonnerait pas qu'on soit suivis.

— Mmm, moi non plus. Tu veux jouer à « suivez le chef » ?

— Volontiers, si tu me nourris d'abord. Je meurs de faim. Et j'ai besoin d'un bon café.

— Moi aussi, répondit-il, un sourire dans la voix. Il y a une boulangerie qui vend des beignets près de chez moi. J'y cours et je passe te chercher dans dix minutes.

Il raccrocha avant qu'elle puisse lui expliquer qu'il lui fallait au moins vingt minutes pour se préparer.

Il arriva exactement dix minutes plus tard. Ses yeux gris acier la détaillèrent, non sans admiration. Elle portait un ensemble couleur pêche sur un chemiser crème qui laissait entrevoir la naissance de ses seins, et avait relâché ses cheveux. De toute façon, il lui avait subtilisé toutes ses épingles.

— Tu es… magnifique, déclara-t-il. Et je suis ravi que nous ne prenions pas le petit déjeuner avec Grier.

— Ça m'arrive tout le temps, répondit-elle, pince-sans-rire.

— Quoi ?

— Les hommes qui rendent hommage à mon élégance.

Il éclata de rire.

— Tu m'as manqué.

— Tant mieux.

Il la contempla, le regard ardent.

— Tu ne rentreras pas à Austin après l'enquête, décréta-t-il brusquement.

— Marc, j'ai un travail, là-bas.

— Tu peux en trouver un ici. Nous ferons la cuisine à tour de rôle, de même que le ménage et la lessive. Les week-ends, nous irons au cinéma, à condition que le mois compte cinq semaines.

Il soupira.

— En hiver, l'argent est rare, surtout à cause des notes de chauffage, expliqua-t-il avant de lui adresser un sourire malicieux. Mais, bien sûr, on peut faire des économies de chauffage en dormant ensemble.

15.

— En dormant ensemble ? répéta-t-elle d'une voix rêveuse.

— Oh, ce serait complètement platonique. Toi en chemise de nuit et robe de chambre, moi en gros pyjama de flanelle. Avec, naturellement, la promesse solennelle de renoncer aux galipettes. On peut vivre ensemble et être bons amis, tu sais. Parole de scout !

Josie, qui avait commencé par le regarder comme si elle doutait de sa santé mentale, finit par éclater de rire.

— C'est toi qui recules, maintenant ?

— Pas du tout, répliqua-t-il. Je veux que tu sois sûre et certaine que je n'en veux pas qu'à ton physique. Et je n'ai pas dit mon dernier mot, poursuivit-il. Tu devras me passer sur le corps si tu veux retourner à Austin. Je t'enlèverai sur mon beau cheval blanc et te garderai prisonnière au ranch jusqu'à ce que tu changes d'avis.

Un message radio mit fin au badinage.

Marc et Josie s'arrêtèrent dans un café pour prendre le petit déjeuner. Pendant qu'ils se restauraient, Marc reçut un coup de fil sur son portable. M. Holliman avait appelé au bureau ; il voulait s'assurer qu'ils lui rendraient bien visite. C'était urgent, avait-il précisé.

Ils quittèrent précipitamment leur table sans finir leur seconde tasse de café.

Le pick-up roulait rapidement en direction de la propriété de Holliman. En moins de vingt minutes, le toit de la maison leur apparut. Personne ne les avait suivis. A toutes fins utiles, Marc avait souvent pilé, prenant des virages inattendus afin d'emprunter ensuite un chemin détourné. Mais aucun véhicule suspect n'était apparu dans son rétroviseur.

— C'est drôle, commenta-t-il tout en remontant l'allée qui menait à la ferme. Normalement, on devrait être surveillés.

Il tira son Colt de son étui, vérifia le chargeur, puis le remit à sa place.

— Josie, quand tu sortiras, marche derrière moi. Dirige-toi droit vers la maison. Il est possible qu'on nous ait tendu une embuscade. Ces gens sont aux abois.

— Compris, dit-elle sans discuter.

Elle savait que, quoi qu'il arrive, il conserverait son sang-froid. Elle avait déjà eu l'occasion de le voir en pleine action et lui faisait confiance même si, parfois, il avait tendance à s'exposer inutilement au danger.

Descendant de voiture, ils avancèrent vers la maison. Holliman sortit sur le perron, armé de son vieux fusil. Visiblement, il avait passé une nuit blanche. Il jeta un regard anxieux alentour, puis leur fit signe d'entrer. A peine furent-ils à l'intérieur qu'il referma la porte et la verrouilla à double tour. Ensuite, il s'adossa au battant, l'air d'avoir échappé à une mort certaine.

— Je ne pensais pas qu'un jour je me mettrais à table, avoua-t-il. J'espérais qu'ils finiraient par oublier cette preuve que Dale a conservée. Mais ils n'abandonneront pas, n'est-ce pas ?

— Non. Trop de gens sont déjà morts parce qu'ils avaient gardé le silence. Si vous savez quelque chose, il faut nous le dire, monsieur Holliman. Parce que, sinon, vous serez probablement la prochaine victime.

— Je n'aurais jamais imaginé qu'ils pourraient torturer ma sœur. J'ai défendu la loi pendant près d'un quart de siècle, et jamais je n'ai rencontré un truand assez tordu pour martyriser une vieille femme handicapée... J'ai essayé de protéger ma sœur ; j'ai voulu lui épargner une souffrance pire que celle qu'elle avait déjà endurée en enterrant son fils. Je me suis trompé.

Il prit une profonde inspiration et poursuivit :

— Dale avait en sa possession un registre de comptabilité. Mais je crois que vous le savez déjà, ajouta-t-il en les observant.

— Nous savons qu'il s'agit d'un registre, confirma Josie. Mais nous ignorons où il se trouve actuellement.

Le vieil homme hocha la tête.

— Dedans se trouve la preuve que l'un des collaborateurs du vice-gouverneur a payé grassement Jake Marsh pour obtenir plus de voix. D'après Dale, ils détiennent également des informations sur la femme de Webb. De quoi lui soutirer un joli paquet de fric. Il y aurait plus d'un million de dollars à la clé.

— Silvia Webb, grommela Marc en lançant un coup d'œil à Josie. C'était donc elle, l'objet du chantage.

— J'ignore ce qu'ils savent sur elle. Le registre contient des versements faits à Marsh. De grosses sommes. Il mentionne également qu'au moins deux personnes de l'entourage de Webb ont fait en sorte que son concurrent perde la partie. Il paraît qu'ils ont déterré un vieux scandale concernant sa famille. Et comme il s'agissait de sa propre mère, le malheureux s'est retiré de la campagne. Webb a gagné par défaut. Le registre contient la preuve de ce qui s'est réellement passé.

— L'homme que Webb a licencié...

— Bib l'a viré parce qu'il n'était pas net. Il n'a jamais trempé dans ses combines, enchaîna Marc.

Son regard dériva vers le vieil homme.

— Vous auriez dû nous en parler, monsieur Holliman.

— Oui, peut-être… Le problème, c'est que je ne sais toujours pas où se trouve le registre. Dale m'a raconté ce qu'il contenait mais sans préciser où il l'avait caché. Même après son arrestation, il n'a rien voulu me dire. Il pensait qu'il pourrait se constituer une retraite pour ses vieux jours et aider sa mère grâce à cette preuve. Il s'en fichait d'aller en prison parce qu'il connaissait des gens qui l'aideraient à sortir. Eh bien, ils l'ont fait, mais pas comme il s'y attendait.

— A-t-il jamais mentionné une certaine Mlle Gates ?

— Non. Il n'évoquait que cette Mme Webb. Il prenait un drôle d'air quand il parlait d'elle.

— C'est-à-dire ?

— Je ne sais pas… Supérieur. On aurait dit qu'il la tenait sous…

Une détonation déchira l'air, et les carreaux de la fenêtre volèrent en éclats. Etouffant un juron, Marc dégaina à la vitesse de l'éclair. D'un geste brusque, il écarta Josie de la fenêtre, avant d'attirer Holliman loin de la porte.

— Tout le monde par terre ! ordonna-t-il en s'accroupissant.

Du bout de son arme, il écarta les rideaux fanés, de manière à jeter un coup d'œil à l'extérieur. Personne.

— Je vise encore pas mal, chuchota Holliman en empoignant son fusil. Où dois-je me mettre ?

— Surveillez la porte. Empêchez-les de s'emparer de ma coéquipière.

325

— Ils n'auront pas le temps.

— Où vas-tu ? lança Josie en le voyant se diriger vers la sortie.

— Faire un petit tour. Reste par terre.

Il sortit à pas feutrés, son Colt à la main. Au bout d'un moment, il s'immobilisa, l'oreille aux aguets. De longues années d'expérience et d'entraînement lui avaient appris à localiser ses adversaires. Ici, dans le silence environnant, ce serait un jeu d'enfant.

Il entendit un bruissement de feuillages suspect, suivi d'un craquement de brindille. Apparemment, le coupable ignorait les lois de la nature. Dans les bois ou la campagne, la première chose qui trahit la présence de l'homme est une sorte de vibration rythmique.

Puis une odeur vint lui chatouiller les narines. Un parfum de femme. Autre point important à ne pas négliger lors d'une traque : les odeurs. Charriées par le vent, elles peuvent voyager à des distances incroyables.

Marc battit en retraite vers l'étable, attentif à déguiser le bruit de ses pas. Il plongea derrière un fagot de paille qui servait à nourrir la vache de Holliman. Croyant l'heure du repas arrivée, la bête poussa un beuglement plein d'espoir.

Des pas précipités se firent entendre dans la cour. Et le parfum s'intensifia. Une seconde plus tard, Silvia Webb surgissait dans l'étable en brandissant un pistolet incrusté de perles. Elle portait des gants, un pantalon et une chemise à manches longues noirs. Sur sa tête, un bonnet de la même couleur dissimulait ses cheveux blonds. N'importe qui aurait eu du mal à la reconnaître. Pas Marc. Il connaissait sa silhouette. Et son parfum.

— Sortez ! hurla-t-elle, le pistolet levé, les yeux fous. Sortez immédiatement !

Il rengaina son arme. Tournant la tête, il avisa une petite motte de terre accrochée à la paille. Il la cueillit et attendit en comptant calmement jusqu'à vingt. Tout d'un coup, il lança la motte de terre en un arc de cercle. Elle tomba juste derrière Silvia avec un bruit mou. La jeune femme se retourna en sursautant.

Marc jaillit. Elle n'avait pas l'ombre d'une chance de s'en sortir. A l'université où il jouait dans l'équipe de football américain, il excellait au plaquage.

Il s'élança sur elle et la plaqua contre terre. Elle s'affala pesamment sous son poids, en soufflant. Le pistolet lui échappa des mains. Marc roula par terre, attrapa l'arme et se redressa avec une grâce féline. Le temps que Silvia reprenne son souffle, il pointait le petit pistolet automatique sur sa poitrine.

La respiration saccadée, elle déglutit avec difficulté et finit par se relever non sans peine.

Marc la toisa de ses yeux gris acier.

— C'était donc vous depuis le début... Avez-vous tué Garner de vos propres mains ou avez-vous confié la sale besogne à Jennings ?

Elle cligna des yeux.

— Mais de quoi parlez-vous ? lança-t-elle, hautaine.

— Arrêtez, Silvia. Vous ne vous en tirerez pas, cette fois.

Elle lui adressa un sourire glacial.

— Mes empreintes ne sont pas sur cette arme. Vous ne pourrez rien prouver.

— Je le pourrai si je mets la main sur le paquet que Jennings a laissé ici, répliqua-t-il, un rictus moqueur sur les lèvres.

Elle se figea.

— Qu'est-ce qui vous fait croire qu'il se trouve ici ?

— Vous. Pourquoi seriez-vous venue, s'il n'était pas là ?

Elle hésita. Otant son bonnet, elle secoua la tête.

— Ecoutez, Marc, commença-t-elle, nous sommes tous les deux du même bord. Vous ne voudriez pas que votre meilleur ami aille en prison, n'est-ce pas ?

— Il n'ira pas.

— Il ira si la police trouve le registre. Réfléchissez, Marc, personne ne m'a vue. Laissez-moi trouver le registre et repartir. Vous direz qu'il n'est nulle part. Personne ne le saura.

— Si, moi.

— Si ce cahier tombe entre de mauvaises mains, Bib passera pour un criminel de la pire espèce. Il perdra son job. Et sa liberté.

— Bib a licencié l'homme que vous aviez embauché à seule fin de torpiller son adversaire pendant la campagne électorale, Silvia. Je sais de

328

qui il s'agit. Et je le retrouverai. En lui chatouillant un peu les côtes, je ne doute pas qu'il crachera le morceau.

Apparemment, c'était là une éventualité qu'elle n'avait pas envisagée. Ses mâchoires se crispèrent et, l'espace d'un instant, elle parut perdre de son assurance. Ce qui ne dura pas longtemps.

— Et alors ? répliqua-t-elle. S'il parle, c'est Bib qui en pâtira, pas moi.

— Au moins deux témoins oculaires vous ont vue entrer chez Mme Jennings en compagnie de Jake Marsh.

Il prêchait le faux pour savoir le vrai.

Elle se raidit.

— Mensonges ! Ils ne peuvent pas m'identifier. Je portais un chapeau à voilette.

— Vraiment ?

Les poings serrés, elle lui décocha un regard meurtrier.

— Je te ferai tuer aussi ! hurla-t-elle, le visage haineux. Toi, ta copine Langley et ce vieillard stupide ! Vous mourrez tous ! Je dirai à Jake de vous attacher et je vous travaillerai au couteau. Oh, je suis bonne au couteau ! J'ai regardé mon père trancher la main de mon frère avec une hache, quand j'étais petite. Mon frère était méchant. Et mon père a menacé de me couper la main aussi si je ne lui obéissais pas.

Une lueur de démence dansait dans ses yeux vides.

Marc respira profondément. Il n'avait nulle envie d'entendre ses confidences. Il ne manquait plus qu'il ait pitié d'elle, après tout ce qu'elle avait fait.

— On dit que la douleur endurcit, poursuivit-elle, secouée par un rire convulsif, seule dans son univers délirant. Il m'a montré comment utiliser un couteau. J'aimais ça. Il disait qu'on se ressemblait. Que j'étais comme lui. Forte. Pas une lavette, comme mon frère. Il disait aussi que j'étais jolie et que les hommes paieraient cher pour m'avoir. Il m'emmenait en ville et je les séduisais... Je l'ai tué, vous savez. J'ai tué mon père. J'avais déjà raconté à Bib que j'étais enceinte pour qu'il m'épouse. Il travaillait pour Garner, et Garner avait des millions. Mon père me disait que nous serions tous riches comme Crésus, mais il exigeait la part du lion. Alors, je l'ai poussé dans le vieux puits de notre maison. La police l'a cherché pendant des jours. J'ai prétendu qu'il était parti chez un cousin. Et quand on l'a retrouvé, j'ai pleuré, pleuré, tant et si bien que les gens ont eu pitié de moi. Ils n'y ont vu que du feu.

Un nouveau rire la secoua.

— Il aurait été fier de sa fille, hein, Marc ? Il m'a tout appris. Bib ne sait pas où je suis. Je lui ai raconté que j'allais faire du shopping et il m'a crue. Il me croit toujours.

Elle marqua une pause, les sourcils froncés.

— Jake me répète souvent que je ne sais pas ce que je fais. Mais je sais très bien. J'ai tué le vieux Garner parce qu'il savait que Dale avait volé le registre. Je l'ai frappé avec un gourdin, puis je l'ai mis dans la voiture de Dale. J'avais eu une aventure avec Dale. Il fallait que je m'en débarrasse, avant que Bib l'apprenne et demande le divorce. Dale voulait bien croupir dans une cellule, du moment qu'il était payé. J'ai retiré certaines sommes sur le compte de Bib pour le calmer. A ce moment-là, je ne savais rien des photos, précisa-t-elle, le visage tordu par la fureur. Malheureusement, ça n'a pas suffi. Dale était cupide. Il demandait toujours plus. Et il menaçait d'envoyer à la presse tout ce qu'il savait sur moi et sur Bib. C'est alors que j'ai fait appel à Sandra. Elle s'est débrouillée pour que Dale soit transféré et affecté aux travaux d'utilité générale. Après, j'ai soudoyé des gens pour le faire évader. Il avait promis de m'apporter le registre et les photos compromettantes. Mais il fallait que je me protège. Alors, je l'ai éliminé. L'ennui, c'est que le cahier qu'il avait sur lui était vierge. Et qu'il n'y avait que deux clichés entre les pages, pas de négatifs.

» Je me suis mise à la recherche de ce maudit registre. Cette vieille femme n'a pas soufflé mot, même sous la torture. Jake fouillait la chambre à coucher. Lorsqu'il est revenu et qu'il l'a vue par terre, il m'a frappée. Il ne m'avait jamais frappée avant. Il m'a dit qu'il ne me couvrirait plus. Et qu'il allait virer York aussi. Il l'avait embauché pour éliminer Dale, mais je n'ai besoin de personne. Je fais ce que j'ai à faire toute seule, comme mon cher papa. Je lui ai répondu que je m'occuperais du vieux Holliman. Je n'ai pas besoin de York pour trouver le registre. Et je le trouverai. Il est ici. Il *doit* être ici.

Elle était folle à lier ! songea Marc, abasourdi. Le plus étonnant, c'est que personne ne s'en soit rendu compte jusqu'à présent.

Des bruits de pas se firent entendre. Tirant les menottes de sa ceinture, Marc s'approcha de Silvia et lui mit les mains derrière le dos. Elle ne broncha pas lorsqu'il lui passa les bracelets d'acier aux poignets.

Sur le seuil de l'étable, Josie poussa un soupir de soulagement en avisant Marc.

— Dieu merci, tu es vivant…

Puis elle cligna des yeux en apercevant sa prisonnière.

— Silvia ? murmura-t-elle, stupéfaite.

La jeune femme se retourna.

— Je suis l'épouse du vice-gouverneur, déclarat-elle avec dédain. Personne ne m'appelle par mon prénom sans mon autorisation.

Marc lança à Josie un regard appuyé.

— Excusez-moi, madame Webb.

La main sur l'épaule de sa prisonnière, Marc rangea le pistolet dans sa ceinture et fit le tour de l'étable des yeux.

— Le registre… Silvia, est-il ici ?

— Je ne sais pas, répliqua-t-elle, l'air absent. Dale ne voulait pas me le dire. Même après que nous avons couché ensemble. Vous savez, c'est lui qui a embauché un privé pour nous prendre en photo. Je

332

ne l'ai su que lorsqu'il m'a montré les clichés. Il a menacé de les expédier aux journalistes si je ne lui donnais pas l'argent qu'il réclamait. Il menaçait aussi d'envoyer le registre à la police. Alors, ç'aurait été la fin, vous comprenez ? demanda-t-elle avec une sincérité presque effrayante. Bib aurait perdu sa place. Et moi, la mienne. Le nom de famille est sacré. Ma grand-mère ne cessait de me le répéter. Elle pleurait tout le temps à cause de la mort de mon frère. C'est papa qui l'a tué. Il n'a peut-être pas fait exprès, mais il l'a cogné trop fort. On l'a jeté dans les pieds des chevaux, puis on a dit qu'il avait été imprudent et qu'il s'était fait piétiner.

Elle sourit à Marc.

— J'aime monter à cheval. Une fois, Dale et moi avons fait de l'équitation ici, quand le vieux est parti en visite chez sa sœur. Il avait une selle superbe, faite à la main… Je n'irai pas au bal du gouverneur cette année, fit-elle soudain, décomposée.

Marc et Josie échangèrent un regard consterné. Puis il releva la tête. La selle ! Holliman l'avait mentionnée, lui aussi.

Un instant, il se demanda où était le vieil homme. Jusqu'à ce que son regard accroche les selles, sur le mur du fond.

Il y en avait deux. L'une vieille, tachée, usée. L'autre, plus neuve, décorée de clous et d'ornements en argent terni, et équipée de deux sacoches, cousues main également.

Il s'en approcha et, d'un geste souple, la décrocha du mur. Il ouvrit la première sacoche. Vide.

Allons, il se faisait trop d'illusions... Malgré tout, il ouvrit la seconde.

C'est alors qu'il sentit l'objet sous ses doigts. Un paquet, de la taille d'un dossier administratif. Il l'extirpa, le décacheta et en tira un sac en plastique.

Josie se rapprocha tandis qu'il tirait sur la fermeture Eclair du sac. Dedans se trouvaient une épaisse enveloppe de papier kraft et des photos en couleur. Celles-ci représentaient Dale Jennings et Silvia Webb dans des poses compromettantes. Marc les glissa rapidement dans l'enveloppe. Enfin, il extirpa un registre de comptabilité. Entre les feuilles, il découvrit des reçus, deux notes manuscrites dont une portait la signature de Jake Marsh, quatre talons de chèque signés de la main de Silvia, d'autres factures... L'on y trouvait, en noir et blanc, toutes les transactions effectuées par l'associé de Marsh pour faire chanter l'adversaire de Bib Webb. Ainsi que des notes avec les noms, les adresses, les dates, les sommes. De la dynamite ! pensa-t-il. La preuve qui causerait la perte de pas mal de gens.

— Bib n'aimera pas ça, murmura Silvia, un sourire morne sur les lèvres. Il perdra son job.

— Je ne crois pas, répondit Marc froidement.

— Jake pense que si. N'est-ce pas, mon chéri ? demanda-t-elle brusquement en se tournant vers l'entrée de l'étable.

— J'en suis sûr, déclara une voix. Merci d'avoir trouvé la preuve pour moi, Brannon.

Jake Marsh, un bel homme âgé d'une quarantaine d'années, venait d'apparaître sur le seuil. Il tenait un pistolet automatique à la main.

— Finissons-en, gronda-t-il. Donnez-moi ça.

Marc laissa choir le paquet et posa ses poings sur ses hanches.

— Venez donc le chercher, Marsh.

— Bon sang, Brannon ! Je vous rappelle que c'est moi qui ai une arme dans la main.

— Josie, éloigne-toi, ordonna-t-il sans quitter Marsh du regard.

Ce n'était pas le moment de discuter. Obéissante, elle alla se placer à côté de Silvia Webb. Et vit l'attitude de Marc se modifier imperceptiblement. Elle écarquilla les yeux. Il n'allait quand même pas défier un gangster armé d'un automatique !

Marc ne le lâchait pas des yeux, sachant pertinemment qu'il appuierait sur la détente. Marsh n'était pas homme à laisser des témoins derrière lui. Comme Silvia, il n'hésiterait pas à supprimer quiconque menaçait sa liberté. Il fallait gagner du temps, songea Marc, s'il voulait avoir une chance de tirer avant lui.

L'autre esquissa un pas en avant, l'arme toujours pointée sur lui.

Soudain, Holliman fit irruption dans l'étable avec un cri rauque, fusil au poing. Son entrée déstabilisa Marsh une fraction de seconde. C'était plus qu'espérait Marc. Il dégaina et fit feu. Jake Marsh s'effondra. Une fleur sombre s'épanouit sur sa cuisse gainée d'alpaga.

Marc fonça vers lui et lui tordit le poignet jus-qu'à ce qu'il lâche son arme. Le visage tordu par la douleur, le gangster se mit à presser des deux mains sa blessure afin de juguler l'hémorragie.

— Comment... m'avez-vous eu ?

— Je détiens le record du tireur le plus rapide de tout le Texas. Je suis imbattable en compétition. Ça aide !

— Vous avez tiré sur Jake, déclara Silvia cal-mement.

Elle avait les yeux hagards.

— Et moi, j'ai tiré sur Dale, continua-t-elle. Il me faisait chanter avec ces fichues photos. Il voulait de plus en plus d'argent, sous prétexte d'aider sa mère. La semaine dernière...

— Bon Dieu, Silvia, arrête de parler et appelle une ambulance ! gémit Marsh.

Marc extirpa son portable de sa poche et com-posa un numéro.

Holliman dévisageait Silvia d'un air furibond. S'approchant d'elle, il arma son fusil.

— Le temps qu'ils arrivent, on aura besoin de deux ambulances ! lança-t-il d'une voix chevro-tante.

— Ne m'obligez pas à tirer sur vous, Holliman, le prévint Marc en dégainant pour la deuxième fois en moins de cinq minutes.

Le vieil homme hésita mais pas plus d'une seconde. Il baissa le canon du fusil en poussant un soupir résigné.

336

— Bon, d'accord. Mais avouez que c'est tentant.

Il regarda Marsh, qui se tordait de douleur par terre.

— Est-ce qu'il ne vous rappelle pas un serpent à sonnette prêt à cracher son venin ? demanda-t-il à la cantonade avant de lever les yeux sur Silvia. Qu'est-ce qu'elle a ?

— Elle est folle furieuse, voilà ce qu'elle a, grogna Jake Marsh. Je regrette de l'avoir rencontrée.

— Ce n'est pas gentil de traiter ainsi l'amour de ta vie, se plaignit Silvia. Après tout ce que j'ai fait pour toi...

— Oh, bien sûr. Grâce à toi, j'irai en prison, via l'hôpital.

— Il perd beaucoup de sang, observa Holliman, sans émotion particulière.

— Oui, beaucoup, renchérit Marc d'un air détaché.

— Posez-lui au moins un garrot, pour l'amour du ciel ! explosa Josie en s'agenouillant près de Marsh. J'ai besoin d'un bâton et d'un mouchoir.

Le gangster la remercia d'un pâle sourire.

— Merci, madame.

— Ne le touchez pas ! hurla Silvia. Il est à moi !

— Faux, je suis de nouveau sur le marché.

Il tressaillit quand Josie posa le garrot et utilisa un stylo bille pour le resserrer. Peu à peu, le flot de sang s'amenuisa.

— Vous ne devriez pas vous appliquer autant, mademoiselle Langley, déclara Holliman en dévisageant froidement le blessé.

Elle leva les yeux.

— Pourquoi pas ?

— Il pourrait vivre.

Marc émit un petit rire.

— S'il meurt, vous manquerez le procès. Et ce sera du grand spectacle.

Le visage de Holliman s'éclaira.

— J'y avais pas pensé. Bon, je vais rappeler le 911, au cas où… Tiens, ils arrivent.

Une ambulance pénétra dans la cour, la sirène en sourdine, suivie d'une voiture du shérif de Bexar County. Bizarre, songea Josie. Floresville était sous la juridiction de Wilson County.

Le jeune adjoint du shérif émergea de la voiture. Il pénétra dans l'étable, emboîtant le pas aux secouristes, qui se penchèrent aussitôt sur le blessé.

— Salut, Brannon. Les hommes du shérif de Wilson étaient débordés. Je me suis porté volontaire. Entraide oblige, précisa-t-il en souriant. Eh bien, que se passe-t-il ?

— Officier, arrêtez ces gens, ordonna Silvia. Je suis l'épouse du vice-gouverneur. Ces deux personnes, enchaîna-t-elle en désignant Marc et Josie, ont quelque chose qui m'appartient. Rendez-le-moi immédiatement, s'il vous plaît.

Le jeune adjoint considéra Marc, avec son étoile d'argent sur le cœur, son Colt sur la hanche et, dans la ceinture, les armes de Mme Webb et de Jake Marsh.

— Vous avez encore gagné au tir, Brannon ?

— Comment avez-vous deviné ? demanda Josie, surprise.

— Oh, très simple. Une fois par an, il y a au moins un imbécile qui se croit capable de tirer plus vite que lui. C'est formidable d'avoir l'occasion de côtoyer une légende vivante. J'espère devenir comme vous quand je serai grand, Brannon.

Marc éclata de rire. Son admirateur devait avoir trente ans.

— Ne soyez pas ambitieux. Et n'espérez pas que je vais démissionner pour vous donner ma place.

— Vous avez lu dans mes pensées, fit l'autre en hochant la tête. Il y a plus d'une centaine de postulants pour chaque poste de Ranger qui se libère, et seulement cent sept Rangers dans tout le Texas.

Il soupira.

— Bon, j'ai compris. Je passerai le restant de mes jours comme adjoint du shérif. Moments merveilleux, compagnie exquise, bénéfices considérables, plaisanta-t-il avec une grimace en regardant Marsh, puis Silvia. Voulez-vous que je raccompagne cette dame ?

— Oui, merci. Je vous rejoins tout de suite avec la preuve.

Marc leva le sac en plastique.

— L'empire du mal est prêt à s'effondrer, grâce à un simple registre de comptabilité, déclara-t-il, les yeux fixés sur Marsh, que les infirmiers venaient d'allonger sur un brancard. Je vous présente Jake Marsh, ex-caïd du milieu. Il a sali son pantalon, mais, bientôt, il en aura un tout neuf... à rayures.

— Je n'irai pas en prison ! s'écria Marsh sur un ton rageur.

— Moi non plus, renchérit Silvia, altière.

— Si madame veut bien me suivre...

— Je vous poursuivrai en justice ! hurla-t-elle.

— Ce jour-là, je mettrai mon costume du dimanche, répliqua l'adjoint.

Il l'entraîna gentiment vers la voiture de patrouille, lui ouvrit la portière et l'aida à s'installer sur la banquette arrière. Marc ricana. Josie fut sur le point de faire un commentaire, mais il l'arrêta.

— Ne brisons pas tout de suite les illusions de ce jeune homme. Il ne tardera pas à découvrir que Silvia est un monstre.

Josie lui prit la main et la pressa entre les siennes.

— Ravie de te voir toujours vivant, Ranger. Pendant un instant, j'ai cru que j'allais assister à tes obsèques.

Un frisson la parcourut, à l'idée que Jake Marsh aurait pu tirer le premier. Marc lui entoura les épaules du bras.

— On ne peut pas tuer un Ranger, à moins de lui planter un pieu dans le cœur.

— Ça, c'est pour les vampires, mon chéri.

Il leva les sourcils, simulant l'innocence.

— Ah bon ?

— Est-ce que quelqu'un va enfin me sortir d'ici ? grogna Marsh, toujours couché sur le brancard.

Marc lui sourit.

— Emmenez-le directement au pavillon de l'hôpital réservé aux prisonniers, ordonna-t-il aux ambulanciers. Je préviendrai les autorités par radio. Un policier vous attendra à l'entrée des Urgences.

Les deux ambulanciers hochèrent la tête.

— De toute façon, il n'est pas en état de nous causer des ennuis, avança l'un d'eux.

— Mais si l'idée lui traversait l'esprit, conduisez-le directement à la prison de Floresville et faites-le passer par la porte de derrière.

Marsh laissa échapper un grognement plaintif.

Le reste de la journée fut consacré à la paperasserie administrative. Rédiger le rapport, remettre le registre aux autorités, discuter avec l'assistante du procureur qui s'occuperait de l'affaire… Pour ce faire, tout un petit groupe s'était rassemblé dans la salle de conférences.

— C'est l'histoire la plus invraisemblable que j'aie jamais entendue, déclara Grier. On court après Marsh pendant des années. Le FBI le recherche depuis des lustres, tout comme le procureur général. Là-dessus, vous deux, vous vous pointez, et hop ! vous le mettez KO !

— Nous avons eu de la chance, répondit Marc tranquillement.

— Et York ? intervint Josie. Il est toujours en cavale ?

Grier jeta un coup d'œil à l'adjoint du shérif qui participait également à la réunion.

— Ne vous faites pas de souci pour York, commença ce dernier en se radossant à sa chaise avec un air malicieux. Je conduisais ma voiture de patrouille sur la 410 quand un vieux tacot cabossé m'a doublé. Il roulait si vite que j'avais l'impression de faire marche arrière. J'ai accéléré et l'ai forcé à se ranger sur le bas-côté. Devinez qui était au volant ? York en personne, son vieux bandage sale collé à sa blessure.

Son sourire s'élargit.

— A l'heure qu'il est, il est bouclé dans la prison du comté. Et si Marsh mange le morceau — ce dont je suis convaincu —, York passera pas mal d'années derrière les barreaux.

— Mais il n'a tué personne, objecta Josie. C'est Silvia Webb qui a abattu Garner et Jennings.

— Peut-être, mais Marsh l'a engagé pour exécuter plusieurs contrats. C'est York qui a tenté de tuer Judd Dunn avec sa voiture, quand Dunn enquêtait sur les meurtres pour lesquels Marsh était soupçonné. Depuis sa mutation, Dunn n'a pas cessé de réunir des indices susceptibles d'incriminer York. C'est lui qui m'a fourni la description de son véhicule.

Il marqua une pause et soupira.

— Je voudrais pas être à la place de York. Un jeune blondinet, un peu commun mais bien propre sur lui... Sûr que les détenus de la prison d'Etat vont l'adorer, si vous voyez ce que je veux dire.

Marc ne répondit pas, mais ne put s'empêcher de sourire.

16.

Une fois la procédure administrative terminée, Marc décida d'aller rendre visite à Bib avec Josie. Ce dernier avait été mis au courant de l'arrestation de sa femme, et Marc voulait s'assurer par lui-même que son ami gardait le moral.

Ils arrivèrent au manoir à peu près en même temps que Becky Wilson. De loin, ils aperçurent Bib dans le patio. Il ressemblait à quelqu'un qui aurait reçu une balle dans le dos. A un moment, il alla se planter au bord de la piscine, les mains dans les poches, les yeux dans le vide.

— Laissez-moi lui parler d'abord, demanda Marc à Becky qui mourait d'envie de voler au secours de son maître.

— Si vous voulez.

Elle se rassit en soupirant.

— Voulez-vous un bonbon à la menthe ? proposa-t-elle à Josie.

Josie ne put s'empêcher de sourire. C'étaient ces bonbons qui les avaient aidés à résoudre un meurtre.

Une grimace de douleur déforma le visage de Bib lorsqu'il entendit Marc s'approcher.

— Ce que j'ai pu être aveugle, murmura-t-il en se tournant vers lui. Est-ce que tu la soupçonnais ?

— Non. Pas avant d'avoir fait la découverte suivante : la nouvelle « amie » de Marsh était mariée et raffolait de bonbons d'importation.

Bib fixa sa main gauche et étudia un instant son alliance, un simple anneau en or.

— Les dix-sept ans de Silvia ont été une cure de Jouvence pour moi, commenta-t-il. A l'époque, elle aimait bien faire l'amour, c'est après que ça lui a passé. Je n'étais pas assez brutal, à son goût, pas assez audacieux. Elle a commencé à avoir des aventures, et je me suis mis à boire. Mon mariage a été un véritable cauchemar. Je ne sais pas pourquoi je suis resté avec elle aussi longtemps. Par habitude, sans doute... Par lâcheté.

— Le procès s'annonce tumultueux. Je ne parierais pas trois sous sur tes chances de devenir sénateur.

— Je me fiche du Sénat comme de mon poste de vice-gouverneur, répliqua Bib. C'est ma société qui me passionne et j'y compte d'excellents employés. Nous avons actuellement plusieurs projets à l'étude. Ils pourraient rapporter des millions, qui bénéficieront à des gens confrontés à la famine dans les pays du Tiers-Monde. C'est autrement plus motivant que les intrigues des cercles politiques.

— Ça, c'est toi, Bib.

— Oui, *c'est* moi. Tout le reste, ajouta-t-il en ébauchant un geste vague vers le somptueux salon surchargé d'étoffes et de cristaux précieux, tout le reste, c'est Silvia. Je n'ai même pas envie de me venger. Sauf peut-être de Marsh.

— Ne t'inquiète pas, il ne s'en sortira pas. Et peu importe s'il engage un bataillon d'avocats pour sa défense. Quant à Silvia, elle risque la perpétuité, à moins que les experts évoquent l'aliénation mentale. Ce qui est tout à fait possible. Prépare-toi à traverser une rude épreuve, Bib. Silvia a fait une confession stupéfiante concernant son passé, et je suis obligé d'en référer à mes supérieurs.

— Qu'a-t-elle dit ? s'enquit Bib, les sourcils froncés.

— Tu le sauras le moment venu, répondit Marc, souhaitant lui ménager encore quelques heures de quiétude avant l'ouragan.

Son ami passa nerveusement les doigts dans ses cheveux.

— Je vais téléphoner à mon avocat. Je lui demanderai s'il peut aider Silvia. Ce ne sera pas difficile de plaider la démence. Il y a eu nombre de signes avant-coureurs, même si je ne les ai jamais vraiment pris au sérieux. Désormais, acheva-t-il dans un soupir, il est inutile de faire semblant.

— Je ferai tout pour te soutenir, Bib.

Il lui sourit.

— Je sais. Et j'apprécie. Tu es le seul, parmi mes amis, qui ne m'ait jamais cru coupable d'un quelconque délit.

— Je te connais. Et je n'abandonne pas mes amis. Jamais. Je vais dire à Becky de te rejoindre. Elle saura te préserver de la curiosité malsaine des journalistes.

— Oui… Quand tout sera terminé, je l'épouserai.

— Et tu auras raison. Tu as enfin fait le bon choix.

Marc retourna dans le salon. Il s'entretint brièvement avec Becky, avant de l'envoyer auprès de Bib.

— Et maintenant ? s'enquit Josie.

Elle se sentait abandonnée.

— Maintenant, nous allons dîner, répondit-il avec enthousiasme. Et ensuite, nous parlerons projets.

Après un paisible dîner en tête à tête, Marc reconduisit Josie à son hôtel.

— Tiens, c'est la voiture de Grier, remarqua-t-il tout en coupant le moteur. Qu'est-ce qu'il fait ici ?

— Aucune idée. Mais…

Elle se tourna vers lui, l'observa attentivement.

— Tout à l'heure tu évoquais des projets. Lesquels ? Qu'entendais-tu par là ?

Il lui sourit. Du dos de la main, il lui caressa gentiment la joue.

— Tu t'es fait opérer pour moi. Ça mérite une récompense.

Elle se sentit devenir cramoisie.

348

— Tu veux dire que nous allons coucher ensemble ?

— Holà ! Ne rougis pas comme ça.

Il tapota son insigne.

— Tu vois ça ? J'ai fait vœu de chasteté. Je ne fraye pas avec des femmes, déclara-t-il d'un ton hautain.

— Oh, bien sûr...

— Sauf quand elles s'appellent Josie, enchaîna-t-il avec un sourire coquin. D'ailleurs, j'espère devenir un mari et un père exemplaires.

Abasourdie, elle se contenta de le fixer.

Soudain grave, Marc lui prit la main, la porta à sa bouche et l'embrassa doucement.

— Je t'aime, murmura-t-il. Je n'ai jamais cessé de t'aimer. Et j'en ai assez de m'escrimer à vivre sans toi.

Elle ébaucha un mouvement, mais il poursuivit sans lui làisser le temps de réagir :

— J'exerce un métier dangereux. Néanmoins, je te promets de ne plus prendre de risques inutiles. Je peux demander une mutation à Victoria. Nous avons le ranch, nos deux salaires, et nous savons tout l'un de l'autre. On va y arriver.

Elle prit une inspiration lente et profonde.

— C'est plutôt soudain...

— Je sais. Mais je ne veux pas te brusquer en te proposant une nuit d'amour et le mariage pour demain matin, dit-il d'un air grave. Je te demande de démissionner et de passer trois semaines avec moi au ranch. Mon cow-boy et sa femme habitent encore dans la maison. Nous aurons des chaperons à demeure, dit-il en plaisantant, avant de retrouver un ton sérieux. Tu peux demander au procureur de Jacobsville s'il a un poste à te proposer. Quant à moi, je demanderai à travailler à Victoria. Je sais qu'un de leurs Rangers veut se rapprocher de sa famille à San Antonio. Donc ça ne poserait pas de problèmes.

— Tu as tout prévu...

— Je n'ai pas cessé de réfléchir depuis que tu es arrivée, Josie. Tout dépend de toi. Si tu peux me pardonner. Je sais que c'est beaucoup te demander. J'ai fait des erreurs. De terribles erreurs.

Elle leva la main et la lui posa sur les lèvres.

— Nous en avons fait tous les deux. Cette nuit-là, j'aurais dû accepter de te parler quand tu m'as rappelée. Ou te téléphoner plus tard et t'expliquer ce que je ressentais. Et après le procès, j'aurais dû essayer de t'approcher.

— Ça marche dans les deux sens. Je ne t'ai pas laissé la moindre chance. J'ai quitté la ville.

— Mais maintenant, je sais pourquoi.

Il l'attira dans ses bras et l'étreignit très fort. Le sentant chavirer, elle murmura :

— Oh, Marc, j'étais perdue sans toi...

Il la tenait toujours serrée contre lui, et lui caressait le dos.

— Je me suis détesté, Josie. Je ne méritais pas de vivre après ce que je t'avais fait subir. Je t'aime tellement... Quand ma dernière heure sonnera, c'est ton nom que je murmurerai.

Elle prit ses lèvres afin de le faire taire, d'adoucir sa peine. Les larmes jaillirent de ses yeux et coulèrent sur ses joues. Il les essuya tendrement de la main.

Submergés par l'émotion, ils ne remarquèrent pas l'homme qui pressait son visage contre la fenêtre du pick-up. Il dut frapper à la vitre pour les ramener à la réalité.

A moitié hébété, Marc relâcha Josie, avant de baisser sa vitre. Grier se pencha vers eux en feignant un profond dégoût.

— Je n'aurais jamais imaginé surprendre un Ranger en train de batifoler dans une voiture, à deux pas d'un hôtel trois étoiles, déclara-t-il d'une voix traînante.

— Où veux-tu qu'on aille ? grommela Marc. Je ne peux pas la ramener chez moi, sinon toute la ville sera au courant. Et il est hors de question de monter dans sa chambre pour les mêmes raisons. On vient de se fiancer.

Grier le scruta, les yeux ronds.

— Vraiment ?

— Ecoute, mon vieux...

— Comme c'est mignon !

Il tourna les talons en pouffant et commença à s'éloigner.

— Tu n'es pas invité au mariage ! hurla Marc. Si jamais tu te pointes, n'oublie pas d'enfiler ton gilet pare-balles !

Grier ne daigna pas se retourner. Avec un grognement, Marc remonta sa vitre et se tourna vers Josie.

— Pourquoi lui as-tu dit ça ? demanda-t-elle.

Il sourit. Elle était charmante, avec ses cheveux défaits, ses lèvres gonflées par leurs baisers, son chemisier à moitié déboutonné.

— Marc, à quoi ça rime ?

— Grier a la... la réputation de se rendre au mariage de ses amis.

— Et alors ?

Il s'éclaircit la voix.

— De toute façon, ne t'inquiète pas. Il ne viendra pas au nôtre.

— Si tu le dis...

Elle lui ouvrit les bras. Sans hésiter, il se colla contre elle et se remit à l'embrasser. Pendant les tumultueuses minutes qui suivirent, il oublia Grier et sa réputation. A toutes fins utiles, il avait bloqué les portières...

Trois semaines plus tard, Josie se tenait près de Marc dans une petite église pittoresque de Jacobsville. Elle avait déjà apposé sa signature au formulaire de la mairie et prêté le serment qui avait fait d'elle Mme Josette Anne Brannon.

Elle portait une robe simple, élégante, des escarpins à talons et un voile taillé dans une mantille de dentelle. C'était Marc qui avait choisi les alliances, deux anneaux en or d'une simplicité symbolique.

Josie fixa l'homme qu'elle venait d'épouser, les yeux brillant d'émotion. Puis, se tournant vers le pasteur, elle lui serra la main chaleureusement.

— La cérémonie était très réussie. Merci, Révérend, déclara-t-elle.

La femme du pasteur et sa fille leur avaient servi de témoins.

— Ce fut un plaisir, répondit-il avec un sourire. Ça m'a étonné que vous n'organisiez pas une plus grande fête. Vous êtes tous les deux connus à Jacobsville. Votre mère, Marc, a été baptisée dans cette église.

— Oui, mais je ne voulais pas alerter les médias. Vous savez, avec la position de ma sœur...

Le pasteur toussota.

— Oui, je comprends. Eh bien, toutes mes félicitations. Nous espérons vous revoir ici un de ces dimanches.

— Vous nous verrez, répondit Josie en souriant.

Pendant le trajet du retour, ils ne se lâchèrent pas la main. Ils avaient passé trois merveilleuses semaines dans le ranch, à chevaucher dans les plaines ou à faire la connaissance de leurs voisins. Ils avaient appris à mieux se découvrir et s'étaient trouvé tant de points communs que le mariage s'était imposé tout naturellement à leur esprit. En revanche, ils n'avaient pas encore fait l'amour, Marc en ayant décidé ainsi. Ce qui ne l'avait pas empêché d'assurer Josie qu'il voulait une vraie nuit de noces. Elle avait rougi et il avait ri.

A présent, alors qu'ils roulaient sur la route poussiéreuse, il lui jetait des coups d'œil dérobés. Ils avaient décidé de passer leur lune de miel au ranch. Le cow-boy et sa femme, qui gérait l'intendance, habitaient maintenant leur propre cottage. Ainsi les jeunes mariés auraient-ils le ranch à eux tout seuls.

Du moins le croyaient-ils. Car en arrivant à destination, ils aperçurent une petite foule rassemblée devant le porche.

— Non, pas Grier ! gronda Marc. Si c'est lui, je l'attache à un cheval et l'expédie dans les orties.

Josie s'esclaffa.

— Il a fait la même chose au mariage de Bud Handley. Il s'est imposé à la réception et les a tellement embêtés que la femme de Bud lui a tiré dessus. Dommage qu'elle l'ait raté.

— Allons, Marc. Je suis sûre qu'ils s'en iront très vite. Ils veulent juste nous féliciter.

— Espérons-le. Mais si je vois une seule caméra se pointer, je fais un malheur.

— N'est-ce pas Judd Dunn, à côté de Grier ? fit-elle en désignant un homme grand et mince, aux cheveux foncés, assis sous la véranda.

L'étoile des Rangers étincelait sur sa poitrine. Le pied posé contre une colonne de la balustrade, il s'éventait nonchalamment avec son Stetson. Une jeune femme s'approcha de lui et l'embrassa amoureusement.

Josie plissa les yeux pour mieux la voir.

— Oh, mon Dieu, c'est Cristabel ! s'exclama-t-elle, ravie. Qui sont les autres ?

— Des Rangers, des inspecteurs, les adjoints du shérif, des gars de l'Identité judiciaire, deux anciens détectives... Bref, toutes les forces de la loi réunies, lâcha Marc entre ses dents.

— Ils sont venus te souhaiter la bienvenue dans leur comté. Comme c'est gentil !

Gentil ! Bien sûr. Il se remémora le sourire moqueur de Grier. Et ce type, plus loin, n'était-ce pas Curtis Russell, l'affreux Jojo du FBI ? Il ne put retenir un grognement.

Bon Dieu, il aurait préféré une lettre de félicitations, un télégramme, une carte postale... N'importe quoi, plutôt que tous ces représentants de l'ordre réunis sous son porche, la nuit de ses noces.

— Sois aimable, le gronda Josie. Ça part d'un bon sentiment.

Il se contenta de lui décocher un regard sombre.

— Nous leur offrirons un café et une tranche de gâteau, puis ils s'en iront, proposa-t-elle, raisonnable.

— Pourquoi s'en iraient-ils ?

— Parce que nous n'avons pas de gâteau.

— Tu ne les connais pas. Ils iront en acheter un !

— Justement. Nous en profiterons pour nous enfermer dans la maison avant qu'ils reviennent.

Il éclata de rire.

— Tu es géniale !

— Toi aussi, répliqua-t-elle en posant la tête sur son épaule. Au fait, as-tu appelé Gretchen ?

— Je lui ai téléphoné tout à l'heure depuis mon portable. Elle était sortie mais sa secrétaire a pris le message.

— Je suis fière d'être apparentée à un chef d'Etat... J'ai presque l'impression qu'il faudra que j'apprenne à saluer les foules.

— En parlant de foule, grommela-t-il, en voilà déjà une que tu seras bien forcée de saluer.

Il se gara devant le porche fourmillant de visages souriants.

— Félicitations ! s'écria Judd Dunn avec un accent texan à couper au couteau.

Ouvrant un gros sac isotherme, il en sortit un magnum de champagne.

— N'oublie pas la nourriture, lui rappela un Ranger.

— Moi ? Jamais de la vie.

Judd ouvrit un deuxième sac isotherme dans lequel se trouvait un plateau de crevettes disposées autour d'un bol de sauce cocktail.

— J'adore les crevettes ! fit Josie, ravie. Vous êtes super, les gars.

— Et les filles, alors ? s'exclama une jeune femme brune en jaillissant de derrière un Ranger.

Quatre autres apparurent à leur tour.

— Les filles aussi, rectifia Josie en riant.

— Tu aimes les crevettes, toi ? s'enquit Marc, étonné.

356

— Lis donc sa fiche chez le procureur, lui lança la brunette. Nous, on l'a fait. Ta femme aime aussi les crêpes françaises et le pain de viande.

— Ça, je le savais...

Ils échangèrent des regards malicieux. Marc ôta son chapeau et s'en servit pour taper Judd Dunn.

— Merci pour le champagne. Maintenant, salut !

— Marc ! s'écria Josie, choquée.

Il lui jeta un regard pointu et tapa Judd de nouveau.

— Silence, vous tous ! cria Grier de sa plus belle voix d'officier de police.

Il extirpa une liasse de feuillets de la poche de son blouson et se plaça sur la plus haute marche du porche.

— Madame et monsieur, commença-t-il, après avoir jeté un coup d'œil implacable à Marc. Nous voici rassemblés aujourd'hui pour vous souhaiter tout le bonheur du monde dans votre vie de couple. Si vous avez des ennuis, si jamais vous avez besoin d'aide, n'oubliez pas que nous serons toujours disponibles à l'autre bout de fil. Par ailleurs...

— Mon téléphone est à San Antonio, le coupa Marc, le bras tendu vers le portail. La sortie est par là.

— Mais j'ai encore six pages à lire ! protesta Grier d'un ton belliqueux.

— Et moi, j'ai un fusil dans mon salon.

Une salve de rires salua cette repartie.

— Ça va, Grier, arrête ton char ! lança Judd. On ne va pas s'éterniser... De toute façon, on n'avait pas l'intention de le laisser terminer son discours, précisa-t-il à Marc. Allez, les gars, on a des méchants à attraper.

Tous formèrent une file et serrèrent la main des jeunes mariés. Josie ne connaissait pas tout le monde, mais elle savait que, bientôt, elle mettrait un nom sur chaque visage. Leurs démonstrations d'amitié la touchaient profondément.

Peu après, les deux époux regardèrent les voitures démarrer, les unes après les autres. Quand la dernière eut disparu dans un tourbillon de poussière, Josie lança à son mari un regard empreint de tendresse.

— Nous allons vivre dans un endroit de rêve.

Il acquiesça de la tête en scrutant son joli petit minois auréolé d'un nuage de cheveux blonds.

— Vous êtes une mariée ravissante, madame Brannon.

— Et vous, un très beau marié, monsieur Brannon.

Il désigna le magnum de champagne et les crevettes.

— Par quoi veux-tu commencer ?

— Plus tard, dit-elle en levant les yeux sur lui.

Il faisait encore jour, mais la chambre était plongée dans la pénombre. Josie ne se sentait pas tout à fait à l'aise malgré les jeux amoureux auxquels Marc et elle s'étaient déjà livrés ces dernières semaines.

Marc la prit dans ses bras et sonda du regard ses grands yeux inquiets. Du bout des doigts, il lui frôla les lèvres.

— Un homme qui se respecte n'arrache pas les pétales des roses, murmura-t-il. As-tu compris ?

— Oui, je crois...

Il lui sourit.

— Je vous ai attendue très très longtemps, madame Brannon, déclara-t-il d'une voix de velours. Je vous promets que le jeu en vaut la chandelle. Pour tous les deux... Et maintenant, cesse de broyer du noir. On est des ados et on se balade dans une grosse voiture carrée, d'accord ?

Elle n'avait jamais songé que les moments d'intimité puissent être drôles. Et pourtant, avec Marc, elle avait l'impression de vivre une aventure amusante.

Elle contempla la chambre du regard.

— Une grosse voiture carrée ?

— Toutes fenêtres fermées, renchérit-il en l'embrassant doucement sur la bouche. Et nous allons embuer les vitres.

— Mais cette pièce est vaste...

— Mmm, fit-il d'une voix languide. Tu verras, on va dégager beaucoup de chaleur, tous les deux.

Tout en parlant, il lui caressait gentiment le dos, sans jamais la toucher intimement. Puis il se mit à l'embrasser, très doucement, sentant peu à peu son corps se détendre.

Pendant longtemps, il ne fit que l'embrasser. Sous la pression inoffensive de ses lèvres, Josie laissa échapper un soupir. Cela lui rappelait le début de leur idylle, quand Marc était gentil, doux et tendre. Elle avait l'impression d'explorer un pays inconnu. Mais cette fois, l'inconnu ne l'effrayait pas. Elle aimait cet homme du fond du cœur. Elle voulait vivre et faire des enfants avec lui.

Marc lui mordilla la lèvre supérieure.

— Tu vois ? chuchota-t-il. Nous avons tout notre temps.

Elle soupira.

— J'étais si nerveuse.

— Moi aussi.

Elle s'écarta pour mieux scruter ses yeux gris.

— Tu n'es pas un novice, lui fit-elle remarquer.

— Je le suis en ta présence. Avant, il s'agissait d'un besoin à satisfaire. Avec toi, c'est un acte d'amour.

Elle sentit les larmes lui monter aux yeux. Tant de preuves d'amour... C'était presque trop beau pour être vrai.

— Je n'ai jamais aimé que toi, Marc.

— C'est pareil pour moi. J'ai faim depuis deux ans. Et tu seras le plus délicieux festin qu'il me sera donné de goûter.

Sa formulation insolite la fit rire.

Les mains de Marc se firent plus insidieuses, et sa bouche, plus insistante. Il la colla contre lui, afin de lui faire ressentir son désir. L'une de ses mains se glissa lentement sous la jupe, remonta le long des cuisses, écarta du pouce l'élastique de la petite culotte en dentelle.

Josie déglutit. Il ne l'avait touchée qu'une seule fois ainsi, il y avait très longtemps. Mais maintenant, son corps n'était plus un sanctuaire fortifié. Il s'ouvrait au contact de ses mains. Elle poussa un petit gémissement quand les doigts de Marc s'insérèrent entre ses cuisses.

Bientôt, il imprima à sa chair un rythme haletant. Elle s'accrocha à lui, le souffle court, terrifiée à l'idée qu'il pourrait s'arrêter. Ses ongles lui griffaient les épaules.

— Du calme, chuchota-t-il en la sentant se tordre entre ses bras. Ce n'est qu'un début.

— Oh, Marc...

Elle avait une voix tourmentée. Elle était aveugle, sourde, paralysée. Et n'avait conscience que d'une chose : la sublime découverte de son propre corps.

Elle ferma les yeux, de façon à savourer plus profondément cet instant. Les doigts de Marc continuaient leur douce pression, et bientôt, elle se sentit chavirer. Le plaisir gonflait en elle, sombre, brûlant, et elle retint son souffle dans l'attente d'un obscur accomplissement.

— Tu es trop tendue, murmura-t-il contre ses lèvres. Laisse-moi d'abord émousser ce gros appétit. Puis on recommencera.

Elle ne comprit pas. Mais soudain, une secousse de plaisir la souleva du lit. Elle rouvrit les yeux, aveuglée par la volupté qui l'irradiait à chaque mouvement des doigts de Marc.

— N... non, balbutia-t-elle, soudain apeurée.

Pressant tendrement les lèvres sur ses paupières, il les lui referma. Sa caresse devint plus insistante encore.

— Je t'aime plus que ma vie... Laisse-toi aller.

Peu après, elle se sentit tomber dans un gouffre chaud et palpitant et se mit à onduler des hanches à un rythme de plus en plus frénétique. Elle s'accrocha à Marc, la bouche ouverte contre sa chemise, en proie à un plaisir insensé. Enfin, elle poussa un cri. C'était gênant, bien sûr, mais le flot des sensations l'avait étourdie. Marc laissa échapper un rire tendre. Il se mit à lui couvrir le visage de baisers. Un faible tremblement parcourait son corps puissant.

— Et maintenant que tu as eu un avant-goût de ce à quoi tu peux t'attendre, nous allons partager, déclara-t-il, espiègle.

— Partager ?

— Mmm.

Il la dévêtit. Les chaussures, la robe, les sous-vêtements... Puis, se penchant, il effleura de ses lèvres son ventre plat. Avec une lenteur qui lui parut comme la plus raffinée des tortures, il remonta vers ses seins dont il happa tour à tour les pointes dressées.

— J'aime le goût de ta peau, dit-il à mi-voix. Me retenir a été mon plus rude exploit. Cette fois-

362

ci, notre étreinte doit être parfaite. Absolument parfaite.

Se relevant, il retira ses propres vêtements. Les lunettes de Josie reposaient sur la table de chevet, mais Marc était assez près pour qu'elle puisse le voir. Lorsqu'il retira son caleçon, elle détourna la tête, embarrassée.

— Non, Josie, lui ordonna-t-il gentiment. Regarde-moi.

Le visage en feu, elle obéit. Il était si excité qu'il était impossible de l'ignorer. Son corps musclé, tendu à l'extrême, semblait tenir en équilibre sur un fil de rasoir. Bizarrement, c'est sa nudité qui fit rejaillir sa passion. Elle frissonna, comme en attente.

Quand il s'allongea sur le lit, elle se pressa contre lui, les yeux humides.

— Je... je ne sais pas ce qui m'arrive, murmura-t-elle en tremblant de plaisir anticipé.

— Tu le sauras bientôt, dit-il avec un sourire sensuel.

17.

Dans les tumultueuses minutes qui suivirent, Josie en apprit plus sur son propre corps que durant toute son existence. Les mains expertes de Marc la promenèrent sur les cimes du plaisir. Chaque fois qu'elle croyait atterrir, il la faisait décoller de nouveau.

— Tu me tues ! protesta-t-elle vivement.

Il roula sur le lit avec elle, ses longues jambes musclées se frottant contre les siennes, tandis qu'il aspirait goulûment la pointe d'un sein.

— C'est ça, l'idée, murmura-t-il.

— Quoi ?

Il lui baisa les épaules, puis sa langue revint tourmenter ses lèvres douces et gonflées.

— C'est comme ça que ça s'appelle. La petite mort.

— Marc ! grogna-t-elle alors qu'il lui mordait les lèvres.

Elle plongea les doigts dans l'épaisseur moite de ses cheveux. Elle tremblait de tous ses membres. Et Marc aussi. Elle se demanda s'il allait résister longtemps — il y avait des heures qu'il l'avait déshabillée. Enflammé d'une passion inépuisable, il faisait durer l'attente de l'accomplissement.

Une fois de plus, il la caressait. Une odeur chaude et troublante émanait de leurs corps enlacés. Josie se prépara à ce qu'il s'arrête de nouveau, mais non. Cette fois, il plongea en elle. Elle écarquilla les yeux, émerveillée. Elle n'avait éprouvé qu'une faible douleur, vite remplacée par une exquise volupté. Marc leva la tête. Son regard se planta dans ses grands yeux. Elle le sentait frissonner de toutes ses fibres à chaque mouvement de ses hanches. Sans doute avait-il atteint l'extrême limite de son endurance.

— Aide-moi, chuchota-t-il d'une voix rauque. Je ne tiendrai pas longtemps...

— Je... ne..., bredouilla-t-elle, hors d'haleine.

— Trouve la position qui te convient le mieux... Colle-toi à moi, mon amour, jusqu'à ce que tu prennes ton plaisir... Là ?

— Là ! s'exclama-t-elle en se cambrant. Oh, oui, là !

Il lui agrippa les fesses pour la pénétrer jusqu'au plus profond de sa chair. Leurs bouches s'unirent. Leurs corps dansaient, ondoyaient à l'unisson. Il la sentit s'arc-bouter. Une sourde pulsation s'accélérait en eux, impossible à contrôler.

Il avait chaud. Il transpirait. Soudain, un soulagement fulgurant l'envahit. Il poussa un cri ponctué d'un tressaillement, puis retomba sur elle, secoué de spasmes de plaisir.

Josie resta immobile, haletante. Elle savait que le plaisir de Marc avait été aussi violent que le sien. C'était donc ça, faire l'amour, se dit-elle en lui empoignant les épaules de ses doigts brûlants. Sa bouche s'ouvrit contre sa peau moite, tandis que les derniers frissons se mouraient lentement, comme les vagues se retirent sur le sable mouillé.

Elle avait du mal à reprendre son souffle. Son corps était meurtri mais repu, au comble de la plénitude. Elle posa la main sur le dos de Marc, y découvrit la même moiteur que sur sa propre peau. En bougeant, elle le sentit toujours en elle.

— Pour une débutante, tu es plutôt douée, chuchota-t-il dans son cou.

Elle le serra plus fort.

— Pourtant je viens de loin…, murmura-t-elle avec un sourire mélancolique. Mais tu es un maître en la matière. Et un expert en libertinage, conclut-elle en riant doucement.

Il rit aussi, détendu pour la première fois depuis des années. Il roula sur le dos, toujours intimement lié à elle, et l'entraîna au-dessus de lui.

— Deux ans d'abstinence, grommela-t-il. C'est beaucoup pour un libertin. Mais je suis content d'avoir patienté.

— Moi aussi, répondit-elle, le visage enfoui dans la toison qui couvrait sa poitrine. Et je sais aujourd'hui pourquoi j'ai tant attendu. Il y avait la peur, bien sûr, mais avant toi cela ne valait pas la peine. Oh, Marc, on a oublié quelque chose.

Il lui caressa distraitement les cheveux.

— Oui ? Quoi ? demanda-t-il avec un détachement royal.

Elle lui pinça les côtes.

— Tu sais très bien quoi.

Il soupira.

— C'est dans le tiroir.

— Il n'est pas d'une grande utilité, là-dedans.

Il lui effleura le menton d'un baiser.

— Je sais… Les enfants, c'est génial. J'aimerais bien en avoir un, même si c'est trop tôt. La prochaine fois, on fera attention.

— Oui, bien sûr, murmura-t-elle en étouffant un bâillement. Hm, l'amour donne sommeil.

— Moi aussi, je dormirais bien.

— Est-ce qu'on pourrait…

Elle voulut se déplacer mais il l'entoura de son bras.

— Reste là. Je ne veux pas que tu t'éloignes.

Souriant, elle se blottit contre lui.

— Marc ?

— Mmm ? fit-il d'une voix somnolente.

— J'aime bien être mariée.

Elle ressentit, sous elle, les ondes sismiques d'un rire.

— Et moi donc.

Ce furent les derniers mots qu'elle entendit.

Leur lune de miel s'acheva officiellement une semaine plus tard. Mais tous les habitants de Jacobsville avaient déjà compris qu'elle ne s'achèverait jamais. On ne voyait jamais Marc sans Josie. Excepté quand ils travaillaient, elle au bureau du procureur local, et lui, dans l'unité des Rangers à Victoria.

Quelques mois plus tard, alors que Josie balayait le porche et que Marc distribuait à ses cow-boys les corvées habituelles du ranch, deux limousines noires, longues comme des paquebots et ornées d'étendards diplomatiques, pénétrèrent dans la cour poussiéreuse.

Josie leva la tête. Ces visiteurs ne pouvaient être que Gretchen et son mari, songea-t-elle, horrifiée. Les cheveux flottant sur ses épaules, elle portait un vieux T-shirt sur un jean élimé et de vieilles tennis. Seigneur, elle allait faire bonne impression au cheik, fagotée comme l'as de pique et sans maquillage !

Au début, Marc et elle avaient projeté de se rendre à Qavi pour les présentations, mais leurs professions, trop prenantes, les en avaient empêchés. Ensuite, une insurrection dûment réprimée par le cheik avait remis leur voyage aux calendes grecques. Les Sabon avaient apparemment pris les choses en main, optant pour une visite impromptue. Josie réprima un soupir. Elle secoua la tête. Bon sang, ses cheveux n'étaient même pas coiffés…

Marc sortit de l'écurie en courant. Il accueillit d'un sourire le garde du corps, un homme grand et robuste, qui ouvrait la portière de la première limousine.

Il tendit les bras alors que Gretchen émergeait de la voiture. Rajeunie, heureuse, très élégante, elle se blottit contre lui.

— Salut, grand frère ! On est venus embrasser Josie. Tu te souviens de Philippe ?

Son mari l'avait rejointe, séduisant malgré les cicatrices qui sillonnaient son visage. Il échangea avec Marc une poignée de main.

— Bienvenue dans la confrérie.

— Dire qu'il a épousé Josie ! Je ne connais pas de femme plus sympa, s'exclama Gretchen avec chaleur. Hello, Josie !

Posant son balai, Josie s'essuya nerveusement les mains sur son jean, puis descendit la volée de marches en s'efforçant de refouler sa timidité.

— Je ne porte que des jeans au palais, déclara Gretchen avec l'intuition qui la caractérisait. Et je ne mets jamais de fond de teint en présence de mon mari.

— Pure perte de temps, commenta Philippe en adressant à Marc un sourire de connivence. Vous devez le savoir, je suppose.

— Oh, oui.

Marc attira sa femme à son côté.

— Je te présente ton nouveau beau-frère, Philippe Sabon, roi de Qavi.

— Très honorée, dit Josie.

Philippe lui fit le baisemain.

— Tout le plaisir est pour moi, madame. Nous avons pensé que vous voudriez connaître votre neveu.

Il prononça une phrase en arabe. La portière de la deuxième limousine s'ouvrit et une femme en djellaba en sortit avec un petit garçon de deux ans.

— Je vous présente notre fils Rashid, annonça-t-il en souriant au garçonnet, qui sauta immédiatement dans ses bras.

Gretchen soupira.

— Et voilà ! Son premier mot a été : papa. Il pleure tous les soirs jusqu'à ce que Philippe lui lise une histoire. Franchement, je ne suis qu'une couveuse ambulante.

— Mensonge ! Tu es plutôt un comité de réformes ambulant!

— Je n'ai effectué que quelques menus changements.

Philippe lui sourit, puis embrassa son petit garçon sur la joue, avant de se tourner vers sa belle-sœur.

— Le trajet depuis l'aéroport a été long.

— Oh, je manque à tous mes devoirs. Un café pour tout le monde ? J'en fais un excellent, répondit Josie sans fausse modestie. Là où je travaille, chez le procureur, on en boit des tonnes.

— J'ai entendu parler de ton nouveau job, intervint Gretchen en la prenant par le bras. J'aurais besoin de tes lumières sur certains points d'ordre juridique.

— Et c'est parti, gémit Philippe.

Marc lui tapota l'épaule.

— Ne vous en faites pas. Il s'agit sûrement de choses anodines. La pollution de l'eau, le réchauffement de la planète…

— Il est grand temps de réformer le système pénitencier à Qavi, disait Gretchen au même moment tout en suivant Josie dans la maison.

Les deux beaux-frères échangèrent un regard complice.

— J'ai un vieux whisky dans mon bureau, proposa Marc.

— Oh, oui. Dans un grand verre.

— Euh… Votre Altesse ?

Philippe se retourna. Curtis Russell se tenait près de la limousine, flanqué d'un autre agent des Services Secrets, et des deux gardes du corps du cheik.

— Oui ?

Russell toussota pour s'éclaircir la gorge.

— A propos du sujet dont nous avons parlé…

Philippe poussa un profond soupir.

— Encore des complications…

Il se tourna vers Marc.

— Votre ancien patron du FBI voudrait bien confier un poste à M. Russell, à condition que vous le recommandiez.

Marc fit la grimace, comme si on lui avait demandé d'avaler un paquet de sel.

— Lors de sa dernière mission, M. Russell a joué de malchance, continua le cheik.

— Forcément. Il a fourré son nez dans le crime organisé, grommela Marc.

Russell déglutit avec difficulté.

— Je m'efforçais seulement de prouver mes compétences. Dernièrement, j'ai aidé Phil Douglas à localiser Mlle Gates et à la ramener pour le procès.

— C'est vrai.

— Malheureusement, reprit Philippe, notre ami a eu l'idée malencontreuse de se faire passer pour un agent du FBI.

— Bon sang...

Russell eut un pâle sourire.

— Euh, j'étais en disponibilité à ce moment-là... Ecoutez, monsieur Brannon, je vous assure que je serai un bon agent. Avec tout le respect que je dois à mes supérieurs, je perds mon temps à faire des ronds de jambes aux dignitaires. Je peux mener des enquêtes criminelles. Je vous en prie, donnez-moi une chance.

Philippe, le sourcil en accent circonflexe, regarda Marc qui haussa les épaules.

— Bon, d'accord. J'enverrai un mot à votre sujet. A une condition, ajouta-t-il avec une lenteur délibérée.

— Tout ce que vous voudrez.

Marc plissa les yeux.

— A condition que vous alliez bosser dans l'un des quarante-neuf autres Etats d'Amérique.

Curtis Russell opina d'un mouvement sec de la tête.

— Oui, monsieur. La Floride me conviendrait assez. J'adore la plage.

Il sourit. Marc leva les yeux au ciel, puis s'éloigna en direction de la maison.

Cette nuit-là, quand leurs illustres invités se retirèrent dans la chambre d'amis et que les gardes du corps eurent pris leur poste devant la porte, Marc et Josie s'isolèrent dans leur chambre. Ils s'allongèrent sur le lit, enlacés. Le clair de lune dessinait des rayures argentées sur la courtepointe.

— Noël arrive dans un mois, murmura Josie, blottie dans les bras chauds de son mari. Je voudrais un arbre vivant que nous planterions dehors.

— C'est comme si c'était fait.

— Et de nouvelles décorations.

— Sers-toi à la remise. Il y a des dizaines de lassos et d'éperons.

— Mais je voudrais aussi un ornement spécial.

— Mmm ?

— Tu sais, le genre d'écriteau qui porte nos noms et la date de notre mariage.

— Entendu.

— Et l'année prochaine, nous en ajouterons un nouveau.

Marc luttait visiblement contre le sommeil.

— Un nouveau...

— Le genre d'écriteau qui dit : le premier Noël de bébé.

— Le premier Noël... Oui, formidable... Très bonne idée... Quoi ?

Il s'assit dans le lit, droit comme un piquet.

— Est-ce que tu as vraiment dit ce que j'ai cru entendre ?

Elle eut un sourire.

— Nous n'avons jamais ouvert ce fichu tiroir, lui rappela-t-elle.

Il ne l'écoutait pas. Posant sa main sur son ventre, il la regardait comme si elle venait de résoudre le mystère de l'existence.

— Oh, mon Dieu... Un petit Ranger, fille ou garçon. Quel beau cadeau de Noël, Josie ! murmura-t-il en se penchant pour l'embrasser avec une infinie tendresse. Je suis vraiment un veinard...

Elle sourit sous ses baisers et l'enlaça.

— Mais non, protesta-t-elle. C'est moi qui n'en reviens pas de la chance qui est la mienne. Je ne sais pas ce que j'ai fait pour mériter ça...

Dehors, le vent s'était levé. L'automne répandait sur la campagne brume, froidure et pluies. Mais dans la chambre régnait une douce chaleur que rien au monde, pas même les neiges de l'Alaska, n'aurait pu rafraîchir. Josie se dit qu'ils allaient passer là leur premier Noël, eux aussi.

Et ce ne serait sans doute pas le dernier.

Carla Neggers

Piège
invisible

Mike Parisi est mort. Noyé dans sa piscine. Chargée de lui succéder au poste de gouverneur du Connecticut, Allyson Stockwell reçoit bientôt des appels anonymes, où on la menace de divulguer un secret peu glorieux de son passé sentimental.
De toute évidence, on cherche à la déstabiliser. Son ami Parisi a-t-il fait l'objet d'un ignoble chantage, lui aussi ? Sa mort est-elle vraiment accidentelle ?
Le danger se confirme avec une nouvelle alarmante : ses deux enfants, de onze et douze ans, ont quitté leur camp de vacances pour aller se réfugier chez sa meilleure amie, avocate au Texas.
Ils savent quelque chose, ou alors ont été eux aussi menacés. Une menace en rapport avec son passé ou son nouveau mandat. Sinon ils ne seraient pas allés chercher une protection loin d'elle… Mais impossible d'en savoir plus : ses enfants sont plongés dans un mutisme terrifié. Poursuivie par un ennemi invisible, Allyson n'a d'autre choix que de partir au-devant de la vérité, pour sa survie et celle des gens qu'elle aime. Un parcours qui s'annonce aussi risqué que délicat car, dans le brouillard épais où elle est obligée de naviguer à vue, elle ne sait à qui faire confiance…

BEST-SELLERS N°1

À PARAÎTRE LE 1ER MARS 2004

RACHEL LEE

Neige de septembre

Sa fille a fugué…

Depuis la disparition de l'adolescente, Meg a l'impression de se réveiller d'une longue torpeur. Le choc de la mort accidentelle de son mari, huit mois plus tôt, lui a masqué la détresse de sa fille.

Et en regardant autour d'elle, Meg peut presque comprendre pourquoi Allie s'est enfuie. L'atmosphère de la maison est empoisonnée par les sous-entendus et les reproches muets. Sa propre mère, qui vit sous le même toit, lui fait porter une faute d'avant son mariage, un crime ignoble dont elle se sait innocente…

A présent, Meg ne sait où chercher sa fille. Ne peut même pas se confier à son meilleur ami, qui fut celui de son mari et ne supporterait pas d'affronter certaines vérités. Elle est seule face à son drame, qui est aussi le prix des mensonges et des secrets.

Et si Meg était coupable d'une faute qu'elle-même ne soupçonne pas ?

BEST-SELLERS N°2

À PARAÎTRE LE 1ER MARS 2004

Charlotte Hughes

ARMES SECRÈTES

Une mutation forcée...

Flic de choc à Atlanta, Frankie Daniels se voit mutée dans un trou perdu de Caroline du Sud pour avoir eu la mauvaise idée de coucher avec son co-équipier — un homme marié, père de trois enfants, et... gendre du commissaire.

Une citadine à la campagne

Arrivée sur place, elle entreprend de montrer à ses collègues de la campagne l'étendue de ses talents, persuadée qu'un flic des villes vaut mieux qu'un flic des champs. Quelle n'est pas sa surprise de constater qu'elle se distingue surtout par ses maladresses et ses faux pas.

Un allié inattendu...

Son supérieur lui-même finirait par la traiter avec condescendance s'il ne lui faisait l'honneur de lui trouver du charme... Une lame à double tranchant. Succomber à la tentation lui vaudrait peut-être un bagne plus reculé encore !

Le défi de sa vie

Non, décidément, elle n'est pas faite pour la campagne. Ou alors, il lui faudrait être carrément différente — moins soupe au lait, plus accessible. Concilier une poigne de flic et un cœur de femme. Une transformation radicale. Autant dire impossible. La voilà confrontée au défi de sa vie...

BEST-SELLERS N°3

À PARAÎTRE LE 1ER MARS 2004

Ann Major

Le prix du scandale

Une passion impossible…

Entre Ritz Keller et Roque Moya-Blackstone, la passion est foudroyante. Impossible, aussi. Car la rivalité qui oppose leurs familles de grands propriétaires texans condamne d'avance toute union. Et de toute façon, Roque n'a pas les atouts du mari idéal, avec sa dégaine de Latino rebelle héritée d'une mère mexicaine…

Un destin implacable…

Pour tenter de contrer le destin, Ritz a pour allié le demi-frère de Roque, Caleb, avec qui elle œuvre pour la réconciliation des Keller et des Blackstone. Hélas, un soir, Caleb meurt dans un accident de voiture et Ritz, accusée de ce drame par les Blackstone, voit tous ses espoirs s'envoler.

Le prix du scandale…

Ritz et Roque font leur vie, chacun de son côté, et ne se retrouvent que lorsque le hasard les pousse dans les bras l'un de l'autre. Entre contraintes conjugales et malentendus, leur passion a du mal à se frayer un chemin. Jusqu'au jour où Roque décide de s'installer durablement dans la vie de Ritz. Mais un amour scandaleux peut-il rimer avec toujours ?

BEST-SELLERS N°4

À PARAÎTRE LE 1ER MARS 2004

Christiane Heggan

L'impossible vérité

Justice.

Pour Kate Logan, ce mot a encore un sens. En tant qu'avocate, elle s'efforce de défendre ses clients contre un monde dur et cruel, sans pitié pour les plus faibles. Une véritable croisade qui la laisse parfois désemparée, l'amène à douter de ses convictions, de son métier, d'elle-même.

Or voilà que, coup sur coup, deux affaires réclament sa vigilance, son intégrité. Deux meurtres, deux suspects. Deux innocents accusés à tort, Kate en a l'intime conviction. Certes tout les dénonce, et les preuves contre eux sont accablantes. Mais justement, il y en a trop, et Kate décide de mener sa propre enquête, délicate en tout point : non seulement l'un des accusés n'est autre que son ex-mari, mais le policier en charge des deux affaires la déstabilise au plus haut point — furieux de la voir multiplier les initiatives, il se montre l'instant d'après le plus prévenant des hommes.

Peu à peu, cependant, il apparaît que les deux meurtres sont liés. Les indices se recoupent, formant un puzzle inquiétant. Les vrais coupables sont là, tapis dans l'ombre, prêts à tout pour empêcher la vérité d'éclater.

Une vérité qui est désormais pour Kate une arme de survie. La seule.

BEST-SELLERS N°5

À PARAÎTRE LE 1ᴱᴿ MARS 2004

Composé et édité
PAR LES ÉDITIONS HARLEQUIN
Achevé d'imprimer en décembre 2003

BUSSIÈRE

GROUPE CPI

à Saint-Amand-Montrond (Cher)
Dépôt légal : janvier 2004
N° d'imprimeur : 37257 — N° d'éditeur : 10270

Imprimé en France